Para Henry, excepcional colega. Con amistad y afecto. Mireya

11/2006

LOS "RAROS" DE BORGES

MIREYA CAMURATI

LOS "RAROS"
DE BORGES

 CORREGIDOR

Camurati, Mireya
    Los "raros" de Borges - 1a ed. - Buenos Aires : Corregidor, 2005.
    320 p. ; 20x14 cm.

    ISBN 950-05-1615-2

    1. Crítica Literaria. 2. Ensayo Argentino. I. Título
    CDD 809 : A864

Diseño de tapa:
P.P.

Ilustración de tapa:
Curva simple. Capítulo 3. Figura 5. (Pág. 175)

Se agradece a la Fundación Pan Klub,
Museo Xul Solar, por habernos permitido reproducir
las viñetas y la foto del tablero de ajedrez,
todas ellas obras de Alejandro Xul Solar.

© Ediciones Corregidor, 2006
Rodríguez Peña 452 (C1020ADJ) Bs. As.
Web site: www.corregidor.com
e-mail: corregidor@corregidor.com
Hecho el depósito que marca la ley 11.723
ISBN: 950-05-1615-2
Impreso en Buenos Aires - Argentina

ÍNDICE

ABREVIATURAS PARA LAS OBRAS DE JORGE LUIS BORGES

A	El Aleph
AT	Atlas
BB	La biblioteca de Babel: Prólogos
BO	Borges oral
BP	Biblioteca personal (Prólogos)
BRM	Borges en "Revista multicolor"
BS	Jorge Luis Borges en "Sur"
C	La cifra
D	Discusión
EC	Evaristo Carriego
F	Ficciones
H	El hacedor
HE	Historia de la eternidad
HN	Historia de la noche
HUI	Historia universal de la infamia
I	Inquisiciones
IA	El idioma de los argentinos
IB	El informe de Brodie
LA	El libro de arena
LC	Los conjurados
OCC	Obras completas en colaboración
OI	Otras inquisiciones
OP	Obra poética

P   Prólogos: con un "Prólogo" de Prólogos
SN   Siete noches
TC   Textos cautivos: Ensayos y reseñas en "El Hogar"
TE   El tamaño de mi esperanza
TR   Textos recobrados: 1919-1929

ACERCA DEL SIGNIFICADO
DE UN NOMBRE

En el campo de la literatura hispanoamericana mencionar a los "raros" remite inmediatamente al libro así titulado que Rubén Darío publicó en Buenos Aires en 1896. Y el utilizar el término en el título de nuestro estudio indica la intención de establecer esa referencia. Sin embargo, esto no es decir que suponemos una correspondencia específica entre aquéllos a los que Darío denominó "raros" y los que aquí calificamos como los "raros" de Borges. Así, se impone un comentario acerca de la significación de esa palabra en el caso de Darío, y a qué o a quiénes nos referimos al hablar de los "raros" de Borges. Ante todo, hay que reconocer el acierto de Darío al sustantivar el adjetivo cuando habla de *Los raros*. Por un lado, con esto atraía la atención de quienes como él se interesaban por lo misterioso, lo esotérico, o las teorías ocultistas en ese fin de siglo en el que muchos artistas e intelectuales estaban familiarizados con nombres como el de Hermes Trismegisto, Madame Blavatsky, o Sâr Peladan. Por el otro, para el público en general la denominación incitaba naturalmente la curiosidad del lector.

En las distintas semblanzas que integran el libro Darío usa la palabra con insistencia. Así, Villiers de l'Isle Adam es "raro entre los raros" (74),[1] Laurent Tailhade es "raro, rarísimo" (189), Leon Bloy es el "sublevado", el "raro" (94), acerca de Eugenio de Castro con-

---

[1] Todas las citas de *Los raros* corresponden a la edición de Madrid: Aguilar, 1958.

cluye que "Se trata, pues, de un 'raro'" (319), y de Martí comenta
que gozó de "la comprensión de su vuelo por los raros" (284). Pero
precisamente esta frecuencia en aplicar el término contribuye a res-
tarle fuerza de significación y a evidenciar la ambigüedad en la
imposición del calificativo. De aquí que, en principio, todo estudio
sobre el libro de Darío trate de dilucidar la cuestión del criterio o
razones que movieron al escritor a agrupar a esa serie de autores
bajo el título de *Los raros*. Aunque algunos críticos observan cohe-
rencia en el ordenamiento de la obra, la mayoría considera que los
artículos no son trabajos sistemáticos ni constituyen una serie
homogénea.[2] Si bien aquí no cabe un análisis detallado del texto de
Darío sí importa considerar las causas del desorden que se critica y,
más relevante para nuestro propósito, aclarar el porqué del título.
Ambas cuestiones pueden resolverse si se observa lo que aparece
como un error u omisión de la crítica cuando evalúa el libro con el
orden de los capítulos de las ediciones de 1896 y 1905 sin atender a
la cronología y a las circunstancias de la publicación inicial de esos
distintos capítulos. Aunque habitualmente se indica que casi todos
los ensayos del volumen son artículos que habían aparecido en el
diario *La Nación* de Buenos Aires no se presta atención a las fechas
de esas publicaciones[3] y al orden que éstas establecen, muy distinto
al de los capítulos del libro.

Darío venía colaborando con el diario porteño desde principios
de 1889 y su diligencia en cumplir con las tareas de corresponsal se
evidencia en el hecho de que a una semana de su llegada a Buenos

---

[2]   Acerca de estas opiniones, consultar Lastra (39, 43), Schrader (95) y Carilla
(61).

[3]   Una excepción es el estudio de Pedro Luis Barcia, *Escritos dispersos de
Rubén Darío (Recogidos de periódicos de Buenos Aires)* en el que el crítico
ofrece una lista con "el orden, y algún detalle de la publicación en *La Nación*
de los sucesivos trabajos que se recogerían en *Los raros*" (51). El trabajo de
Barcia se destaca por una cuidadosa y rica documentación, y esta lista con las
fechas precisas de los artículos nos ha sido sumamente útil para fundamentar
los comentarios sobre el tema que ahora nos ocupa.

Aires procedente de París, en agosto de 1893, aparecen en *La Nación* dos artículos, el primero sobre Georges D'Esparbés, y el segundo sobre Jean Moréas. Ambos, lo mismo que el que en septiembre de 1893 dedica al poeta cubano Augusto de Armas muerto en París en julio de ese año, pasarán a integrar el volumen de *Los raros*. El próximo en la lista de esta serie de artículos es el que se publica el 8 de enero de 1894 con el título de "Manicomio de artistas. *Degeneración*. La última obra de Max Nordau" (Barcia 51-52). Es preciso detenerse a considerar este artículo porque, significativamente, en varios de los que le siguen, y por primera vez, Darío va a anotar el calificativo antes del nombre del autor. Así, se suceden, "Los Raros. Teodoro Hannon", "Los Raros. Leon Bloy", "Los Raros. El conde Matías Felipe Augusto de Villiers de l'Isle Adam", "Los Raros. Rachilde".

El nombre de Max Nordau no tiene hoy particular resonancia, pero este no era el caso en la época de Darío. Por empezar, recordemos que en las "Dilucidaciones" a *El canto errante* el nicaragüense comenta que frente a los numerosos ataques de la crítica solamente contestó tres veces en razón de "la categoría de sus representantes" que "se llamaban Max Nordau, Paul Groussac, Leopoldo Alas" (*Obras poéticas* 622).

Médico de profesión, periodista, orador, el renombre de Max Nordau se apoyaba fundamentalmente en su labor de escritor de novelas, cuentos, obras de teatro, y numerosos ensayos de crítica social, política y literaria. Sus ideas científicas lo muestran discípulo fiel de la teoría de la evolución de Darwin, de la psicología de Cesare Lombroso y de la frenología de Franz Joseph Gall, entre otros.

Nordau exalta el valor del conocimiento científico como base del progreso del ser humano. En la formulación de las leyes del mundo físico, como la ley de causalidad entre las más importantes, exige la claridad de pensamiento que se logra gracias a la disciplina mental y a la fuerza de voluntad. Cree que la adquisición del conocimiento se apoya en el trabajo esforzado y en el sentimiento del deber. Por esto, dice un crítico, no es extraño que Nordau despreciara a los artistas de la bohemia de París o Viena, para él vagabundos incapaces de satisfacer tales requerimientos (Mosse xvi).

En la "Dedicatoria" de su libro a Cesare Lombroso, Nordau declara su intento de investigar las tendencias imperantes en arte y literatura siguiendo en lo posible el método del profesor italiano, y probar que esas tendencias derivan de la degeneración de artistas y autores (Nordau vi). En las mismas páginas, comenta que quienes como él tienen la audacia de caracterizar a las corrientes estéticas en boga como formas de descomposición mental se exponen a la violenta reacción de los artistas y críticos que se sienten aludidos (Nordau vi-vii). Sin duda, esto es lo que ocurrió al publicarse el libro en 1892. El artículo de Darío se alinea así junto a otras réplicas a las ideas propuestas en *Degeneración*. La característica polémica de algunas de esas respuestas está en directa relación con el tono virulento del texto. Darío anota:

> Nordau no se contenta con dirigir su escalpelo hacia Verlaine, el gran poeta desventurado... Él sentencia a los decadentes y estetas, a parnasianos y diabólicos, a ibsenistas y neomísticos, a prerrafaelistas y tolstoístas, wagnerianos y cultivadores del yo... (*Los raros* 251)

Efectivamente, por las páginas de *Degeneración* desfilan las figuras de aquéllos que son sus artistas preferidos: Baudelaire, Poe, Barbey d'Aurevilly, Mallarmé, Moréas, Whitman, Villiers de l'Isle Adam, Ibsen, Tailhade, Richepin, Huysmans, Mendès, entre los más prominentes. Y como explica Darío:

> Max Nordau no deja un solo nombre, entre todos los escritores y artistas contemporáneos de la aristocracia intelectual, al lado del cual no escriba la correspondiente clasificación diagnóstica: "imbécil", "idiota", "degenerado", "loco peligroso" (*Los raros* 245).

La lectura de *Degeneración* confirma los juicios de Darío. En más de quinientas páginas, Nordau comenta las características de los movimientos artísticos y literarios y analiza, a veces en detalle, la obra de sus principales representantes. Pero de principio a fin su crítica es negativa. Así, anota: "La teoría de arte parnasiana es pura imbecilidad" (270);[4] "Por sí solo Richard Wagner acumula mayor abundancia de degeneración que todos los otros degenerados que hasta ahora conocimos puestos juntos" (171). Para él, Baudelaire "durante toda su vida mostró los estigmas mentales de degeneración" (285), Poe es "talentoso pero mentalmente trastornado" (286), Villiers de l'Isle Adam y Barbey d'Aurevilly "poseen las características distintivas comunes a los degenerados" (296), Moréas es "débil de cerebro" (132), Whitman es "moralmente insano" (231), y las palabras de Mallarmé son un "flujo incoherente" (131).

Nordau dedica varias páginas de *Degeneración* a Paul Verlaine a quien presenta como el "modelo más admirado por los simbolistas y aquél de quien reciben la más fuerte inspiración" (119). Analiza rasgos peculiares del estilo verlaineano y los ejemplifica con varios poemas, entre ellos "Arte poética" una de cuyas estrofas califica de "delirante" (127). Por otro lado, y a pesar de esta rígida incomprensión, no deja de reconocer que ciertos recursos poéticos "en las manos de Verlaine producen obras de extraordinaria belleza" (127). Sin embargo, nada puede paliar la terrible caracterización con la que Nordau cierra sus comentarios sobre el poeta francés. Ve en él a "un ser repulsivo y degenerado, con cráneo asimétrico y rostro mongólico, un vagabundo impulsivo y dipsomaníaco... un soñador emocional de débil intelecto... un viejo que manifiesta la ausencia de un pensamiento preciso a través de un lenguaje incoherente, expresiones sin sentido e imágenes heterogéneas" (128). Años después, en su semblanza de *Los raros*, Darío

---

[4] En esta y todas las otras citas del libro de Nordau, la traducción es nuestra.

contempla en el recuerdo al "triste maestro" en líneas que casi literalmente refutan las de Nordau. Habla de "aquella figura imponente en su pena, aquel cráneo soberbio, aquellos ojos oscuros, aquella faz con algo de socrático, de pierrotesco y de infantil" (65-66). Y exclama: "¡oh pobre viejo divino!" (64).

Como anotamos antes, los artículos que aparecen en *La Nación* inmediatamente después del dedicado a Nordau son los que presentan la denominación de "Los Raros" antes del nombre del autor motivo de la semblanza. Entre éstos se destaca el dedicado a Villiers de l'Isle Adam no sólo en cuanto constituye una respuesta elocuente a la crítica de Nordau sino también porque este texto en gran medida sintetiza y ejemplifica la estética dariana por esa época. Si en el cuento de *Azul* se descalifica al personaje de la historia porque no es un rey poeta sino un "Rey Burgués" (53), aquí, desde el primer párrafo Darío anota lo contrario. Dice: "'Éste era un rey...' Así, como en los cuentos azules, hubiera debido empezar la historia del monarca *raté*, pero prodigioso poeta, que fue en esta vida el conde Matías Felipe Augusto de Villiers de l'Isle Adam" (*Los raros* 73). A continuación Darío presenta la imagen de ese príncipe ideal: su abolengo, la majestad imponente y la riqueza refinada, su rechazo de la sociedad materialista, el rey protector de artistas y escritores, quien rescata "la visión de las ninfas y de las diosas" (74), y quien mereció "la visita de un soberano soñador que se llamaba Luis de Baviera, señor hermoso como Lohengrin" (74). Esto queda sólo como un "adorable sueño" (74), pero aunque Villiers de l'Isle Adam nunca ciñó corona real ello no desmerece su aristocracia, la aristocracia de los excelentes. Así, Darío va a exaltarlo como "un personaje extraordinario" (74), un "excelso poeta" (74) y, al final, como "el raro artista, el rey, el soñador" (90).

De todo lo anterior podemos concluir que el orden en que aparecen en *La Nación* los distintos artículos de la serie de "Los Raros" explica la gestación y el sentido del calificativo. Cuando Max Nordau llama degenerados, locos o imbéciles a los artistas que él más admira, Darío contesta: es un raro. Y a veces, como en el caso de Laurent Tailhade, lo enfatiza: "Es raro, rarísimo ¡Un poeta!" (189).

En la primera edición del libro en 1896 Darío va a incluir algunos textos no publicados en *La Nación* como los que dedica a Edgar Allan Poe, y al Conde de Lautréamont, pero lo que en este punto importa destacar es que el orden de los capítulos de *Los raros* difiere totalmente del de los artículos del periódico. Encabezan la lista Leconte de Lisle (I), Verlaine (II), Villiers de l'Isle Adam (III), Bloy (IV), Richepin (V) y Moréas (VI), mientras que Nordau aparece en el décimo capítulo.[5] Es que aquí, más que responder a los diagnósticos de Nordau o a hechos circunstanciales, Darío va a ir organizando la lista de sus autores preferidos lo que, en cierta medida, es una declaración de su poética

De esta manera vemos que el calificativo que en principio sirve a Darío para refutar las críticas acerbas de Nordau evoluciona en *Los raros* para abarcar las cualidades positivas que él exalta: "elegante", "refinado" (222), "extraordinario" (74) y, junto con el sustantivo, "prodigioso poeta" (73), "excelso poeta" (90), "grande artista" (98), para finalmente homologar nombre y adjetivo en "raro poeta" (219).

Todo esto vale para el significado del término según lo asigna Darío, pero qué nos dice el vocablo cuando hablamos de los "raros" de Borges. Ante todo, y como es obvio, Borges nunca escribió un libro o tan siquiera un artículo con este título. Otra diferencia es que mientras todas las semblanzas del libro de Darío corresponden a escritores, sólo uno de los "raros" que vamos a estudiar –Michael Innes– entra en esa categoría. Los otros se ubican en campos diversos: John Wilkins, clérigo y estudioso de las

---

5   En la segunda edición de *Los raros* (Barcelona: Maucci, 1905) que es la que generalmente se sigue para las ediciones posteriores, vuelve a cambiarse el orden de los autores según aparecían en la primera edición.

ciencias; Edward Kasner y James Newman, matemáticos; John
William Dunne, ingeniero aeronáutico y autor de textos de divulgación filosófica; Max Eastman, con obras de crítica estética, literaria, sociológica, y de ciencias políticas; y Xul Solar, pintor. Asimismo, distinta es la forma en que ambos autores se acercan a esos
"raros". En la mayoría de los casos, Darío demuestra tener un
conocimiento amplio y bastante completo de sus obras. Borges, en
cambio, explica que no ha leído los textos de Wilkins, comenta
sólo un libro de Eastman, y de Kasner y Newman, y pocos más de
Dunne, y de Innes. Por supuesto, esto de ninguna manera desmerece a Borges frente a Darío. El compararlos en esta forma simplemente indica que la intención y los intereses que los llevaban a esas
lecturas eran diferentes. Y es precisamente desde este punto que
podemos encaminarnos ahora a destacar semejanzas. La primera,
circunstancial pero significativa, es que los comentarios más tempranos que tanto Darío como Borges escriben sobre esos "raros"
van a aparecer en publicaciones periódicas. En páginas anteriores
indicamos que la mayoría de los capítulos de *Los raros* provienen
de artículos que Darío publicó en el diario *La Nación* de Buenos
Aires. Con Borges corresponde ubicarnos en la década de 1930
cuando lo vemos colaborador asiduo de *Sur*, la revista fundada por
Victoria Ocampo en 1931, codirector y redactor de muchos textos
de la *Revista multicolor de los sábados* del diario *Crítica* desde
1933 a 1934, y a cargo de la sección de "Libros y Autores Extranjeros" de *El Hogar* entre octubre de 1936 y julio de 1939.

Bien conocida es la importancia del llamado grupo de *Sur* en el
desarrollo de la carrera literaria de Borges. En cuanto a sus publicaciones en la revista basta por ahora anotar que entre 1931 y 1970
aparecen en sus páginas más de ciento setenta de sus textos (BS 7).
Entre éstos figuran diez de los diecisiete relatos de *Ficciones* y
nueve de los diecisiete de *El Aleph*. También, hay que mencionar
que en el número 56 de mayo de 1939 se incluye "Pierre Menard,

autor del Quijote", texto clave en la estructuración de la narrativa borgesiana.

Acerca de su participación en la empresa de la *Revista multicolor de los sábados* es bueno recordar que allí publica la mayoría de los relatos que en 1935 integrarán *Historia universal de la infamia*, incluso "Hombre de la esquina rosada", en la *Revista* con el título de "Hombres de las orillas". También se encuentran en ésta algunos textos que saldrán editados en *Historia de la eternidad* de 1936. Pero la revista que ahora más nos interesa es *El Hogar*, y por dos razones. Primero, porque con más insistencia que en las otras publicaciones en *El Hogar* Borges se refiere a varios de los que llamamos "raros". Y segundo, por la forma en que los menciona o alude en sus textos.

Desde su fundación en 1904, y por muchas décadas, *El Hogar* hizo honor a su nombre al enfatizar su dedicación "a las familias" (Sacerio-Garí 171) y, en especial, a la mujer. Bien ilustrada, la revista presentaba fotografías de sucesos y personajes destacados del mundo de la política, del espectáculo, y de la alta sociedad. Los artículos y comentarios trataban temas diversos ya fueran culturales, deportivos, acerca de la moda, o aquellos que ofrecían consejos prácticos, y entre ellos se intercalaban anuncios comerciales. Pero junto a estas páginas de interés general y destinadas a un público masivo estaban otras que, como las de Borges, indicaban un mayor nivel intelectual y un pronunciado tono literario. Y Borges no era el único que aportaba este tipo de colaboraciones. Al respecto, baste recordar que por muchos años Horacio Quiroga no sólo publica en *El Hogar* algunos de sus relatos más difundidos sino también numerosos artículos sobre cine y, aún más importante, varios en los que con una mezcla de ironía va a establecer sus ideas sobre la técnica del cuento breve. Así, leemos "El Manual del perfecto cuentista" del 10 de abril de 1925, "Los trucos del perfecto cuentista" del 22 de mayo de 1925, "La retórica del cuento" del 21 de diciembre de 1928, y "Ante el tribunal" del 11 de sep-

tiembre de 1931. También, por la época en que Borges está a cargo
de la sección de "Libros y Autores Extranjeros", Ezequiel Martínez
Estrada comienza a publicar sus trabajos en la revista. A estos tres
nombres pueden agregarse otros pero creemos que ellos son suficientes para atestiguar la calidad de los colaboradores de *El Hogar*.
Sin embargo, y a pesar de todos los comentarios anteriores acerca
de las características de publicación miscelánea de *El Hogar*, hoy
no deja de sorprendernos ver en una de sus páginas, a la derecha la
columna de Borges con reseñas sobre Shakespeare y Faulkner, y a
la izquierda, ilustradas con figurines, las instrucciones de cómo
tomar las medidas necesarias para solicitar los moldes del modelo
de vestido seleccionado por "la lectora" (TC 321). O en la misma
página en que Borges escribe su comentario sobre "John Wilkins,
previsor" (TC 331), leer un anuncio que promociona "el gran licor
de moda", y otro que exalta las virtudes de un suplemento nutri-
tivo. Por supuesto, Borges sabía que *El Hogar* era una revista des-
tinada al gran público, y en alguna ocasión calificó despectiva-
mente las colaboraciones en sus páginas como un trabajo rutinario
pero beneficioso por la remuneración (Yates, "La biblioteca" 104).
   Sabemos que la obligación de Borges era escribir cada quince
días la sección de "Libros y Autores Extranjeros" la que, con algunas variantes en los casi tres años de su redacción, incluía una
"Biografía sintética", una o dos reseñas de diversa importancia y
extensión, y un recuadro con noticias "De la vida literaria". Acerca
de las biografías sintéticas Borges explicaba que para obtener la
información básica con frecuencia recurría a obras como *The
Georgian Literary Scene* en la que el autor, Frank Swinnerton,
ofrece un panorama de la literatura durante el reinado de Jorge V
de Inglaterra. Enseguida agregaba que, a veces, "mejoraba los
datos, improvisando interesantes detalles y anécdotas" (Yates, "La
biblioteca" 104-05). Si consultamos algunas de esas biografías es
fácil detectar en ellas esos improvisados "detalles y anécdotas".
Por ejemplo, en la dedicada a Eden Phillpotts, uno de sus favoritos

y quien tal vez deba su mucha o poca posteridad a las citas de Borges, leemos: "Tenía la esperanza y la voluntad de ser un gran actor. El público logró disuadirlo". Y más abajo agrega: "Phillpotts es el hombre apacible que no fatiga el atareado Atlántico para asestar un ciclo de conferencias" (TC 112). El mismo tono irónico aparece en la biografía de Julián Green de quien dice: "La única persona no convencida de la vocación literaria de Julián Green fue el mismo Julián Green, que se entregó desaforadamente al estudio de la música y de la pintura, con resultado infausto" (TC 214).

Sin duda, la parte más importante de la sección de "Libros y Autores Extranjeros" era la que ocupaban las reseñas pero para el propósito inicial de comprobar qué autores interesaban a Borges por esos años tan válidas son éstas como las biografías o los breves comentarios en "De la vida literaria". Una ojeada al índice general de estas colaboraciones basta para advertir en ellas algunas de las características típicamente borgesianas. Por empezar, un neto predominio de comentarios sobre obras y autores de lengua inglesa. Después, y ya encaminándonos al tema de nuestro estudio, observamos que si bien en varios textos se refiere a escritores importantes –Kafka, Faulkner, Joyce, Valéry, T.S. Eliot, y algún otro– el número y la frecuencia de las citas y, sobre todo, el interés, no recae en ellos sino en autores que no ocupan un primer plano y, a veces, resultan claramente marginales. En este grupo ubicamos a H.G. Wells, a quien Borges dedica ocho reseñas y un comentario en "De la vida literaria", un número de artículos evidentemente desproporcionado en relación con la trascendencia de sus obras. También, entre estos buenos escritores pero no de la magnitud que la atención de Borges parece asignarles están J.B. Priestley, Rudyard Kipling y, en especial, el predilecto, G.K. Chesterton, con quien pasamos a destacar otra característica de los textos de *El Hogar* que es la abundancia de aquéllos que se refieren al relato policial. La lista de autores es extensa y en ella figuran Ellery Queen, Nigel Morland, Milward Kennedy, Eden Phillpotts, Ernest

Bramah, John Dickson Carr, Michael Innes, S.S. Van Dine, Georges Simenon, Nicholas Blake, Dorothy L. Sayers, Anthony Berkeley, con la mención reiterada de Edgar Allan Poe como el iniciador del género, de Wilkie Collins como el autor de la primera novela policial (TC 165, 247) y, cerrando el círculo, con la afirmación del valor ejemplar de los relatos de Chesterton.

Cerca ya de determinar a quiénes llamamos los "raros" de Borges, de la lista anterior con escritores de un género menor queremos rescatar los nombres de Eden Phillpotts, Michael Innes, y Wilkie Collins para unirlos a otros como Gustav Meyrink, el autor de la novela *El Golem*, Liddell Hart, el estratega de las guerras europeas, Thomas de Quincey, el visionario, John William Dunne, con el tema de los sueños y el tiempo, John Wilkins y su intento de un lenguaje universal, o Edward Kasner y James Newman con *Matemáticas e imaginación* y las múltiples sugerencias que derivan desde el título de este libro. En la década que va desde 1931 hasta 1940 en la que, como anotamos, Borges va a escribir trabajos para diversas publicaciones periódicas, especialmente para *Sur*, la *Revista multicolor de los sábados*, y *El Hogar*, los nombres arriba mencionados van a aparecer reiteradamente en sus textos. Cincuenta años después, y uno antes de su muerte en 1986, Borges acepta el encargo de seleccionar "cien obras de lectura imprescindible que, prologadas por él mismo, formarían una colección cerrada con el título de 'Biblioteca personal'" (BP i). En el prólogo general para la serie, Borges describe las características salientes de la misma y explica el criterio de selección de textos que lo movió a organizarla. Dice que esos textos "no son forzosamente famosos" porque a diferencia de los críticos académicos que se complacen en "el prolijo análisis de libros que se han escrito para ese análisis", lo que a él le interesa es compartir con el lector el goce que él experimentó al leerlos (BP iii). En una página de *Discusión* Borges se había declarado "lector hedónico" (93), y en una conferencia en 1978 había confirmado su convicción de que la literatura "es una forma de felicidad" (BO 22). De aquí que ahora, puesto a seleccionar los volúmenes de "su" biblioteca, el punto de mira se fija en el lector, y el propósito se centra en otorgar a ese lector la oportunidad del goce. En cuanto a cómo se allegó a esos textos la explicación delata su cualidad de curioso inquisidor. Dice: "Deseo que esta biblioteca sea tan diversa como la no saciada curiosidad que me ha inducido, y sigue induciéndome, a la exploración de tantos lenguajes y de tantas literaturas" (BP iii). Y por fin, su advertencia definitoria: "Esta serie de libros heterogéneos es, lo repito, una biblioteca de preferencias" (BP iii). Si vamos al índice de autores de los volúmenes publicados observaremos que es posible dividir a estos autores en los mismos grupos que determinamos para aquéllos que aparecían en los escritos de la década de 1930. En primer lugar, y excluyendo a los clásicos que como Dante, Shakespeare o Cervantes obviamente formaban parte de su biblioteca, Borges presenta aquí a un grupo de figuras prominentes. En enumeración incompleta anotamos los nombres de Dostoievski, Kafka, Flaubert, Voltaire, Swift, Ibsen, junto a los de Virgilio y Heródoto entre los antiguos, Fray Luis, Quevedo y Juan Ruiz entre los españoles, y Cortázar, Rulfo, Lugones y Martínez Estrada entre los hispanoamericanos. Después, aparecen sus preferidos: Chesterton, Wells, Stevenson, Poe, Kipling y, por último, un tercer grupo, y el más numeroso, con autores menores y, en algunos casos, extraños. Entre éstos destacamos a Thomas de Quincey, William Blake, Gustav Meyrink, León Bloy, Eden Phillpotts, Wilkie Collins, Edward Kasner y James Newman, y John William Dunne. Con ellos podemos por fin explicar a quiénes llamamos "raros". Resumiendo, anotamos las siguientes características: autores marginales, no necesariamente literatos, mencionados a veces por una sola de sus obras, algunos de ellos inclinados a proponer acciones o temas insólitos, o dados a ejercitar técnicas singulares. Pero a pesar de esto, o precisamente por esto, esos autores van a atraer la atención de Borges de manera perdurable, desde las décadas formativas de la juventud hasta el final de su vida. La forma en que fija su atención es diversa. Como dijimos, a veces se concentra en una obra mientras que en otros casos se detiene en una frase o un concepto que después podrá deslizarse directa o subrepticiamente en las páginas de sus ficciones. Con algunos, se interesa por los azares de sus vidas, con otros, los ignora por completo.

En el estudio que vamos a emprender de varios de estos "raros" de Borges formularemos tres preguntas claves: quiénes eran, cómo los conoció y cómo se relacionan con su obra. En cuanto a los que hemos seleccionado, iniciamos el análisis con John Wilkins, el obispo del siglo XVII, y lo cerramos con Xul Solar, el amigo genial y extravagante desde los años de juventud. En ellos, y en los otros –Innes, Kasner y Newman, Dunne, Eastman– observaremos lo peculiar de sus obras y, a veces, de su personalidad.

Volviendo por un momento a *Los raros* de Darío, advertimos primero una coincidencia circunstancial. Tres de *Los raros* –Poe, Ibsen[6] y Bloy– aparecen entre los elegidos por Borges para su "biblioteca de preferencias". Otra, fundamental y que está en la base de nuestro estudio, es que tanto para Darío como para Borges la obra de algunos de esos "raros" va a adquirir particular significación.

Por último, recordemos que Borges rechazaba los textos que obligan a un esfuerzo de lectura porque sostenía que ésta es una forma de felicidad y de alegría que no debe requerir ningún esfuerzo. En el proceso de investigación de las obras de sus "raros", en el interés que ellas despiertan comprobamos que, como lo solicitaba el autor, la lectura de las mismas brinda esa satisfacción y ese contento.

---

6   Un comentario al margen: en el prólogo que escribe para el volumen con las obras de Ibsen seleccionadas para la colección de su "Biblioteca personal" Borges menciona a Max Nordau como el "detractor" del escritor noruego (BP 22).

Capítulo I

JOHN WILKINS Y EL LENGUAJE ANALÍTICO

Posiblemente, para un lector familiarizado con la obra de Borges el nombre más conocido en la lista de los "raros" motivo de nuestro estudio es el de John Wilkins. Por cierto, esto no significa que ese supuesto lector esté informado acerca de los escritos de Wilkins –como dijimos, Borges tampoco los había leído– sino que se debe a la afortunada difusión de un artículo publicado en *La Nación* el 8 de febrero de 1942 con el título de "El idioma analítico de John Wilkins" el que, diez años después, aparece incluido en *Otras inquisiciones*. Entre los diversos comentarios acerca de este artículo sobresale por su importancia el de Michel Foucault quien, en 1966, declara que un párrafo del texto de Borges fue lo que inicialmente lo movió a escribir *Las palabras y las cosas* (1). Pero aunque el breve ensayo de 1942 contiene las reflexiones fundamentales sobre la obra de Wilkins, esta no es la primera vez que Borges menciona a este autor. En la conferencia sobre "El idioma de los argentinos" en 1927, que al año siguiente se publica en el volumen de ese título, Borges se refiere al "obispo anglicano Wilkins, el más inteligente utopista en trances de idioma que pensó nunca" (IA 141). Asimismo, el nombre de Wilkins aparece dos veces en la columna de Borges en *El Hogar*: en forma incidental en una reseña sobre el libro de E. Sylvia Pankhurst, *Delphos: The Future of Internacional Language*, en marzo de 1939, y en un breve comentario bajo el título de "John Wilkins, previsor", en julio del mismo año.

Ahora, antes de continuar con nuestra investigación, y dado que hemos insistido en el hecho de que Borges no había accedido directamente a los textos de Wilkins, queremos aclarar que coincidimos con los críticos que, en tren de evaluar la supuesta autenticidad de la erudición de Borges, consideran secundario el tema de las lecturas de segunda mano. Por ejemplo, en "Borges y la distancia literaria" Sylvia Molloy anota lo siguiente: "En realidad poco importa que Borges hable de obras que ha leído o que aproveche los textos de quienes han leído las obras de las que quiere hablar. Basta comprobar con qué ligereza se desentiende del tradicional prestigio de la erudición" (29).

Además, en relación con nuestro propósito de esclarecer la importancia de Wilkins y de los otros "raros" en el pensamiento y en la obra de Borges, la manera en que éste se informó sobre los trabajos del obispo inglés es significativa en cuanto puede calificarse como típicamente borgesiana en intención y contenidos.

Si alguien se diera a la tarea de determinar circunstancias características en la vida de Borges, sin duda anotaría en primer lugar la relación del escritor con las bibliotecas: la biblioteca de su padre, la biblioteca municipal en un barrio porteño donde trabajó como empleado, la Biblioteca Nacional de la que fue director, su biblioteca personal. Y todo esto apoyado en declaraciones reiteradas y elocuentes: "¿Me será permitido repetir que la biblioteca de mi padre ha sido el hecho capital de mi vida? La verdad es que nunca he salido de ella, como no salió nunca de la suya Alonso Quijano" ("Epílogo" HN 140). O, en versos memorables: "Yo, que me figuraba el Paraíso/ Bajo la especie de una biblioteca" ("Poema de los dones" OP 114). Entre estos extremos, en ensayos, narraciones, y poemas, aparecen diversas y repetidas menciones y alusiones a la biblioteca. Esto también ocurre en las entrevistas donde Borges se refiere con más detalle a las experiencias y recuerdos que giran alrededor de una biblioteca. En una de esas ocasiones, comentaba lo siguiente:

Cuando aún era un chico solía acompañar a mi padre a la Biblioteca Nacional –esa Biblioteca que sigo extrañando y que ni remo-
tamente, por esa época, yo podía imaginar que algún día habría de
dirigirla– y era tan tímido que no me atrevía a pedir libros. Me
acercaba entonces a los anaqueles, buscaba una edición vieja de la
Enciclopedia Británica, sacaba un volumen cualquiera y lo leía.
(Alifano, *Conversaciones* 82)

Aquí no sólo observamos la temprana relación de Borges con
una biblioteca sino también la mención de la Enciclopedia Británica. En la misma entrevista, Borges había declarado su preferencia por la lectura de enciclopedias por "la cuota de sorpresa, de
suspenso" (Alifano, *Conversaciones* 81) que hay en ellas, dado
que a diferencia de un libro del que en general se sabe qué tipo de
texto contiene desde el momento en que se lo elige esto no ocurre
con una enciclopedia "que está regida por el orden alfabético que,
esencialmente, es un desorden" (Alifano, *Conversaciones* 81).
Acerca de la Británica, explicaba en otra oportunidad que con parte
del dinero que recibió por el segundo premio municipal de prosa en
1928 (o 1929) compró la undécima edición de la Enciclopedia Británica que consideraba muy superior a las más recientes con páginas llenas de fechas, cifras, y abreviaturas mientras que aquélla
incluía "artículos de Macaulay, de De Quincey, de Swinburne, que
eran realmente ensayos" (Vázquez, *Borges: Imágenes* 59).
Si ahora vamos al artículo de Borges, leemos en la oración inicial: "He comprobado que la decimocuarta edición de la *Encyclopaedia Britannica* suprime el artículo sobre John Wilkins" (OI
139). Y, más abajo en la misma página se refiere al texto de Wilkins que le interesa, *An Essay towards a Real Character, and a
Philosophical Language*, y aclara: "No hay ejemplares de ese libro
en nuestra Biblioteca Nacional". Frente a esta limitación, explica:
"he interrogado, para redactar esta nota, *The Life and Times of
John Wilkins (1910)*, de P.A. Wright Henderson; el *Woerterbuch
der Philosophie (1924)*, de Fritz Mauthner; *Delphos (1935)*, de E.

Sylvia Pankhurst; *Dangerous Thoughts (1939)*, de Lancelot Hogben" (OI 139). De esta manera, en la primera página de "El idioma analítico de John Wilkins" Borges indica con precisión los textos que le sirvieron para informarse sobre el autor y sus obras. Esto es común en muchos de sus ensayos, especialmente en la mayoría de los que componen *Historia de la eternidad* en los que, al final, anota la lista de obras consultadas, obras que, según sus palabras, reunió al azar de su biblioteca (HE 48). La lectura y comentario de los textos que utilizó para referirse a Wilkins permite observar qué ideas o aspectos le interesaban en ellos. A veces los cita literalmente, o los parafrasea. En otros casos lo que rescata es una imagen, o un concepto al que replica o hace suyo para extenderlo en sus derivaciones. En resumen, podemos atisbar aquí el funcionamiento de la mente curiosa de Borges: en qué se detiene, qué selecciona, qué conserva para luego recordar y recrear.

El artículo sobre Wilkins en la undécima edición de la Enciclopedia Británica le parece trivial en sus "veinte renglones de meras circunstancias biográficas" (OI 139), aunque lo aprovecha para anotar las fechas de nacimiento y muerte (1614-1672), y otros datos más o menos importantes: "Wilkins fue capellán de Carlos Luis, príncipe palatino; Wilkins fue nombrado rector de uno de los colegios de Oxford, Wilkins fue el primer secretario de la Real Sociedad de Londres" (OI 139).

Más útil debe haberle resultado la lista de las principales obras de Wilkins con que termina el artículo como así también la referencia al libro de P.A. Wright Henderson, y a la entrada de la Enciclopedia sobre "Aeronautics" de la que, como veremos, Borges va a utilizar el párrafo referido a Wilkins. Pero las páginas de la Enciclopedia Británica que suponemos deben haber sido las primeras que orientaron su interés por la obra de John Wilkins son las que corresponden a "Universal Languages" (Lenguas universales), texto de cuatro columnas escrito por el lingüista y filólogo Henry Sweet (1845-1912), quien también colaboró con los artículos sobre

"Esperanto", "Volapük", "Phonetics", "Jakob Grimm", y "Wilhelm Grimm".

Como ya indicamos, la primera mención de Wilkins que se encuentra en la obra de Borges es la que figura en "El idioma de los argentinos", la conferencia de 1927 (IA 141) donde la alusión no pasa de unas pocas líneas. También breve, pero más explicativo, es el comentario sobre el lenguaje inventado por Wilkins que Borges publica en las páginas de *El Hogar* en la reseña sobre *Delphos*, el libro de E. Sylvia Pankhurst (TC 306). Pero el texto que ahora nos interesa porque muestra la forma curiosa en que Borges introduce sus referencias es "John Wilkins, previsor". Como el anterior, este comentario aparece en *El Hogar*, y en el mismo año de 1939 (TC 333-34). Leemos en el primer párrafo:

> La prensa de Inglaterra anuncia sin mayor comentario la ampliación del Aeródromo Militar de Heston y la consiguiente demolición del vecino pueblo de Cranford, cuya rectoría de piedra gris data del siglo catorce. En esa rectoría vivió hacia 1640 John Wilkins, uno de los prefiguradores o precursores del vuelo mecánico. (TC 333)

Que Borges leyera diarios británicos no sorprende si consideramos su reconocido interés por los sucesos y las gentes de Inglaterra. Tampoco resulta extraño que a pocos meses del estallido de la Segunda Guerra Mundial las páginas de la prensa abundaran en noticias militares o bélicas. Lo que sí llama la atención es el sesgo que Borges impone a su lectura y, por derivación, a la nuestra. De un aeródromo militar pasa a una rectoría, y de ésta a un John Wilkins ahora reconocido como precursor del vuelo en una máquina en la forma en que Wilkins lo discute en su *Magia matemática*,[1] texto dividido en dos libros, *Arquímides* y *Dédalo*. "El segundo

---

[1] En este artículo, Borges anota todos los títulos de las obras de Wilkins en su traducción al español.

–anota Borges– refiere que cierto monje inglés del siglo XI voló 'desde la torre más eminente de una iglesia catedral española, asistido de alas mecánicas'" (TC 334). El artículo de la Enciclopedia Británica sobre "Aeronáutica" contiene una sección dedicada a Wilkins en la que se menciona la opinión del obispo en cuanto a la posibilidad de un vuelo a la luna, y también la anécdota que éste relata en *Magia matemática* sobre el monje inglés que, en un lugar de España, voló a lo largo de una distancia apreciable. Esta coincidencia en la anécdota sugiere que, una vez más, la información que Borges maneja procede de la Enciclopedia Británica. El párrafo final de "John Wilkins, previsor" cierra el tema del vuelo y de los aviones. Leemos:

> En el idéntico lugar en que Wilkins especuló sobre "hombres volátiles", anidarán los férreos aeroplanos e irán al cielo. Yo sé que a Wilkins le hubiera alegrado esa coincidencia, que es una irrefutable confirmación y casi un desagravio. (TC 334)

Si bien el artículo comienza y termina con este tema lo más importante es lo que éste enmarca, es decir la enumeración y breves comentarios sobre los libros de Wilkins. Borges anota:

> El primero data de 1638 y se llama *Descubrimiento de un mundo en la luna, o sea un Discurso que procura demostrar que en ese planeta puede haber un mundo habitable.* (La tercera edición, que es de 1640, incluye un capítulo adicional, que plantea –y afirma– la posibilidad de un viaje a la luna). *Mercurio, o el secreto y rápido mensajero* (1641) es un manual de criptografía. *Magia matemática* (1648) consta de dos libros que se titulan *Arquímides y Dédalo.*(TC 334)

Después de referirse a la historia del vuelo del monje inglés según transcribimos en páginas anteriores, Borges concluye la enumeración de las obras de Wilkins con aquella que más le interesa:

> El *Ensayo de una escritura real, y de un lenguaje filosófico* (1668)
> propone un catálogo razonado del universo y deriva de ese catá-
> logo un riguroso idioma internacional. Wilkins reparte el universo
> en cuarenta categorías, indicadas por nombres monosilábicos de
> dos letras. Esas categorías están subdivididas en géneros (indica-
> dos por una consonante) y esos géneros en especies, indicadas por
> una vocal. Así "de" quiere decir elemento; "deb", fuego; "deba",
> la llama... (TC 334)

Aquí, la descripción del sistema de Wilkins es casi idéntica a la
que había escrito en su reseña sobre *Delphos*, de E. Sylvia Pankhurst y, en esencia, la misma que incluye en un párrafo de "El
idioma analítico de John Wilkins" (OI 141).

Antes de anotar esta lista de las obras de Wilkins con los
comentarios que básicamente provienen del libro de Wright Henderson, Borges critica al que llama "único biógrafo" de Wilkins
porque éste, "el señor P. Wright Henderson", "tiene la inocencia (o
desvergüenza) de proclamar que no ha recorrido su obra 'salvo del
modo más apresurado, y aun negligente'" (TC 333).

En gran medida, Borges es injusto en esta crítica al autor de *The
Life and Times of John Wilkins*. Lo que Wright Henderson explica
en su texto es que dada la variedad temática de los libros de Wilkins, con el énfasis en las ciencias físicas y naturales, y ubicados en
campos del conocimiento que están fuera de su interés inmediato,
él ha leído esos libros en forma apresurada, y sin mucho cuidado,
excepto dos de ellos, *An Essay towards a Real Character, and a
Philosophical Language* y *The Principles and Duties of Natural
Religion* (79). En las palabras de Borges tal vez se traduce la frustración de no poder acceder directamente a los escritos de Wilkins
y ni tan siquiera contar con una descripción adecuada de los mismos por parte de quien ha tenido esa posibilidad. También pueden
expresar el fastidio que le provoca la acumulación de datos circunstanciales, esas "distinciones de orden familiar, académico y
eclesiástico" que Wright Henderson anota en su libro las que,

según Borges, lo "han distraído lamentablemente" en su trabajo de biógrafo (TC 333).

En parte, las quejas de Borges son justificadas, pero desde su perspectiva a Wright Henderson también lo asisten razones para insistir en determinadas referencias. En la portada de su libro, debajo del título *The Life and Times of John Wilkins*, se anotan los títulos de Wilkins empezando por el de "Warden of Wadham College, Oxford", el mismo que también se escribe bajo el nombre del autor, P.A. Wright Henderson. Es decir que ambos ocuparon el mismo cargo de director (rector, traduce Borges) en un Colegio de la Universidad de Oxford. En cuanto a la fecha de publicación, 1910, Wright Henderson explica en el "Prefacio" que con ella celebra el tercer centenario de la fundación de Wadham College en 1610. Si a esto sumamos que el libro está dedicado a los miembros de Wadham College no sorprende que en las primeras 30 páginas que integran el primer capítulo no se hable de Wilkins sino de la historia del Colegio desde su fundación hasta la fecha en que Wilkins fue nombrado director del mismo. Esto es parte de esa información de orden "académico y eclesiástico" que impacientaba a Borges, pero desde la posición de Wright Henderson la misma demostraba su propósito de no centrar el texto en la figura de Wilkins en forma aislada sino en Wilkins en su relación con Wadham College. Así lo confirman los títulos de los capítulos siguientes: II "La vida de Wilkins hasta su nombramiento como director" (Wilkins' Life till His Appointment to the Wardenship); III "El período de Wilkins como director" (Wilkins' Wardenship); IV "Wilkins después de sus años en Oxford" (Wilkins after His Life at Oxford).

Lo cierto es que tanto Wilkins como el Colegio, la Universidad de Oxford y, en el marco mayor, toda Inglaterra, estaban transitando por tiempos enormemente turbulentos como los que marcan la revuelta del Parlamento contra el rey Carlos I, y el comienzo de las guerras civiles. La figura de Oliver Cromwell va a dominar el panorama político de esa época con su victoria al frente del ejército puritano, la dictadura militar que impone por varios años, y su gobierno como Lord Protector desde 1653 hasta su muerte en 1658. Por fin, en 1660 ocurre la restauración de los Estuardos con el ascenso al trono de Carlos II.

En relación con estos acontecimientos históricos, diversas circunstancias en su vida ubican a Wilkins en situaciones ambiguas o conflictivas. Apegado a los claustros de Oxford desde sus años de estudiante en la Universidad, tuvo que moverse entre los grupos y partidos políticos y eclesiásticos presentes en el ámbito académico (Wright Henderson 58). Por otra parte, mientras que en Oxford predominaban los leales al rey Carlos I, Wilkins apoyaba a Cromwell con quien, además, lo unían lazos familiares (estaba casado con Robina, la hermana del Lord Protector).

Wright Henderson comenta los episodios de la vida de Wilkins a lo largo de sus trabajos y vicisitudes pero lo que más nos interesa es la imagen del personaje que se proyecta a través de ellos. Wilkins aparece así moderado en medio de las disputas de su época, tolerante y conciliador con los oponentes, cordial con sus amigos. Significativas son las cualidades que se enfatizan al llamarlo "el más grande curioso de su tiempo" o "universalmente curioso" (Wright Henderson 89, 119). Más importante aún es observar hacia adónde dirigía su curiosidad. En su libro, Wright Henderson recuerda lo que anotó John Evelyn acerca de su visita a Wilkins en 1656, y las cosas maravillosas que pudo ver en Wadham College, posesiones o inventos de Wilkins, o del joven investigador Christopher Wren, entre los que menciona colmenas transparentes, una estatua que habla a través de un tubo, una especie de podómetro, dials, perspectivas, y curiosidades matemáticas y mágicas (119-20). Años después, en otra visita, Evelyn encuentra a Wilkins y a dos colegas divertidos con sus inventos de carruajes, y el de una rueda individual para correr carreras, posible anticipo de la bicicleta (120-21). En "El idioma analítico de John Wilkins" Borges incluye algunas de estas "felices curiosidades" que caracterizan al obispo inglés. Dice: "le interesaron la teología, la criptografía, la música, la fabricación de colmenas transparentes, el curso de un planeta invisible, la posibilidad de un viaje a la luna, la posibilidad y los principios de un lenguaje mundial" (OI 139).

La enumeración anterior presenta a Wilkins como un personaje con una mente inquisitiva que reflexiona sobre una diversidad de temas y que emprende proyectos heterogéneos, alguien un poco extravagante que se ajustaría a nuestra calificación de "raro". Pero en realidad esos intereses extraños, esas actividades curiosas son rasgos anecdóticos en el desarrollo de su personalidad. En la base de su pensamiento, en la orientación que impone a sus tareas está siempre la impronta del saber científico. Esto resulta evidente cuando se considera la importancia de Wilkins en el proceso de establecer y organizar la Real Sociedad de Londres, y el valor de sus trabajos como miembro de la misma. Desde el título oficial de la Sociedad aprobada en su fundación por el rey Carlos II en 1662, "Royal Society of London for the Improvement of Natural Knowledge" (Wright Henderson 110), es claro que el primer propósito de la institución era favorecer el estudio de la llamada Filosofía Natural (Natural Philosophy), básicamente la investigación de la naturaleza y del mundo físico desde un enfoque experimental ("new or experimental philosophy" Wright Henderson 91).

La posición eminente de Wilkins en el campo del conocimiento científico de su época va a ser exaltada por Lancelot Hogben quien en *Dangerous Thoughts*, el otro libro que Borges menciona como fuente de información sobre Wilkins, ubica a éste junto a Robert Hooke, Edmund Halley, Robert Boyle, e Isaac Newton en la línea de fundadores de la gran tradición del empirismo inglés (25).

En lo que todos coinciden –Enciclopedia, críticos, y Borges– es en estimar el *Ensayo de una escritura real, y de un lenguaje filosófico* como la obra más importante de Wilkins.

Ciertamente, la primera impresión que produce el libro en su aspecto material es la de algo monumental. Se trata de un volumen en cuarto mayor que, además de las páginas preliminares, suma 454 de texto, y 155 de un diccionario de vocablos en inglés en su relación con las Tablas del lenguaje filosófico. En total, 609 páginas. Y esto es básicamente lo exterior. Si vamos al contenido, desde el comienzo de la lectura advertimos que estamos frente a un estudio que revela una enorme erudición y, al ejecutarlo, la paciencia de "un buen monje artífice", como diría Darío (*Obras poéticas* 470). La magnitud del trabajo fuerza la pregunta de cuál fue la razón que movió a Wilkins a emprender semejante tarea. En *The Search for the Perfect Language* (La búsqueda de la lengua perfecta) Umberto Eco analiza los diversos intentos de acceder a esa lengua ya sea atendiendo a aquellas que se veían como tales desde el punto de vista místico, a las llamadas lenguas madres, a las construidas en forma artificial, o a las que supuestamente derivan su perfección de secretos iniciáticos (2-3). En tren de precisar el propósito de su libro, el semiólogo italiano anota que lo que trata de hacer es describir con grandes pinceladas y ejemplos selectos los principales episodios de la historia de un sueño (5).

En verdad, muchos fueron los soñadores de ese sueño al que en principio los impulsó el afán esencialmente humano de comunicarse y la frustración de no poder hacerlo con un interlocutor que hablaba otro idioma. Buscando las razones más específicas del intento hallamos el caso de Ramón Llull, el mallorquino que en el siglo XIII va a guiar sus conocimientos enciclopédicos hacia la consecución de un sistema y, a través de éste, de un lenguaje que le permita cumplir su misión de fraile franciscano en la conversión de los infieles (Bonner 571).[2]

---

[2]   En octubre de 1937 Borges publica en *El Hogar* uno de los trece ensayos breves que escribe fuera de su sección habitual de "Libros y Autores Extranjeros", con el título de "La máquina de pensar de Raimundo Lulio" (TC 174-78). En éste, basa sus comentarios en dos diagramas del *Ars magna* con los que Llull ilustra su práctica combinatoria, tal como aparecen en la edición de Maguncia de 1721-1742. Ninguno de los dos corresponde al de la Cuarta

Si no específicamente religiosas son por cierto humanitarias las ideas que inspiran a los creadores de dos de los idiomas artificiales más difundidos en las últimas décadas del siglo XIX: el volapük y el esperanto.

En su reseña del libro de E. Sylvia Pankhurst, *Delphos: The Future of International Language*, Borges traduce literalmente unas líneas de lo que la autora había anotado acerca del volapük. Dice: "A principios de 1879 lo ideó un sacerdote alemán, Johann Martin Schleyer, para promover la paz entre las naciones. En 1880 le dio los últimos toques y lo dedicó a Dios" (TC 307).

En cuanto al esperanto, el idioma que hasta el presente conserva un número considerable de seguidores, su creador fue Ledger Ludwik Zamenhof, médico de profesión quien en 1887 publicó su libro sobre este lenguaje internacional con el seudónimo de Dr. Esperanto. Nacido en 1859 en Bialystok, sitio de conflictos y animosidades entre rusos, alemanes, y polacos, y con una población también dividida en el uso de distintos idiomas, la "esperanza" de Zamenhof era que su invención contribuyera a un mejor entendimiento y armonía entre los pueblos.

En "El idioma analítico de John Wilkins" Borges se refiere también a los proyectos de Descartes y de Leibniz acerca de lenguajes derivados del sistema de numeración decimal, o binaria (OI 140-41). Aunque en sus propuestas de estos lenguajes lo que predomina en ambos filósofos es el interés por obtener un instrumento de comunicación regido por principios científicos, es interesante la observación de Umberto Eco que indica que una de las razones que indujeron a Leibniz a volcarse a tal empresa fue su pasión por una paz ecuménica (*Search* 271).

Figura del *Ars brevis* que es la más significativa en cuanto a la mecánica de tres círculos concéntricos y móviles. Borges se había referido brevemente a "la máquina de pensar" de Llull en la segunda parte de "Indagación de la palabra" publicada en *Síntesis* en agosto de 1927, e incluida en *El idioma de los argentinos* de 1928 (23-24).

Si ahora volvemos a Wilkins, en las páginas con que inicia su libro encontramos la causa que lo motivó a escribirlo. Encabezan las preliminares las de la "Epístola-Dedicatoria" que dirige al Presidente, Consejo, y miembros de la Real Sociedad para presentarles la obra que, indica, éstos le habían requerido. Desde la primera línea se disculpa por la tardanza en completar el trabajo la que atribuye a la dificultad de organizar el material que había reunido y también al hecho de que casi la totalidad del manuscrito y, con la excepción de dos ejemplares, todos los textos impresos fueron destruidos en el gran incendio de Londres, en 1666.

Reconoce que no ha completado definitivamente ese gran proyecto y que en varias de sus partes subsisten defectos. Por esto, solicita que el Presidente y la Sociedad nombren a alguno de sus miembros para que éste examine el texto y sugiera enmiendas. En especial encarece la revisión de las Tablas y secciones del libro que se relacionan con el estudio de las especies naturales. Si éstas pueden ser ordenadas y descriptas con claridad esto favorecerá el conocimiento de la Naturaleza que es, dice, uno de los principales objetivos de la Real Sociedad. Al final de esta "Epístola-Dedicatoria" enumera los beneficios que reportará el ejercicio del lenguaje que propone en su proyecto en cuanto a facilitar el comercio, propiciar la difusión de la religión al tiempo que se evitan contradicciones y errores causados por el mal uso de las palabras y la afectación en las frases y, repite, mejorar el conocimiento de la Naturaleza. En la conclusión, afirma que reducir todas las cosas y nociones a las Tablas propuestas en su sistema será la forma más directa y evidente de obtener un conocimiento verdadero.

Siempre dentro de las páginas preliminares dedica varias "Al lector" a quien explica con más detalle cómo nació su interés por el tema de su *Ensayo*, quiénes lo alentaron a redactarlo, y quiénes colaboraron con él en esa tarea. De todo lo anterior es fácil concluir que Wilkins respondió gustoso al pedido de la Real Sociedad de la que era uno de los miembros más destacados porque coincidía con el propósito central de todos ellos en la dedicación a los estudios de la ciencia de su época, estudios que se beneficiarían al disponer de "una escritura real , y un lenguaje filosófico".

A través de la lectura del *Ensayo* de Wilkins es posible comprobar la preocupación del autor por imponer a su texto una organización precisa. Así, y empezando con el Índice de contenidos, vemos que lo divide en Partes, a su vez divididas en Capítulos y éstos, en secciones o subcapítulos, al tiempo que asigna a cada división un número y un título suficientemente explicativo.

En la primera página del texto sintetiza en pocas líneas los temas que va a considerar en las cuatro Partes que lo integran, a las que concede muy distinta extensión.

La Primera Parte es la más breve (21 páginas) pero para nuestro propósito de interpretar la personalidad del autor, y ubicarlo en el contexto de su época, resulta la más interesante.

Como consecuencia lógica del intento de proyectar un nuevo lenguaje Wilkins ve la necesidad de analizar los que ya existen partiendo de la lengua original. Decide que el lenguaje no es algo natural en los seres humanos porque si así fuera ese lenguaje habría permanecido como tal en todos ellos. Descarta también las hipótesis de los paganos que creían que los hombres y sus lenguajes eran eternos, o que estos lenguajes habían evolucionado desde ser sólo sonidos bestiales hasta alcanzar el grado de articulación necesario para comunicar los pensamientos del hablante. En cambio, dice, para los que como él creen en la revelación de las Sagradas Escrituras es evidente que el primer lenguaje fue con-creado con los primeros padres que comprendieron inmediatamente la voz de Dios que les habló en el jardín. Asimismo, cita el Génesis 11 para referirse a la multiplicación de las lenguas como resultado de la Confusión de Babel (2).

Lo que llama la atención es que el autor de un tratado de más de 600 páginas en las que muchas veces se detiene en largas explicaciones, citas, y argumentos acerca de cuestiones mínimas, sólo dedica cinco líneas al relato bíblico del origen y diversidad del lenguaje el tema que, comenta, ha motivado más discusiones entre los estudiosos.

En *The Search for the Perfect Language* Umberto Eco titula su primer capítulo "From Adam to *Confusio Linguarum*" y lo inicia con la sección sobre "Génesis 2, 10, 11" (7-10). Recuerda que en Génesis 2: 16-17 Dios habla por primera vez a Adán cuando le prohibe comer del fruto del árbol de la ciencia del bien y del mal. En Génesis 11: 1 se anota que en la tierra había un solo lenguaje que va a "confundirse" o diversificarse a consecuencia de la arrogancia y ambición de los hombres al construir la torre de Babel (Génesis 11: 7-9). Pero en Génesis 10: 5, 20, y 31 , dentro de la historia de los descendientes de Noé leemos que cada uno de los pueblos que derivaron de la rama de Jafet, Cam, y Sem tenía su propia lengua. Esto, antes de la confusión de Babel. Eco anota que la discrepancia entre Génesis 10 y Génesis 11 puede tener consecuencias devastadoras según la época y el contexto teológico-filosófico en que se presente. Y aquí cabe preguntar si la breve alusión al texto bíblico indica que Wilkins supuso que la cita era suficiente para referirse a este tema, o delata un conflicto entre Wilkins, el hombre de fe, el obispo, y Wilkins, el inquisidor empírico, el investigador que reconoce la incongruencia de estas páginas de la Biblia y por esto no quiere detenerse en ellas.

En cuanto al número de lenguas que derivaron de la Confusión de Babel Wilkins cuestiona que éstas hayan sido 70 ó 72, como algunos conjeturaban (2). En cambio, destaca la variedad de lenguas contemporáneas entre las que incluye algunas habladas en América, como las de los valles del Perú, o las de la Florida (3). De aquí, fija su atención en las Lenguas-madres europeas para lo que sigue la clasificación propuesta por Giuseppe Scaligero de cuatro más difundidas (Griego, Latín, Germánico y Eslavo), y siete con el área de difusión más limitada. Al enumerarlas, anota también los dialectos y derivaciones que corresponden a cada una de ellas (3-4).

El Capítulo II de esta Primera Parte lo dedica a comentar los cambios y alteraciones que sufren las lenguas al estar expuestas a distintas circunstancias en lugar y tiempo. Del idioma inglés dice que si alguien lo usara en el presente como lo hacían los antepasados seiscientos o setecientos años atrás, nadie lo entendería.

En el Capítulo III se refiere a la invención de las letras del alfabeto, exquisita invención –dice– que para algunos prueba la espiritualidad del alma humana y su excelencia al reducir todos los sonidos articulados al número limitado de esas letras (10).

En todas las páginas de esta Primera Parte abundan las notas marginales en las que Wilkins indica la fuente de sus comentarios. También, dentro de su texto menciona con frecuencia los nombres de aquellos autores en los que apoya su información o sus opiniones. Por ejemplo, en la página en la que historia los orígenes del alfabeto (11) Wilkins escribe trece notas al margen las que junto con las referencias a Plinio, Heródoto, Estrabón, Plutarco, Lucano, Dionisio de Halicarnaso, y Tácito que aparecen en distintos párrafos prueban la variedad de sus lecturas y la magnitud de su erudición.

Más adelante, y siempre dentro del tema de los signos de la escritura, Wilkins se refiere a los jeroglíficos egipcios y a la manera en que "los mexicanos escribían por imágenes", como ejemplos de lenguajes escritos que imponen a sus caracteres un significado secreto (12). Después de Champollion y el desciframiento de las inscripciones de la Rosetta en 1822, y de la interpretación de la escritura pictográfica de los mayas en los últimos treinta años, no se puede calificar a estos sistemas como escrituras criptográficas, pero tampoco se puede culpar a Wilkins de que así lo haga a mediados del siglo XVII.

Luego de considerar –y descartar– las formas de escritura que buscan el secreto, Wilkins fija su atención en aquéllas que se orien-

tan hacia la brevedad entre las que menciona la taquigrafía o este-
nografía sistema que, según había indicado en la "Epístola-Dedicatoria", llevaba ya sesenta años desde su invención pero que aún era
desconocido en otras naciones fuera de Inglaterra (13).

Si bien Wilkins había exaltado el ingenio de los seres humanos
en la creación del alfabeto, y se detenía con curiosidad en la observación de formas de escritura extrañas o novedosas, ninguna de
ellas finalmente merece su aprobación. Por el contrario, en lo que
resta de esta Primera Parte va a detallar sus defectos e imperfecciones empezando por el alfabeto en el que critica el desorden en la
secuencia de sus letras, y la mezcla artificial de vocales y consonantes (14). Acerca de las letras en sí, califica a algunas de ellas
como redundantes mientras que a otras, especialmente a las vocales, las considera deficientes en tanto el signo no las diferencia
como largas y breves, o inciertas cuando a la pronunciación de un
sonido vocálico corresponden distintas grafías (15).

De la crítica de las letras pasa luego a la crítica de las palabras,
de sus accidentes y construcciones. Se refiere primero a las palabras equívocas o sea aquéllas que conllevan distintos significados
o que resultan ambiguas por su uso metafórico o por su ubicación
en la frase (17-18). A esto sigue un párrafo particularmente interesante para nuestro estudio en el que Wilkins habla de los sinónimos
a los que descalifica como odiosos y superfluos aunque, con resig-
nación, admite que éstos aparecen en todas las lenguas (13). Como
ya comentamos, en "El idioma de los argentinos" Borges menciona
a Wilkins y su "sistema de escritura internacional o simbología que
con sólo dos mil cuarenta signos sobre papel pentagramado, sabía
inventariar cualquier realidad" (IA 141). Inmediatamente después
de estas líneas en las que destaca la economía en el número de signos del sistema de Wilkins, Borges pasa a atacar a la Real academia española por lo que ve como el error de favorecer el uso de
sinónimos, ejemplo de un criterio acumulativo que sería la antítesis
del propuesto por Wilkins. Dice:

La sinonimia perfecta es lo que ellos quieren, el sermón hispánico... La falta de expresión nada importa; lo que importa son los arreos, galas y riquezas del español, por otro nombre el fraude. La sueñera mental y la concepción acústica del estilo son las que fomentan sinónimos: palabras que sin la incomodidad de cambiar de idea, cambian de ruido. (IA 142)[3]

Es curioso observar que cuando Borges habla de Wilkins y, por oposición, lo relaciona con el entusiasmo académico por los sinónimos, coincide sin haberlo leído con lo que sobre éstos había escrito el obispo siglos atrás.

Siguiendo con la lectura de la Primera Parte del *Ensayo* vemos que al final de su crítica a los defectos de las lenguas Wilkins lamenta la incongruencia entre la forma en que se escribe y la forma en que se pronuncia una palabra como así también los errores y cambios en la ortografía. En resumen, concluye que las lenguas existentes son imperfectas dado que ninguna ha sido inventada de acuerdo con las reglas del arte ("Rules of Art"), y pone como ejemplo la gramática que se escribe mucho después de que una lengua esté en uso, y se organiza adaptándose a ésta cuando lo deseable sería que, a la inversa, la gramática fijara las reglas de las que derivara la lengua (19).

Todo esto lo afirma en su propósito de establecer un lenguaje libre de esos defectos, y en el que las nociones mentales se expresen por signos ("marks") que signifiquen cosas y no palabras (el énfasis del subrayado está en el original en inglés) (20-21).

En este punto, reconoce que el primer paso en la consecución de ese lenguaje es enumerar y describir todas las cosas y nociones

---

[3]   En el "Prólogo" de *Elogio de la sombra* de 1969 Borges explica que no posee una estética pero que en lugar de ésta puede anotar algunas "astucias" que aprendió a lo largo de los años en su labor de escritor. Primera en la lista aparece la de "eludir los sinónimos, que tienen la desventaja de sugerir diferencias imaginarias" (OP 309).

a las que se les puede asignar un signo o un nombre, tarea a la que va a dedicar la Segunda Parte del *Ensayo*. Aunque fraseado de esta manera el intento de Wilkins parece lógico y dentro de los límites de lo posible, de lo que se trata en realidad es de enumerar y clasificar todas las cosas del universo, trabajo descomunal en el que Wilkins va a poner el máximo de su esfuerzo.

La enormidad del proyecto se patentiza en las 275 páginas que integran esta Segunda Parte, cada una de ellas cubierta con anotaciones que corresponden a la definición y clasificación de los términos.

Como ya comentamos, Wilkins se preocupa por ofrecer a su lector una idea clara del contenido de cada sección de su *Ensayo*. Así, en esta Segunda Parte comienza detallando un esquema de trabajo para ordenar "todas las cosas o nociones", esquema en el que establece géneros (Borges y otros críticos hablan de categorías) subdivididos en diferencias las que, a su vez, derivan en especies. Hasta aquí la clasificación es clara pero enseguida Wilkins se complica en especificar que las especies –y también algunos géneros y diferencias– habitualmente se unen en pares, mientras que las cosas que tienen opuestos se unen con éstos de acuerdo con esa oposición sea individual o doble. Continúa diciendo que las cosas que no tienen opuestos se unen en pares según cierta afinidad, aunque admite que esas afinidades a veces son menos apropiadas o más remotas, y varias cosas se ubican en estos lugares porque –confiesa con humildad– no supo dónde ubicarlas mejor (22).

Si estos conceptos de clasificación nos intranquilizan los que aparecen en la página siguiente (23) son aún más problemáticos. En ella enumera los cuarenta géneros o categorías que están en la base de su sistema pero no lo hace directamente sino que llega a ellos a través de otras divisiones e inferencias. Por ejemplo, para los seis primeros géneros anota que las cosas o nociones pueden ser más generales, en cosas llamadas trascendentales como General **I**, Relación mixta **II**, y Relación de acción **III**, o en palabras,

Discurso **IV**. O pueden ser más especiales, como Creador **V**, o criatura. Y que las criaturas consideradas colectivamente dan el sexto género, Universo **VI**.

Para los treinta y cuatro géneros restantes determina cinco predicamentos (sustancia, cantidad, cualidad, acción, relación) los que, descontando otras subdivisiones, resultan en los siguientes géneros: Sustancia: Elemento **VII**, Piedra **VIII**, Metal **IX**, Hierba según la hoja **X**, Hierba según la flor **XI**, Hierba según el pericarpio **XII**, Arbusto **XIII**, Árbol **XIV**, Exangüe **XV**, Pez **XVI**, Ave **XVII**, Animal **XVIII**, Peculiar **XIX**, General **XX**. Cantidad: Magnitud **XXI**, Espacio **XXII**, Medida **XXIII**. Cualidad: Poder natural **XXIV**, Hábito **XXV**, Modales **XXVI**, Cualidad sensible **XXVII**, Enfermedad **XXVIII**. Acción: Espiritual **XXIX**, Corporal **XXX**, Movimiento **XXXI**, Operación **XXXII**. Relación: Económica (Familiar) **XXXIII**, Posesiones **XXXIV**, Provisiones **XXXV**, Civil **XXXVI**, Judicial **XXXVII**, Militar **XXXVIII**, Naval **XXXIX**, Eclesiástica **XL**.

En esta última lista de los treinta y cuatro géneros hemos suprimido las frases o palabras con las que Wilkins encabeza y explica las subdivisiones intermedias pero aun transcribiéndolas, como hicimos para los seis primeros, es difícil obtener una imagen precisa del esquema de clasificación. Y hasta aquí sólo se trata de los géneros. Como indicamos, para cada uno de ellos Wilkins va a establecer diferencias –seis en la mayoría de los casos– y para cada diferencia, innumerables especies en las que supuestamente podrán incluirse todas las cosas o nociones a las que se les puede asignar un signo o un nombre.

Lo que sigue en todas las páginas de esta Segunda Parte es el firme empeño de Wilkins por mantener la lógica de sus divisiones y clasificaciones y dar cabida en ellas al torrente de nociones y de cosas que se bifurcan y multiplican, y que amenazan con imponer la confusión y el desorden. En "El idioma analítico de John Wilkins" Borges se refiere a este desorden cuando cuestiona "el valor

de la tabla cuadragesimal que es base del idioma" con un ejemplo
que toma del libro de Hogben (35). Dice:

> Consideremos la octava categoría, la de las piedras. Wilkins las
> divide en comunes (pedernal, cascajo, pizarra), módicas (mármol,
> ámbar, coral), preciosas (perla, ópalo), transparentes (amatista,
> zafiro) e insolubles (hulla, greda y arsénico). Casi tan alarmante
> como la octava, es la novena categoría. Esta nos revela que los
> metales pueden ser imperfectos (bermellón, azogue), artificiales
> (bronce, latón), recrementicios (limaduras, herrumbre) y naturales
> (oro, estaño, cobre). (OI 141-42)

Borges ve en la clasificación de Wilkins "ambigüedades, redun-
dancias y deficiencias" que inmediatamente relaciona con las que
"el doctor Franz Kuhn atribuye a cierta enciclopedia china que se
titula *Emporio celestial de conocimientos benévolos*". Como en
otras ocasiones, Borges mezcla aquí a un personaje real –Franz
Kuhn era un sinólogo contemporáneo– con una obra apócrifa para
la que escribe el párrafo tantas veces citado por la crítica:

> En sus remotas páginas está escrito que los animales se dividen en
> (a) pertenecientes al Emperador, (b) embalsamados, (c) amaestra-
> dos, (d) lechones, (e) sirenas, (f) fabulosos, (g) perros sueltos, (h)
> incluidos en esta clasificación, (i) que se agitan como locos, (j)
> innumerables, (k) dibujados con un pincel finísimo de pelo de
> camello, (l) etcétera, (m) que acaban de romper el jarrón, (n) que
> de lejos parecen moscas. (OI 142)

Como comentamos al comienzo de este capítulo, Michel Foucault decía que este párrafo era el que en un principio lo había
impulsado a escribir *Las palabras y las cosas*. Y agregaba:

> Este texto de Borges me ha hecho reír durante mucho tiempo, no
> sin un malestar cierto y difícil de vencer. Quizá porque entre sus
> surcos nació la sospecha de que hay un desorden peor que el de lo

incongruente y el acercamiento de lo que no se conviene; sería el desorden que hace centellar los fragmentos de un gran número de posibles órdenes en la dimensión, sin ley ni geometría, de lo *heteróclito*. (3)

Vemos que la lectura del texto de Borges provoca en Foucault risa, perplejidad y desconfianza. En cuanto a cuál fue la intención de Borges al escribirlo sin duda la inmediata era hacer reír pero, quizás, detrás de esto también estaba el deseo de contrarrestar la inquietud que, a su vez, a él le causaba lo heteróclito de la enumeración de Wilkins. Si recordamos el aprecio en que éste tenía a sus Tablas de clasificación, la esperanza puesta en ellas como base para acceder a un conocimiento verdadero, y el tiempo y trabajo que él y algunos colaboradores emplearon en redactarlas, causa pena comprobar como haremos más adelante que precisamente estas Tablas son las que van a motivar el mayor rechazo de los críticos para muchos de los cuales sus defectos e incoherencias serán motivo suficiente para invalidar no sólo a esta Parte del *Ensayo* sino a éste en su totalidad.

Dejando a un lado por el momento la discusión sobre el valor de estos juicios, y antes de pasar al análisis de la Tercera y Cuarta Parte, queremos detenernos en unas páginas de la Segunda que, desde el principio, despiertan la curiosidad del lector. Se trata de las que aparecen al final de las Tablas que corresponden al Género **XVIII**: "Animal", las que según indica el Índice de contenidos se refieren a "Una digresión acerca de la capacidad del Arca de Noé" (162-68).

En los primeros párrafos de esta sección Wilkins aconseja distinguir entre las opiniones que provienen de una visión general y confusa de las cosas y aquéllas que derivan de una consideración clara de éstas al tiempo que se las reduce a un orden. Ejemplos de las primeras son las de quienes ante la pregunta de cuántas estrellas hay en el firmamento, o cuántos cientos de clases existen entre los animales o las aves, responden que son innumerables cuando, dice, una opinión bien fundada indica que las especies animales no llegan a cien, y las de las aves no alcanzan a doscientas (En sus Tablas Wilkins anota alrededor de ochenta especies animales, y menos de ciento cincuenta para las aves). Esto lo lleva a explicar que esas opiniones erradas sirven de base para que algunos ateos de su época siguiendo a otros herejes del pasado cuestionen la veracidad de las Sagradas Escrituras, en este caso la de Génesis 6: 15. Estos arguyen que dentro de las dimensiones del Arca según Moisés las anota allí (trescientos codos de longitud, cincuenta de ancho, y treinta de altura) no era posible ubicar semejante cantidad de animales junto con las provisiones para su mantenimiento. Wilkins reconoce que estas objeciones preocuparon a clérigos y teólogos y, dado que acaba de terminar su estudio de las especies animales decide que este es el lugar apropiado en su texto para proponer su interpretación del problema. Para esto, empieza por recordar que según Génesis 6: 16 el Arca estaba dividida en tres pisos, con el techo en declive en ambos lados para que corriera el agua, con una ventana y, en un costado, una puerta. Supone que es probable que los animales se ubicaran en el piso inferior, los alimentos y las provisiones, en el intermedio, y que una parte del piso superior se destinara a las aves, y la otra a Noé, su familia y sus utensilios. Dado que estaba en el centro de la controversia, fija su atención en el número de los animales del Arca y en su ubicación en el piso inferior para lo que redacta tres Tablas que corresponden a la lista de animales que se alimentan con heno, a los que lo hacen con frutos, raíces, e insectos, y a los carnívoros. Las Tablas cubren casi toda la página 164 y presentan la lista con los nombres de los animales, el número de los limpios y de los inmundos, y el espacio apropiado para ellos en cada celdilla. Después, explica que en sus cálculos va a suponer un número mayor de algunas sub-especies para prevenir cualquier posible crítica. En cuanto a los animales pequeños como ratas, ratones, topos, y todas las especies de insectos, concluye que éstos no necesitan disponer de celdillas dado que pueden ubicarse en cualquier parte del Arca.

Por fin, se complica en calcular cuántas ovejas son necesarias para que sirvan de alimento a los animales carnívoros durante todo el tiempo que estarán encerrados en el Arca, y arriba al número de 1825. Toda esta labor culmina en la página 166 en la que presenta un diagrama del Arca según se la describe en Génesis 6: 16, junto con una especie de plano del piso inferior con las áreas y celdillas donde ubica a los distintos animales, entre las que resaltan aquellas en las que, minuciosamente, intenta dibujar las 1825 ovejas. **(Figura 1)**

Frente a esto, resulta difícil conciliar la imagen de Wilkins, el hombre de monumental erudición dedicado a los estudios empíricos, con la de este otro que, con conmovedora ingenuidad, se empeña en ilustrar la disposición de los animales en el Arca.

Tal vez, para apreciar mejor a Wilkins habría que ubicarlo en el contexto de su época y, por ejemplo, recordar que en 1658, diez años antes de la publicación de su *Ensayo*, se edita *The Annals of*

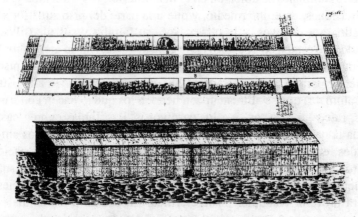

Figura 1. John Wilkins: Dibujo del Arca de Noé.

the World (*Los anales del universo*), un tratado de casi mil páginas escrito por James Ussher, Arzobispo de Armagh y Primado de Irlanda. El subtítulo de la obra explica en parte su contenido. Dice: *Los anales del universo: Deducidos desde el origen del tiempo, y continuados hasta el comienzo del reinado del emperador Vespasiano (Deduced from the Origin of Time, and continued to the beginning of the Emperor Vespasians Reign)*.

Como la de Wilkins, esta es una obra de enorme magnitud en la que Ussher parte de la primera línea del Génesis para continuar con la historia de todos los episodios bíblicos, y la de los imperios babilonio, persa, macedónico, y romano en un relato en el que anota al detalle la cronología de los hechos según el calendario juliano por un lado y, por el otro, en relación al nacimiento de Cristo. En cuenta regresiva, esto lo lleva a afirmar que Dios creó el universo el 22 de octubre del año 4004 a J.C. (más exactamente, 4003 años, 70 días y 6 horas antes del nacimiento de Cristo).

Hoy, cuando sabemos que en la Tierra hay rocas de una antigüedad de miles de millones de años, podríamos sonreír con displicencia ante estas declaraciones de candor infantil. Pero por otro lado, es bueno atender a las circunstancias de la vida de ambos, Ussher y Wilkins, recordar su condición de clérigos interesados en defender las escrituras y los dogmas religiosos, y reconocer las limitaciones en el plano del conocimiento de su tiempo a las que estaban sujetos, limitaciones y trabas que sin embargo no les impidieron redactar obras que, aun con errores, son ejemplares en la dedicación al trabajo intelectual.

En la Tercera Parte del *Ensayo*, Wilkins vuelve a demostrar ese empeño y su designio en cuanto a considerar la materia de estudio en toda su amplitud. El tema que aquí lo ocupa es la Gramática a la que divide en tres partes. En la primera trata con considerable extensión las clases de palabras, sus diferencias y cambios, mientras que en la segunda atiende a la forma en que éstas se organizan en la oración, es decir, la sintaxis.

Pero la sección más interesante para nosotros, y la más apreciada por la crítica, es la última en la que se refiere a los signos o sonidos más convenientes para expresar los nombres o palabras, sea por escrito u oralmente (298).

En su artículo de la Enciclopedia Británica sobre "Lenguas universales" Henry Sweet elogia a Wilkins por haber percibido la necesidad de interpretar en forma correcta la formación de los sonidos y los principios de su representación, y dice que su esquema de fonética sigue siendo valioso (747). Por su parte, Lancelot Hogben alaba las ideas de Wilkins acerca de un alfabeto universal y su modelo de una escritura fonética (35-36).

Wilkins inicia sus comentarios sobre estos temas centrándose en las letras a las que va a considerar de acuerdo a su esencia, y a sus accidentes (Nombres, Orden, Afinidad, Figura, y Pronunciación). Determina que la esencia de una letra es el sonido que ésta denota según lo emiten los órganos de fonación y en un esquema de una página ilustra todas las letras que corresponden a esos sonidos simples ordenadas de acuerdo con el modo y punto de articulación (358). Después, explica el criterio que rige esa clasificación, y analiza cada una de las letras según el lugar que ocupan en ella, con capítulos especiales dedicados a las Vocales, a las Consonantes, y a las que llama Letras compuestas. Al final de estos comentarios anota *The Lords Prayer* (el Padrenuestro) y *The Creed* (el Credo) con las letras que ha establecido en su clasificación y siguiendo la forma en que se pronunciaban en su época en lo que sería una transcripción fonética de esas oraciones (373).

Trata luego el tema de los accidentes de las letras y decide que los nombres de éstas en el alfabeto romano son los que mejor se corresponden con su sonido. También critica y modifica el orden habitual de las mismas en la lista del abecedario, establece afinidades entre las vocales y entre las consonantes, y menciona distintas formas de pronunciación en diferentes regiones y países.

Pero lo que importa destacar es que cuando Wilkins se refiere al accidente de la Figura o representación gráfica de las letras observa que aunque los hablantes de diversos idiomas pueden aceptar el mismo sonido para cada letra, la forma en que algunos la escriben en sus alfabetos varía. Para reparar la carencia de una grafía uniforme y universal Wilkins resuelve emprender otro de sus monumentales proyectos, en este caso el de presentar no uno sino dos diferentes diseños de los caracteres de las letras del alfabeto. Para el primero, que dice es más sencillo, dibuja una cuadrícula con 31 líneas horizontales y 15 columnas verticales, en la que ubica 389 caracteres que corresponden a las vocales y consonantes con sus diversas combinaciones y variantes, caracteres construidos con líneas verticales, curvas o inclinadas a las que a veces adosa pequeños círculos, semicírculos, y ganchos puestos en distintas posiciones (376).

El segundo diseño incluye el dibujo de un recuadro con una cara de perfil en la que se marcan los órganos de fonación, junto con los dibujos de otras 34 caras que muestran el movimiento y la forma en que se articulan las 34 letras de su alfabeto, recuadros que en el ángulo superior derecho presentan la grafía de la letra en cuestión, la que supuestamente se asemeja a la configuración de los órganos al pronunciarla.

Si bien los dos diseños muestran la inventiva y la dedicación laboriosa que Wilkins puso en ellos, su utilidad se limita a proveer un alfabeto universal apto para transcribir las palabras de cualquiera de los idiomas conocidos. Pero como sabemos, el objetivo final de Wilkins no se detiene aquí dado que su propósito no era mejorar o favorecer el uso de lenguas existentes sino establecer una nueva que cumpliera los requisitos de ser "una escritura real, y un lenguaje filosófico". Este es el tema que el obispo va a tratar en la Cuarta Parte del *Ensayo*.

Por empezar, Wilkins determina las dos instancias del lenguaje, escrito y oral. Luego se da a la tarea de organizar la grafía, o lenguaje escrito, y después a la de describir la forma de anotar este lenguaje para expresarlo oralmente. En ambos casos se apoya en el sistema de clasificación expuesto en las Tablas de la Segunda Parte, y en las relaciones gramaticales de palabras y letras desarrolladas en la Tercera. Pero lo que resulta para uno y otro es tan distinto que casi puede hablarse de dos lenguajes separados.

Para establecer las bases del lenguaje escrito Wilkins presenta un cuadro en el que, divididos en tres columnas, figuran los cuarenta géneros según los definió en la Segunda Parte del *Ensayo*. Al lado de cada uno de ellos escribe el símbolo que los representa el que consiste en una raya horizontal que en el medio lleva distintas marcas (líneas verticales o inclinadas, círculos, semicírculos, ángulos, ganchos) (387). (**Figura 2**)

A estos símbolos de los géneros va a agregarles marcas que consisten en líneas en distintas posiciones en el extremo izquierdo para indicar las diferencias, y las mismas líneas pero ahora opuestas en el extremo derecho para indicar las especies.

Después, se extiende en detallar una lista de símbolos adicionales que representan relaciones de oposición, de afinidad, y toda la serie de categorías gramaticales como voces, modos, tiempos, número, adjetivos, adverbios, pronombres, cópula, interjecciones, preposiciones, conjunciones, etc. Estos símbolos son de menor tamaño –por ejemplo, los pronombres se indican con uno, dos, o tres puntos– y sumamente complicados en su ubicación en el texto. Pero esta dificultad no arredra a Wilkins quien va a ofrecer como ejemplo de este lenguaje el texto completo del Padrenuestro (**Figura 3**) y el Credo, con el análisis minucioso de cada uno de los signos-términos de esas oraciones.

A primera vista, estos textos se asemejan un poco a la escritura arábiga a la que en las primeras páginas del *Ensayo*, y aunque reconociendo en ella algunos defectos, Wilkins había destacado por su hermosa apariencia (14).

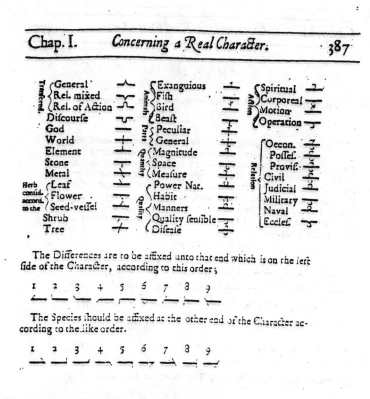

Figura 2. John Wilkins: Esquema con la lista de los 40 géneros y los símbolos que los representan en el lenguaje escrito.

En sus artículos, Borges no anota ningún comentario sobre la escritura propuesta por Wilkins. Tal vez, porque entre los libros de autores que utiliza como referencia sólo Pankhurst (21) y Hogben (36-37) mencionan esta grafía, y lo hacen con explicaciones breves y pocos ejemplos. O, lo más probable, porque la descripción del sistema para expresar en forma oral el lenguaje filosófico, la que sí

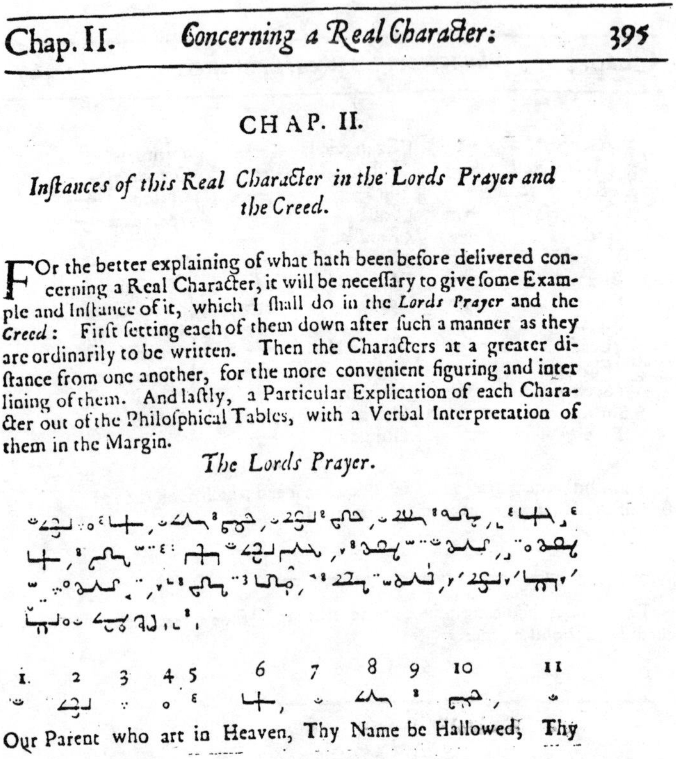

Chap. II.   *Concerning a Real Character:*   395

CHAP. II.

Inftances of this Real Character in the Lords Prayer and the Creed.

For the better explaining of what hath been before delivered concerning a Real Character, it will be neceffary to give fome Example and Inftance of it, which I fhall do in the *Lords Prayer* and the *Creed* : Firft fetting each of them down after fuch a manner as they are ordinarily to be written. Then the Characters at a greater diftance from one another, for the more convenient figuring and inter lining of them. And laftly, a Particular Explication of each Character out of the Philofphical Tables, with a Verbal Interpretation of them in the Margin.

The Lords Prayer.

i.   2   3   4   5   6   7   8   9   10   11

Our Parent who art in Heaven, Thy Name be Hallowed; Thy

Figura 3. John Wilkins: El Padrenuestro según su lenguaje escrito.

aparece en todos los textos que tiene a su alcance, le es suficiente para elaborar su crítica.

El esquema que Wilkins utiliza para este lenguaje es semejante al que usó para el de su escritura en cuanto parte de la misma lista de cuarenta géneros divididos en tres columnas. Pero al lado de cada género no coloca ahora rayas y líneas sino dos letras, una

Chap. III.   *Concerning a Real Character.*   415.

That which at present seems moſt convenient to me, is this ;

Tranſcend. ⎰General ⎱Rel. mixed (Rel. of Aꞓion	Bα Ba Be	**Animate** ⎰Exanguious ⎰Fiſh ⎰Bird ⎰Beaſt	Zα Za Ze Zi	**Action** ⎰Spiritual Cα ⎰Corporeal Ca ⎰Motion Ce. ⎰Operation Ci
Diſcourſe	Bi		Zi	
God	Dα	**Part** ⎰Peculiar ⎰General	Pα Pa	⎰Oecon. Co
World	Da			⎰Poſſeſ. Cy
Element	De	**Quantity** ⎰Magnitude ⎰Space ⎰Meaſure	Pe Pi Po	**Retation** ⎰Proviſ. Sα ⎰Civil Sa
Stone	Di			⎰Judicial Se
Metal	Do			⎰Military Si
Herb contid. accord. to tne ⎰Leaf ⎰Flower ⎰Seed-veſſel ⎰Shrub ⎰Tree	Gα Ga Ge Gi Go	**Quality** ⎰Power Nat. ⎰Habit ⎰Manners ⎰Quality ſenſible ⎰Diſeaſe	Tα Ta Te Ti To	⎰Naval So ⎰Eccleſ. SY

The *Differences* under each of theſe *Genus*'s, may be expreſſed by theſe Conſonants: B, D, G, P, T, C, Z, S, N.
in this order ; ⎰ 1   2   3   4   5   6   7. 8   9.

The *Species* may be expreſſed by putting one of the ſeven Vowels after the Conſonant, for the Difference ; to which may be added (to make up the number) two of the Dipthongs, according to this order

⎰α, a, e, i, o, ४, ɣ, yi, y४.
⎱1   2   3   4   5   6   7   8   9.

Figura 4. John Wilkins: Esquema con la lista de los 40 géneros y los símbolos que los representan en su lenguaje oral.

consonante y una vocal, las que constituirán el símbolo que los represente (415). **(Figura 4)**

Para marcar las <u>diferencias</u>, ordena de 1 a 9 las consonantes B, D, G, P, T, C, Z, S, y N, y para las <u>especies</u> ubica en la misma forma siete vocales y dos diptongos.

Debajo de estas explicaciones, ilustra el sistema con varios ejemplos el primero de los cuales es el que Borges y otros críticos mencionan en sus comentarios. Dice: Si (De) significa *elemento*,

(Deb) debe significar la primera <u>diferencia</u> la que, de acuerdo con las Tablas, es *Fuego*, y (Deba) denotará la primera <u>especie</u>, que es *Llama*.

También, como en el caso del lenguaje escrito, Wilkins agrega para éste una cantidad de símbolos adicionales para expresar relaciones de afinidad, de oposición, y los que asigna a las distintas categorías gramaticales. Luego, escribe el Padrenuestro (**Figura 5**)

Chap. IV.   421

CHAP. IV.

An Instance of the Philosophical Language, both in the Lords Prayer and the Creed. A Comparison of the Language here proposed, with fifty others, as to the Facility and Euphonicalness of it.

AS I have before given Instances of the Real Character, so I shall here in the like method, set down the same Instances for the Philosophical Language. I shall be more brief in the particular explication of each Word; because that was sufficiently done before, in treating concerning the Character.

The Lords Prayer.

Hai coba ʊʊ ıa ril dad, ha babı ıo fʊymta, ha falba ıo velca, ha talbı ıo vemgʊ, mʊ ril dady me ril dad ıo velpı ral ai ril ı poto hai faba vaty, na ıo fʊeldyʊs lal ai hai balgas me ai ıa iʊeldyʊs lal eı ʊʊ ıa valgas rʊ ai na mı ıo velco ai, ral bedodlʊ nil ıo cʊalbo ai lal vagasıe, nor al falba, na al tado, na al tadala ıa ha pıʊbyʊ ꝗ mʊ ıo.

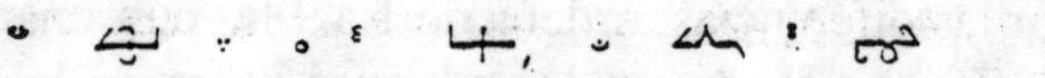

1	2	3	4	5	6	7	8	9	10	11

Hai coba ʊʊ ıa ril dad, ha babı ıo fʊymta ha
Our Father who art in Heaven, Thy Name be Hallowed, Thy

Figura 5. John Wilkins: El Padrenuestro según su lenguaje oral.

y el Credo en este lenguaje filosófico en su expresión oral, con explicaciones detalladas para cada uno de los términos (421-434).

Wilkins reconoce que, de haberlo trabajado por más tiempo, su lenguaje podría ofrecer un sonido más fácil y agradable pero aun así piensa que éste saldría favorecido en el cotejo con la mayoría de las lenguas conocidas. Para probar esta aserción escribe el Padrenuestro en cuarenta y nueve idiomas distintos que, de esta manera, pueden compararse con el lenguaje filosófico (435-39).

Siempre preocupado por el carácter didáctico de su *Ensayo*, y con el afán de hacerlo accesible para el lector, en el penúltimo capítulo del libro Wilkins anota instrucciones o consejos que pueden facilitar el aprendizaje del lenguaje filosófico los que, más que nunca, ponen en evidencia que en la base de su estudio está el proceso de memorizar la enorme y compleja cantidad de símbolos que representan los géneros, diferencias, especies, y categorías gramaticales, con todas las relaciones y derivaciones. Sin duda, aquí Wilkins toma conciencia del monumental esfuerzo que requiere de aquéllos que decidan darse a ese intento y, en el último párrafo, recuerda que al considerar que el juego es la actividad que más atrae a todo tipo de personas sin diferencia de edad o condición, pensó alguna vez en reducir el estudio del lenguaje filosófico a un juego de dados o de cartas, proyecto del que finalmente desistió (442).

Así, estas reflexiones muestran a Wilkins no sólo como el erudito investigador preocupado por los métodos del conocimiento sino también como el que reconoce la atracción y el placer del juego mientras tal vez recuerda una última partida de dados.

Al terminar la lectura del *Ensayo de una escritura real, y de un lenguaje filosófico* interesa repasar los juicios sobre esta obra a la que, en principio, Umberto Eco considera el proyecto más completo de un lenguaje filosófico universal que iba a producir el siglo XVII (*Search* 238), y la primera aproximación semiótica a un lenguaje artificial (*Search* 6). Pero cuando Eco pasa a analizar el sistema de clasificación de las Tablas de la Segunda Parte y la influencia de esa taxonomía en la construcción del lenguaje filosófico desarrollado en la Cuarta Parte el tono de su crítica se torna negativo al delatar confusiones y arbitrariedades en la determinación del número de especies (248-49), la falta de un criterio constante cuando se fijan relaciones de oposición (252), y otros defectos que lo llevan a declarar el fracaso del proyecto de Wilkins (255).

En este último juicio, y en el hecho de que el mismo resulta de puntualizar los errores del sistema de clasificación, van a coincidir la mayoría de los críticos. Así, Wright Henderson admira la inmensa labor de Wilkins en la redacción de su magnífico proyecto, pero concluye que el resultado fue un fracaso (86). Por su parte, Lancelot Hogben sintetiza en dos palabras su opinión sobre el *Ensayo* cuando lo califica como un magnífico fracaso (39).

Borges, en cambio, nunca llega a estos extremos negativos. En general, sus comentarios son moderadamente elogiosos y si critica algunos aspectos del *Ensayo* lo hace con ironía, como en la cita de la enciclopedia china, o derivando la culpa hacia otras causas o causantes. Pero antes de analizar las opiniones de Borges debemos recordar que cuando en la primera página de "El idioma analítico de John Wilkins" menciona los textos a los que había recurrido para escribir su comentario sobre Wilkins, junto con los libros de Pankhurst, Wright Henderson, y Hogben, anota el *Wörterbuch des Philosophie* de Fritz Mauthner (OI 139). La referencia en este artículo de 1942 al *Diccionario de filosofía* de Mauthner no sorprende si consideramos la frecuencia con que este título aparece en varias obras de Borges. Una lista con la fecha de la primera publicación de estas últimas daría lo siguiente: 1927, "Indagación de la palabra" (IA 25); 1928, "La penúltima versión de la realidad" (D 41-42); 1936, "La doctrina de los ciclos" (HE 101, 107); 1937, "La máquina de pensar de Raimundo Lulio" (TC 178); 1940, "Edward Kasner and James Newman: *Mathematics and the Imagination*" (D 165);

1941, "Gerald Heard: *Pain, Sex and Time*" (D 168); 1943, "Gilbert Waterhouse: *A Short History of German Literature*" (D 170). Y con la mención de Mauthner sin especificar el libro, habría que agregar "La biblioteca total" publicada en *Sur*, de agosto de 1939, y el "Prólogo" a "Artificios", la segunda parte de *Ficciones* de 1944, donde Borges ubica a Mauthner entre los autores que continuamente relee (116). En esta línea, a los que continuamente releemos a Borges nos ocurre con Mauthner lo que nos pasa con Wilkins: nos interesamos por estos autores poco divulgados porque Borges incita nuestro interés y nos lleva a ellos.

En el número 973 de *L'Herne* de marzo de 1964, número dedicado a Borges, figura una conversación-entrevista en la que James E. Irby toca el tema de las lecturas favoritas de Borges y le dice que, leyendo sus ensayos, le llama siempre la atención la forma reiterada en que él alude a ciertos autores poco leídos o casi ignorados como, por ejemplo, Fritz Mauthner. Borges contesta con un largo párrafo en el que, ante todo, reconoce a Mauthner como el autor del *Diccionario de filosofía*, uno de los libros que, repite, ha frecuentado con gran placer. Dice que Mauthner era un escritor admirable, muy irónico, y poseedor de un estilo que recuerda al del siglo XVIII. También que, erudito en diversos campos del conocimiento, fue autor de malas novelas pero de excelentes trabajos filosóficos. Borges lamenta que Mauthner fuera casi desconocido en el mundo hispánico, y recuerda sus intentos frustrados para que alguna casa editorial publicara en español una antología de extractos de su obra (400).

Veinte años después de estos comentarios, en *Atlas*, el libro editado en 1984, Borges incluye una página escrita en Mallorca la que desde el título de "Ars Magna" recuerda la obra de Ramón Llull (o Raimundo Lulio con el nombre castellanizado). Significativamente, concluye estas reflexiones sobre los trabajos del mallorquín con la misma cita tomada del *Diccionario de filosofía* de Mauthner que utilizó para cerrar el artículo de *El Hogar* de 1937. Dice: "Mauthner observa que un diccionario de la rima es también una máquina de pensar" (72).

Todo esto es más que suficiente para afirmar que el *Diccionario de filosofía* de Mauthner era uno de los libros de cabecera de Borges, libro al que no sólo aprecia por su contenido conceptual sino también por las cualidades de su estilo. Y aquí cabe un comentario al margen acerca de la importancia que en la formación intelectual y en la selección de sus lecturas va a tener el aprendizaje de autodidacto del idioma alemán que Borges inicia hacia 1916, durante sus años de estudiante en Ginebra. Esa lengua le abrirá el camino a una literatura que, dice, "fiel me ha acompañado toda mi vida" (BB 87).

Si al dominio del inglés que, por circunstancias familiares, Borges posee desde la infancia se le suma el del alemán que vemos adquiere en la adolescencia, será más fácil entender ciertos rasgos en la orientación de sus trabajos los que, en alguna medida, lo distinguen de otros escritores de su generación quienes inicialmente, y todavía bajo la influencia del Modernismo, preferían la lectura de textos en francés. Su conocimiento del alemán le va a permitir apreciar en la lengua original a los expresionistas a los que va a valorar por sobre los poetas de las otras escuelas de vanguardia, a leer poco después de su publicación *El Golem* de Gustav Meyrink, otro autor que podría incluirse en la galería de sus "raros", a deleitarse tempranamente con la prosa del "apasionado y lúcido Schopenhauer" (HE 21), sin duda el filósofo preferido o, como en el caso que nos ocupa, a servirse directamente de las obras de Mauthner, poco conocidas por sus contemporáneos, o bastardeadas en malas traducciones (*L'Herne* 400).

En *Mauthner's Critique of Language* Gershon Weiler presenta un estudio detallado del pensamiento y los trabajos de Mauthner los que, como el investigador indica en el título de su libro, se centraron fundamentalmente en la crítica del lenguaje.

Cuando en el "Apéndice" Weiler anota la biografía de Mauthner explica que, desde niño, éste había estado expuesto a una confluencia de idiomas: el checo, hablado en la región de Bohemia donde nació en 1894, el alemán, preferido por su familia de ricos comerciantes judíos, y el hebreo, cuyos rudimentos aprende en la escuela (Weiler 332).

El hecho de vivir en medio de poblaciones divididas por el uso de distintas lenguas lo acerca a Zamenhof, el inventor del esperanto quien, como vimos en páginas anteriores, trató de remediar los problemas que derivan del enfrentamiento o de la incomunicación entre diversos grupos lingüísticos con la propuesta de su idioma universal. Pero a diferencia de Zamenhof, o de Schleyer con el volapük, Mauthner no se propone crear un lenguaje universal sino que, por el contrario, va a negar por la base la posibilidad o validez de tal intento. Esto último está en el centro de la conjunción entre las ideas de Borges acerca de la obra de Wilkins y las opiniones de Mauthner sobre la naturaleza del lenguaje. Pero antes de llegar a este punto en el análisis es necesario observar la evolución del pensamiento de Mauthner en cuanto le permite arribar a tales conclusiones. Es claro que un estudio preciso de esta evolución queda fuera de los límites de nuestro trabajo pero al menos podemos determinar en forma sintética algunas de las ideas principales en las que Mauthner apoya sus reflexiones. Para realizar esta tarea seguiremos básicamente el orden de los comentarios de Weiler en *Mauthner's Critique of Language*. Por otro lado, acerca de la relación específica entre las ideas de Borges y las de Mauthner resulta útil la lectura de la sección que Arturo Echavarría incluye en su libro *Lengua y literatura de Borges* con el título de "La teoría del lenguaje y la literatura en Borges. Un precursor: Fritz Mauthner" (100-16). Asimismo, valiosa es la contribución que Silvia G. Dapía aporta al mismo tema en su artículo "El ensayismo de Jorge Luis Borges".[4]

---

[4] Entre las publicaciones de Dapía también figura *Die Rezeption der Sprachkritik Fritz Mauthner im Werk von Jorge Luis Borges. Forum Ibero-Americanum 8*. Colonia: Böhlau, 1993.

Al final de su libro, Weiler anota una lista de las obras filosóficas de Mauthner que suman alrededor de doce títulos entre los que
se destacan por el interés que seguramente habrían suscitado en
Borges, *Schopenhauer*, publicado en 1913, *Spinoza*, de 1921, y
Der letzte Tod des Gautama Buddha, texto al que Weiler califica
como una hermosa novela filosófica en la que Mauthner describe
las últimas tentaciones, y la liberación final del Buda (339).

Pero los dos tratados de Mauthner en los que Weiler basa su
estudio son *Beiträge zu einer Kritik der Sprache* (*Contribuciones
para una crítica del lenguaje*) y el *Diccionario de filosofía* (*Wörterbuch des Philosophie*) que lleva como subtítulo, *Nuevas contribuciones para una crítica del lenguaje* (*Neue Beiträge zu einer
Kritik der Sprache*).

En la "Introducción" Weiler explica que Mauthner no es una
figura importante en la historia de la filosofía europea pero que su
valor radica en la originalidad con que utilizó las ideas de sus pre-
decesores para ponerlas al servicio de su tesis principal, la de la
crítica del lenguaje. En este sentido, su mayor mérito es haber ide-
ado una filosofía del lenguaje sustentada en llevar hasta sus últimas
consecuencias los principios del empirismo (1). Según Weiler,
Mauthner sostenía que un análisis completo del lenguaje sólo es
compatible con un empirismo radical, entendido aquí, y siguiendo
a Kant, como una doctrina que no sólo afirma que todo conocimiento empieza con la experiencia sino también que éste tiene sus
raíces en la experiencia sensorial. Para responder a las críticas de
los racionalistas que se oponían a estos principios empiristas,
Mauthner va a investigar la naturaleza del intelecto para concluir
que no existe intelecto separado del habla, y que el intelecto es
idéntico a nuestro lenguaje. De aquí, vuelve a la aserción empirista
de que no hay nada en el lenguaje que no haya estado previamente
en los sentidos, y de que el lenguaje en sí puede ser entendido en
sus propios términos (2). También en estas primeras páginas Wei-

ler se refiere a la forma en que Mauthner centra sus reflexiones filosóficas en el lenguaje común (4).

En el capítulo siguiente el crítico trata el tema de las bases psicológicas en relación con la crítica del lenguaje y va a comentar distintos aspectos de esta problemática según aparecen en la obra de Mauthner tales como el rechazo del dualismo Mente-Cuerpo (6-11). Aquí, Mauthner comienza oponiéndose al dualismo implícito en la afirmación de Descartes de que podemos percibir en forma clara y distinta el cuerpo, y en la misma forma clara y distinta, la mente (Weiler 7). Mauthner atribuye este error a lo que llama el poder de la superstición de la palabra porque, dice, sólo en el lenguaje existen estas dos palabras, mente y cuerpo, mientras que en la realidad mente y cuerpo no pueden separarse. Así, este es uno de los casos en los que el lenguaje común nos confunde, y confirma la aserción de que a través de ese lenguaje no es posible acceder a la realidad. Pero, por otra parte, el lenguaje común es el principal medio de que disponemos para acceder a ella dado que no podemos ir más allá de ese lenguaje (Weiler 9).

El otro dualismo que Mauthner cuestiona es el de Pensar-Hablar (Weiler 18-49). Para esto, empieza por preguntarse cómo se usan los verbos pensar y hablar en el lenguaje común (Weiler 29), y a exponer lo que, en una acepción más específica, entiende por pensar (Weiler 39). Estas y otras reflexiones justifican su aserción de que pensar no existe sin hablar, es decir, sin palabras (Weiler 32). Acerca de esto último, Weiler comenta que la idea de que pensar y hablar son una y la misma actividad no parece muy revolucionaria después de los trabajos de J.B. Watson, y Ludwig Wittgenstein. Pero, agrega, Mauthner enunció sus reflexiones mucho antes que ellos (21).[5]

---

[5]   En *Borges' Esoteric Library: Metaphysics to Metafiction*, Didier T. Jaén recuerda que Mauthner desarrolla sus conceptos sobre la crítica del lenguaje por los mismos años en que, en sus clases en la Universidad de Ginebra, Ferdinand de Saussure exponía los temas que iban a integrar su *Curso de lin-*

Ahora, para llegar a ese punto de conjunción antes mencionado entre el juicio de Borges sobre la obra de Wilkins, y las ideas que al respecto figuran en el pensamiento de Mauthner, debemos dirigirnos al capítulo en el que, según el título, Weiler va a referirse a los conceptos de Mauthner sobre "La naturaleza del lenguaje". La simple enumeración de algunos de los temas incluidos en este capítulo da cuenta de su importancia. Entre éstos figuran las reflexiones de Mauthner acerca del origen del lenguaje, su negación de la existencia de una lengua primitiva (Ursprache) (Weiler 88), la forma en que homologa al usar la misma palabra para ambos (Sprache), lenguaje y habla (Weiler 87), su insistencia en que el lenguaje sólo puede ser definido en relación a su uso (Weiler 102), la derivación que practica del sustantivo "significado" al verbo "significar" entendido como indicar algo, recordar algo, ser la imagen de algo (Weiler 119).

En un párrafo importante, Weiler sintetiza conclusiones de lo expuesto en las páginas anteriores. Dice que la tesis general de Mauthner es que todo lenguaje es lenguaje común, es decir que todas las variedades en el uso del lenguaje, de un individuo a otro, de una profesión a otra, de un sexo al otro, etc., participan en uno y el mismo tráfico lingüístico. Todas estas variedades están afirmadas en las experiencias sensoriales que son el núcleo esencial de todas las variantes y a las que se pueden reducir las variantes más abstractas (128). Pero, agrega, la prueba de esta tesis consiste en eliminar todos los posibles ejemplos de lenguajes que supuestamente la contradicen (128). Weiler va a enunciar las opiniones de Mauthner sobre estos últimos separados en Lenguas muertas, Lenguajes artificiales, Lenguajes parcialmente formalizados y Len-

---

güística general. Según Jaén, esto indicaría que Borges recibió a través de Mauthner intuiciones acerca del lenguaje que otros recibieron a través de Saussure, lo que explicaría por qué en esas intuiciones Borges precede y coincide con el desarrollo posterior de estos temas por parte de estructuralistas y postestructuralistas como Derrida (144-45).

guajes formalizados entre los que incluye el lenguaje filosófico de John Wilkins.

Acerca de las Lenguas muertas como el sánscrito o el latín, puede argüirse que, como tales, están desconectadas de las experiencias sensoriales. Pero si como hace Mauthner se destaca la identidad del lenguaje con su uso, en cuanto estas lenguas son usadas, por ejemplo en ritos religiosos o en el campo de la investigación, ellas siguen evocando asociaciones en la misma forma en que lo hacen las lenguas modernas (Weiler 128).

Entre los Lenguajes artificiales Mauthner dedica sus comentarios al esperanto y al volapük a los que descalifica desde el momento en que éstos se apoyan en lenguajes nacionales, y lo máximo que pueden lograr es una traducción de palabras seleccionadas de esos lenguajes, conectadas con reglas gramaticales simples, lo que limita las posibilidades de expresión. De esta manera, las palabras del esperanto o del volapük se relacionan con la experiencia a través de las lenguas nacionales (Weiler 128-29).

Weiler califica como lenguajes parcialmente formalizados a los lenguajes de la ciencia, o lenguajes técnicos en el vocabulario de Mauthner quien nuevamente va a argumentar que estos lenguajes son sólo variantes del lenguaje común que surge de la experiencia sensorial (133).

Por fin, al considerar los Lenguajes formalizados Weiler observa que ante ellos Mauthner enfrenta un desafío mucho más serio a su tesis de que todo lenguaje es lenguaje común basado en experiencias sensoriales dado que estos lenguajes, como el de Wilkins, son construidos precisamente para evitar las imperfecciones lógicas del lenguaje común. Por esto, dice Weiler, Mauthner debe demostrar que estos lenguajes no son posibles lógicamente (129).

Ahora, en este punto de nuestro estudio, es bueno referirse directamente a los textos de Mauthner. Así como en la Enciclopedia Británica, Henry Sweet escribió el artículo sobre Lenguas universales ("Universal Languages"), en su *Diccionario de filosofía*

Mauthner trata el mismo tema en la entrada sobre "Universalspra-
che". Es importante destacar que de las diez páginas que integran
el artículo (*Wörterbuch* 3: 316-26), cinco las dedica a comentar la
obra de Wilkins. Al comienzo, Mauthner habla del esperanto y del
volapük, de los proyectos de una lengua universal apoyada en sistemas de numeración de Descartes y de Leibniz, y de la resonancia
de las ideas de estos filósofos en el pensamiento de Locke. Pero,
como dijimos, el lenguaje en el que fija especialmente su atención
es el que Wilkins propone en *An Essay towards a Real Character,
and a Philosophical Language*. Mauthner analiza la estructura
general del tratado con el sistema de clasificación en cuarenta categorías divididas a su vez en diferencias y especies, las letras y símbolos asignados a cada una de ellas, y anota como ejemplo del lenguaje filosófico el segundo de los dos que Wilkins detalla en la
página 415 de su libro: "De" significa *elemento*, "Det" marca la
quinta <u>diferencia</u> de ese género, que indicaba claridad en el cielo, y
"Deta", la segunda <u>especie</u>, que daba *Hof um ein Gestirn*, perífrasis
con la que Mauthner traduce "*Halo*" en el texto en inglés de Wilkins (*Wörterbuch* 3: 325), que es la misma palabra con el mismo
significado en castellano.

Pero aunque Mauthner valora ciertos aspectos del trabajo de
Wilkins, especialmente cuando se lo considera dentro de las limitaciones del saber de su época, el juicio final va a ser negativo desde
el momento en que dirige su crítica al centro del *Ensayo*, el de las
Tablas de clasificación.

Repitiendo conceptos que aparecen en otros de sus textos,[6]
Mauthner va a negar la existencia de un Catálogo universal que
sirva de base a la formación de un lenguaje universal. Dice que un
lenguaje filosófico es tan imposible en el estado actual de las ciencias naturales como lo era en el siglo XVII, porque un Catálogo
universal ordenado lógicamente sobre el cual ese lenguaje ideal

---

6   Ver el artículo de Dapía.

debe apoyarse no existe, y es imposible construirlo porque el Creador no fue un Registrador[7] (*Wörterbuch* 3: 317). Weiler aclara a qué se refiere Mauthner cuando habla de un Catálogo universal. Dice que, según éste, cuando aprendemos un idioma aprendemos al mismo tiempo una determinada clasificación de nuestra experiencia a la que catalogamos en una manera particular. Mientras que para construir un lenguaje lógicamente perfecto, antes de empezar debemos disponer de una clasificación correcta. O dicho de otra manera, para poder construir un lenguaje formalizado que sea aplicable a la realidad debemos hallar la conexión esencial entre el símbolo y la cosa simbolizada (Weiler 130).

Volviendo ahora a "El idioma analítico de John Wilkins", leemos:

> He registrado las arbitrariedades de Wilkins, del desconocido (o apócrifo) enciclopedista chino y del Instituto Bibliográfico de Bruselas; notoriamente no hay clasificación del universo que no sea arbitraria y conjetural. La razón es muy simple: no sabemos qué cosa es el universo... Cabe ir más lejos; cabe sospechar que no hay universo en el sentido orgánico, unificador, que tiene esa ambiciosa palabra. Si lo hay, falta conjeturar las palabras, las definiciones, las etimologías, las sinonimias, del secreto diccionario de Dios. (OI 142-43)

Con distintas frases, Borges dice lo mismo que Mauthner: no se puede construir un lenguaje universal lógicamente perfecto porque para hacerlo hay que contar previamente con una clasificación correcta de todas las cosas del universo, no algo caótico o arbitrario como las Tablas de Wilkins. Y esa clasificación no existe porque el Creador no registró los objetos de la realidad en un Catálogo universal (Mauthner) o, si lo hizo, "falta conjeturar las palabras, las

---

7   Dapía prefiere traducir la última frase como: "ya que el Creador no fue un archivista que registrara los objetos de la realidad" (281)

definiciones, las etimologías, las sinonimias, del secreto diccionario de Dios" (Borges).

En el párrafo anterior Borges no sólo niega la posibilidad de un lenguaje universal lógicamente correcto sino que, lo que es más serio, cuestiona la existencia de un orden en el universo en lo que críticos como Zulma Mateos califican como un ejemplo de su pesimismo cosmológico. Pero al mismo tiempo que se refiere a estas manifestaciones pesimistas, Mateos indica la forma en que, a veces, junto con ellas y a través de la ironía y el humor, Borges equilibra la gravedad con la sonrisa (37). Como vimos, esto explicaría la inclusión de la lista de la enciclopedia china en medio de sus reflexiones sobre la validez del lenguaje.

Por otra parte, en ocasiones parece que la arbitrariedad y el desorden se introducen espontánea y subrepticiamente en las enumeraciones más comunes y menos sospechosas en su intención. Pensamos aquí en una que figura en *Delphos: The Future of International Language*, el libro de E. Sylvia Pankhurst que Borges estaba leyendo por los años en que escribe sus comentarios sobre Wilkins. La autora dedica varias páginas al esperanto, y en una de ellas dice que, alrededor de 1926, la Asociación Universal de Esperanto contaba con 10.000 subscriptores, 12.000 delegados en 60 países, asociaciones nacionales en 32 países, y con el apoyo de "muchas sociedades de ferroviarios, trabajadores postales, policías, ciegos, jóvenes, Socialistas, Cuáqueros, Católicos Romanos, etc." (30-31. La traducción es nuestra).

En "El idioma analítico de John Wilkins" Borges no sólo alterna el pensamiento profundo con la nota risueña; en su análisis de los trabajos del obispo también pasa de la crítica a la alabanza. Así, después de referirse a la forma en que Wilkins dividió el universo en categorías, diferencias, y especies, y explicar con ejemplos la composición de las palabras en el sistema de Wilkins, de Letellier, y de Bonifacio Sotos Ochando, explicaciones que de entrada quedan abiertas a la crítica, anota lo siguiente: "Las palabras del idioma analítico de John Wilkins no son torpes símbolos arbitrarios; cada una de las letras que la integran es significativa, como lo fueron las de la Sagrada Escritura para los cabalistas" (OI 141).

Esta alternancia entre el juicio negativo y la apreciación favorable o esperanzada se observa de nuevo cuando en principio manifiesta su pesimismo cosmológico al suponer que "no hay universo en el sentido orgánico, unificador, que tiene esa ambiciosa palabra", para enseguida declarar el propósito que debemos adoptar frente a esa evidencia. Dice:

> La imposibilidad de penetrar el esquema divino del universo no puede, sin embargo, disuadirnos de planear esquemas humanos, aunque nos conste que éstos son provisorios. El idioma analítico de Wilkins no es el menos admirable de esos esquemas. (OI 143)

El hecho de que en este texto Borges presente opiniones opuestas, o ideas que se contradicen no resulta extraño si recordamos que el juego de proponer una reflexión o un concepto para enseguida invalidarlos es parte de la técnica o del estilo de muchos de sus ensayos en donde, con frecuencia, arguye teorías de autores antagónicos cuando no discute el pro y el contra de su propio pensamiento. Pero tal vez aquí hay que ver algo más, que es lo que está en la base de esa ambivalencia al juzgar el idioma de Wilkins y en el centro de su labor y de sus preocupaciones de escritor, y que se manifiesta cuando enfrenta la insuficiencia del lenguaje para expresar la realidad.

Es significativo que al final de "El idioma analítico de John Wilkins" Borges transcribe un párrafo de G.K. Chesterton, cita que proviene del libro que Chesterton escribió sobre George Frederick Watts (1817-1904), pintor inglés conocido por una serie de retratos, y cuadros alegóricos.

El tema de las pinturas alegóricas de Watts mueve a Chesterton a expresar sus ideas sobre el valor de las alegorías, posición que Borges comenta en su conferencia sobre "Nathaniel Hawthorne" (OI 71-95), y en el ensayo "De las alegorías a las novelas" (OI 211-15).[8]

Chesterton parte de la objeción común contra las alegorías al verlas como un arte que imita a otro. Acepta que la crítica es justa en el caso de malas alegorías como, por ejemplo, la de pintar una figura de mujer y llamarla Necesidad y, en sus rodillas, dibujar una pequeña figura con el nombre de Invención, para ilustrar el antiguo proverbio, "La Necesidad es la madre de la Invención" (*Watts* 84). Pero, dice, las de Watts no son de esta clase, no son formas pictóricas para expresar opiniones teóricas, proverbios, o relaciones verbales, no son meramente literarias (*Watts* 87). Ilustra su tesis con el análisis de algunas de las pinturas alegóricas de Watts, entre ellas una que muestra en un marco borroso la figura de una mujer doblada con agobio sobre una lira rota en la penumbra. Dice que, ante ella, el espectador en principio supondría que el título que le corresponde es el de "Desesperación" (*Watts* 98). Pero luego, si la sigue observando, captaría algo que no puede expresarse con palabras, una verdad huidiza, algo frágil e indestructible, lo que nunca nos abandona pero siempre amenaza abandonarnos, una luz que ilumina pero que está en el ocaso. A esta pintura, Watts la tituló "Esperanza" (*Watts* 101). Y aquí Chesterton indica que este título no es la realidad detrás del símbolo sino otro símbolo para la misma cosa, o para hablar en forma más precisa, otro símbolo que describe otra parte o aspecto de la misma compleja realidad (*Watts* 102). Hay muchos lenguajes, uno en este caso es el de la representación pictórica, otro, el litera-

---

[8] En estos dos textos, lo mismo que en la reseña sobre *Modes of Thought*, de A.N. Whitehead" (TC 310-11), Borges cita el mismo párrafo de Chesterton que utilizó para cerrar su artículo sobre "El idioma analítico de John Wilkins".

rio del título, "Esperanza". En la base del error de considerar el arte alegórico de Watts como un arte meramente literario, Chesterton pone la creencia en la perfección e infalibilidad del lenguaje, el dar por sentado que hay un perfecto esquema de expresión verbal para todos los designios y estados de ánimo del ser humano, el creer que un hombre tiene una palabra para cada realidad en la tierra, en el cielo, o en el infierno (*Watts* 87-88). Y aquí vienen las frases de Chesterton que Borges copia y califica como "acaso lo más lúcido que sobre el lenguaje se ha escrito" (OI 143):

> El hombre sabe que hay en el alma tintes más desconcertantes, más innumerables y más anónimos que los colores de una selva otoñal... Cree, sin embargo, que esos tintes, en todas sus fusiones y conversiones, son representables con precisión por un mecanismo arbitrario de gruñidos y de chillidos. Cree que del interior de un bolsista salen realmente ruidos que significan todos los misterios de la memoria y todas las agonías del anhelo. (OI 143-44)

Con esto, Borges acepta que "lo más lúcido que sobre el lenguaje se ha escrito" es afirmar la ineptitud del lenguaje como instrumento para expresar las infinitas formas de la realidad. O como lo sintetizó en el "Epílogo" de *Historia de la noche*, reconocer que "El universo es fluido y cambiante; el lenguaje, rígido" (139). Pero la apreciación negativa del lenguaje se torna dramática cuando la unimos a la evidencia de que no podemos eludir el lenguaje, que no podemos salirnos del lenguaje posibilidad que, dice Borges, únicamente ejercitan los ángeles: "Sólo pueden soslayarlo los ángeles, que conversan por especies inteligibles: es decir, por representaciones directas y sin ministerio alguno verbal" (IA 24).

La paradoja de ser conscientes de las limitaciones del lenguaje y, al mismo tiempo, estar obligados a valernos de ese lenguaje es lo que, muy temprano, debe haber llevado a Borges a leer en la Enciclopedia Británica o en el *Diccionario de filosofía* de Mauthner los artículos sobre "Lenguas universales" tal vez con la esperanza de encontrar entre éstas alguna que, en su perfección, resolviera el dilema. Pero, como vimos, lo que va a hallar en ellos son intentos más o menos frustrados: el esperanto, el volapük, el idioma neutral, los proyectos basados en sistemas de numeración de Descartes y de Leibniz, el lenguaje filosófico de John Wilkins. Además, si observaba a estos lenguajes con mirada de poeta, de poeta que escribe en castellano o, a veces, en inglés, e imaginaba que alguno de ellos podía salir triunfante e imponerse como una lengua universal, el recelo reemplazaría a la curiosidad de practicarlos porque qué rimas podría escribir en volapük, un idioma que, como anota en la reseña sobre el libro de Pankhurst, sintetiza la frase "Usted debe ser saludado" con la antirrítmica palabra "Peglidalöd" (TC 307). O, a qué quedarían reducidas "Las coplas de Jorge Manrique", esas en las que ve una doble hermosura en el artículo que les dedica en *El idioma de los argentinos* (81-86), si la versión fuera según el idioma filosófico de Wilkins. Cómo escucharíamos la estrofa preferida (¿Qué se ficieron las llamas/ de los fuegos encendidos/ de amadores? IA 86) si en lugar de "fuegos" pusiéramos "Deb", y en vez de "llamas", "Deba". La resonancia de esos fuegos y esas llamas, imágenes de la pasión sensual, mueve a Borges a la reflexión metafísica: "Lo que de veras fue, no se pierde; la intensidad es una forma de eternidad" (IA 86). Pero si usara el idioma de Wilkins es dudoso que las "Deb" y las "Deba" le inspiraran el mismo impulso.

Por otra parte, no es fácil que Borges se desanime ante una dificultad o un problema si éstos se relacionan con lo que está en el centro de su interés. Basta recordar lo que dice en "Un lector", de *Elogio de la sombra*:

> No habré sido un filólogo,
> no habré inquirido las declinaciones, los modos,
> la laboriosa mutación de las letras,
> la *de* que se endurece en *te*,
> la equivalencia de la *ge* y de la *ka*,
> pero a lo largo de mis años he profesado
> la pasión del lenguaje. (OP 353)

"El idioma analítico de John Wilkins" es un buen ejemplo de
esa pasión por todo lo que se refiere al lenguaje. Según lo que
hemos comentado en páginas anteriores, probablemente fue en el
marco de sus lecturas de la edición de 1911 de la Enciclopedia Británica donde Borges encontró por primera vez el nombre de Wilkins junto con la mención de su obra más importante, *An Essay
towards a Real Character, and a Philosophical Language*, nombre
y título que por cierto quedaron grabados en su memoria como lo
prueban las breves referencias a los mismos que aparecen en sus
escritos de 1927 y 1939. Pero cuando a principios de 1942 se dispone a escribir para *La Nación* el artículo especialmente dedicado
a la obra de Wilkins, la imposibilidad de obtener un ejemplar del
Ensayo lo fuerza a hacerlo sin haber leído el texto que está en la
base de sus comentarios.

Como dijimos, semejante contrariedad no va a impedir que siga
firme en su intento si, como en este caso, de lo que se trata es de
exponer sus reflexiones sobre la naturaleza del lenguaje. Si no
puede apoyarse directamente en el texto de Wilkins, sí puede
hacerlo en las páginas pertinentes de la Enciclopedia Británica, y
en las obras de Wright Henderson, Pankhurst, Hogben, y Mauthner. Y esto es lo que analizamos en este Capítulo de nuestro estudio, cómo Borges va a <u>componer</u> las páginas del artículo, enten-
diendo el verbo componer en su sentido más literal de "poner juntos diversos elementos", aquí, las ideas o párrafos que toma de esas
obras de referencia. "El idioma analítico de John Wilkins" no es el
único texto en que observamos esta técnica típicamente borgesiana,[9] pero tal vez es el que mejor la ilustra. A través de su lectura
es fácil identificar la procedencia del comentario y a veces, como
en la cita final de Chesterton, contamos con la ayuda de Borges que

---

[9]   Pensamos también en "La penúltima versión de la realidad", ensayo escrito
      en 1928 e incluido en *Discusión* (39-44).

indica con precisión los datos específicos: "(*G.F. Watts*, p. 88, 1904)" (OI 144).

Hasta aquí nos hemos referido a los textos en los que Borges centra su atención en la obra de Wilkins o en los que incluye breves comentarios sobre el obispo.[10] Ahora pasaremos a aquéllos en los que, de alguna manera, Wilkins ingresa en la ficción tal como ocurre en "Pierre Menard, autor del Quijote" de *Ficciones* (45-57), y en "El Congreso" de *El libro de arena* (33-63).

En las "Notas autobiográficas" ("Autobiographical Notes") que publica en *The New Yorker* en septiembre de 1970, Borges comenta con algunos detalles significativos para nuestro estudio las circunstancias de la redacción de los dos cuentos.

Aunque cronológicamente "Hombre de la esquina rosada" de *Historia universal de la infamia* (1935)[11] y "El acercamiento a Almotásim" de *Historia de la eternidad* (1936) son los dos primeros cuentos de Borges, es habitual referirse a "Pierre Menard, autor del Quijote" (*Sur*, mayo de 1939) como el relato que marca el comienzo de las ficciones que presentan las características típicas de su narrativa. Leyendo las "Autobiographical Notes" vemos que, en parte, Borges confirma esta aserción. Sus recuerdos parten de la

---

10   Entre estos últimos hay que agregar el "Prólogo" para la edición de *Crónicas marcianas* de Ray Bradbury (Buenos Aires: Minotauro, 1955). En su introducción a los relatos de Bradbury, Borges recuerda las imágenes de la Luna y de sus habitantes que aparecen en las páginas de Luciano de Samosata, y de Ariosto y también, en el siglo XVII, en el *Somnium Astronomicum* de Kepler. Enseguida, destaca el hecho de que Wilkins era contemporáneo del célebre astrónomo. Dice: "¿No publicó por aquellos años John Wilkins, inventor de una lengua universal, su *Descubrimiento de un Mundo en la Luna, discurso tendiente a demostrar que puede haber otro Mundo habitable en aquel Planeta*, con un apéndice titulado *Discurso sobre la posibilidad de una travesía*?" (P 25).

11   "Hombre de la esquina rosada" en parte había sido anticipado por los esbozos narrativos "Leyenda policial" (*Martín Fierro*, 1927), "Hombres pelearon" (*El idioma de los argentinos*, 1928), y "Hombres de las orillas" (*Revista multicolor de los sábados* del diario *Crítica*, 1933).

Nochebuena de 1938 cuando sufre el terrible accidente que deriva en septicemia y que, por un mes, lo va a dejar luchando entre la vida y la muerte. Dice que al principio de la convalecencia sentía temor por el estado de sus facultades mentales y que, en un momento, se preguntó si iba a poder escribir de nuevo. Piensa entonces que tratar de escribir algo que había hecho antes –un poema, una reseña– y fracasar iba a ser la prueba devastadora de la incapacidad intelectual a la que lo había reducido la enfermedad mientras que si fracasaba intentando algo que nunca había hecho el impacto de esa evidencia no iba a ser tan duro ni tan definitivo. Por esto, decide escribir un cuento que resulta ser "Pierre Menard, autor del Quijote" ("Autobiographical Notes" 83-84).

Acerca de la trama del relato nos interesa recordar que el narrador divide la obra de Menard en dos clases: la *visible*, y la otra "la subterránea, la interminablemente heroica, la impar" (F 48), la de componer "palabra por palabra y línea por línea" (F 49-50) no otro Quijote, "sino *el Quijote*" (F 49). Aunque el significado esencial del texto radica en esta última, para nuestro análisis de la presencia de Wilkins en la ficción de Borges debemos centrarnos en la primera.

El narrador explica al principio: "La obra *visible* que ha dejado este novelista es de fácil y breve enumeración" (F 45). Pero cuando en las páginas siguientes anota las piezas que integran esa obra comprobamos que su enumeración no tiene nada de breve ni de fácil, y que afirmar lo contrario es la primera de las muchas aseveraciones irónicas que abundan en la historia. En la lista de 19 ítems, ordenada siguiendo las letras del alfabeto de (a) a (s), predomina el tono satírico con una buena dosis de humor y de absurdo. Pero si de ella extractamos algunas ideas o nombres, la lista adquiere otro sentido. Por ejemplo, en las letras (e) y (g) se menciona un artículo y una traducción sobre el juego de ajedrez, en la (o) y la (p), una traducción del *Cementerio marino* de Paul Valéry, y una invectiva contra Paul Valéry, en la (f), "Una monografía sobre el *Ars magna generalis* de Ramón Lull" (F 46), en la (n), un análisis de la sintaxis de Paul-Jean Toulet, en la (h), "una monografía sobre la lógica simbólica de George Boole" (F 47), en la (k), una traducción de la "*Aguja de navegar cultos* de Quevedo" (F 47), en la (m) aparece el nombre de Bertrand Russell relacionado con el "ilustre problema de Aquiles y la tortuga" (F 47) y, por fin, en la letra (c) se habla de "Una monografía sobre 'ciertas conexiones o afinidades' del pensamiento de Descartes, de Leibniz y de John Wilkins" (F 46). Para la primera edición de *El jardín de senderos que se bifurcan* de 1941, texto que en 1944 pasa a integrar la primera parte de *Ficciones*, Borges escribe un "Prólogo" donde explica en pocas líneas las características de las ocho piezas que componen el volumen. Para "Pierre Menard, autor del Quijote", dice: "La nómina de escritos que le atribuyo no es demasiado divertida pero no es arbitraria; es un diagrama de su historia mental..." (F 11).

Pero si Quevedo y Paul Valéry, Ramón Llull y Paul-Jean Toulet, Bertrand Russell y George Boole, el juego de ajedrez y el problema de Aquiles y la tortuga, y las conexiones del pensamiento de Descartes, Leibniz, y John Wilkins las que, como vimos, son las que surgen del intento de alcanzar un lenguaje filosófico, si todo esto forma parte de la "historia mental" de Pierre Menard, el personaje, igualmente, o quizás en mayor grado sabemos que también forma parte de la "historia mental" del autor, de un Borges que escribe este cuento para tener la seguridad de que no ha perdido la aptitud intelectual y la capacidad de jugar con el conocimiento y la memoria.

Al final de las "Notas autobiográficas" de 1970 Borges dice que, después de veinte años de aburrir a sus amigos con los detalles de la trama, por fin está terminando un relato extenso titulado "El Congreso" ("Autobiographical Notes" 98).

En el "Epílogo" de *El libro de arena* (1975) Borges anota breves comentarios sobre los cuentos allí incluidos, y dice lo siguiente: "'El Congreso' es quizá la más ambiciosa de las fábulas de este libro; su tema es una empresa tan vasta que se confunde al fin con el cosmos y con la suma de los días" (180). Y, más abajo, agrega: "En su decurso he entretejido, según es mi hábito, rasgos autobiográficos" (180). Desde la primera página es posible descubrir estos rasgos autobiográficos en la figura y en las acciones del protagonista-narrador Alejandro Ferri. Leemos que Ferri vive en una calle de Buenos Aires, "en un Sur que ya no es el Sur", que tiene setenta y tantos años", que dicta clases de inglés, y que confiesa: "Por indecisión o por negligencia o por otras razones, no me casé, y ahora estoy solo" (LA 35). Con algunas diferencias circunstanciales, todo esto se corresponde muy bien con la situación de Borges por esa época. Líneas más abajo, encontramos un ejemplo de casi absoluta semejanza. Dice Alejandro Ferri: "Cuando era joven, me atraían los atardeceres, los arrabales y la desdicha; ahora, las mañanas del centro y la serenidad" (LA 35-36). Y Borges escribe en un "Prólogo" de 1969 a *Fervor de Buenos Aires:* "En aquel tiempo, buscaba los atardeceres, los arrabales y la desdicha; ahora, las mañanas, el centro y la serenidad" (OP 19).

En el párrafo que sigue de "El Congreso" Borges va a dar otro giro al tema de lo autobiográfico cuando deja algo suyo en Ferri al tiempo que proyecta su imagen más verídica. Leemos:

> El curioso puede exhumar, en algún oscuro anaquel de la Biblioteca Nacional de la calle México, un ejemplar de mi *Breve examen del idioma analítico de John Wilkins*, obra que exigiría otra edición, siquiera para corregir o atenuar sus muchos errores. El nuevo director de la Biblioteca, me dicen, es un literato que se ha consagrado al estudio de las lenguas antiguas, como si las actuales no fueran suficientemente rudimentarias, y a la exaltación demagógica de un imaginario Buenos Aires de cuchilleros. (LA 36)

Así, lo que Borges deja en Ferri es su interés por Wilkins, y una velada preocupación por evaluar sin errores el intento de un lenguaje filosófico.

Más adelante en el relato, Ferri es enviado a Londres con la misión de encontrar "un idioma que fuera digno del Congreso del Mundo" (LA 54). Con este propósito, concurre a la biblioteca del Museo Británico donde se da a esa búsqueda. Dice:

> No descuidé las lenguas universales; me asomé al esperanto... y al Volapük, que quiere explorar todas las posibilidades lingüísticas, declinando los verbos y conjugando los sustantivos. Consideré los argumentos en pro y en contra de resucitar el latín, cuya nostalgia no ha cesado de perdurar al cabo de los siglos. Me demoré asimismo en el examen del idioma analítico de John Wilkins, donde la definición de cada palabra está en las letras que la forman. (LA 54)

El asociar aquí a Wilkins con esa palabra de letras eficaces para definirla deja entrever de alguna manera la frustración por lo imposible del intento. Pero lo que importa comprobar es que, como ocurre en los ensayos, artículos, o reseñas, cuando Wilkins ingresa subrepticiamente en la ficción lo que su nombre evoca está siempre unido a las ideas esenciales sobre la naturaleza del lenguaje. Si reconocemos que esto último es tema central en el pensamiento de Borges, y aquello que más compromete su labor como escritor, no sorprende que este "raro" John Wilkins, quien enfrentó de lleno y con un *Ensayo* monumental el problema ineludible de la insuficiencia e imperfección del lenguaje, aparezca repetidamente en sus textos. Y no sólo es necesario destacar la frecuencia de las menciones sino también el tono de las citas en el que podemos percibir una corriente de simpatía hacia el obispo.

Muchos son los rasgos que Borges debía apreciar en Wilkins: su labor de erudito, sus extraños y numerosos inventos, su tolerancia con los que sustentaban ideas antagónicas, el trato cordial con los amigos, su condición de curioso universal. También, es evidente la afinidad que une a Borges y a Wilkins en la réplica o reflexión irónica. En su libro sobre la vida y la época de Wilkins, Wright Henderson relata un episodio que ilustra esta actitud en el obispo. Cuenta que Wilkins estaba defendiendo las teorías expuestas en sus publicaciones de 1638 y 1640 acerca de la existencia de un mundo en la Luna, y de la posibilidad de un viaje para llegar a ella, cuando la Duquesa de Newcastle, una dama inteligente y excéntrica, autora de muchos "caprichos" filosóficos y poéticos, le preguntó dónde podría alimentar a sus caballos si ella decidía emprender esa travesía. La respuesta de Wilkins: "Su Señoría no podrá hacer nada mejor que detenerse en alguno de sus castillos en el aire" (79-80. La traducción es nuestra). Por su parte, en la segunda página de "El idioma analítico de John Wilkins". Borges anota lo siguiente: "Todos, alguna vez, hemos padecido esos debates inapelables en que una dama, con acopio de interjecciones y de anacolutos, jura que la palabra *luna* es más (o menos) expresiva que la palabra *moon*" (OI 140).

En *Elogio de la sombra*, Borges incluye "Fragmentos de un evangelio apócrifo", un texto en el que anota 37 frases numeradas del 3 al 51, con varios números salteados que explicarían la alusión a lo fragmentario en el título. El tono en todas ellas es sentencioso, y muchas aparecen como variaciones de las bienaventuranzas del Sermón de la montaña. Al leerlas nos detuvimos en la número 34, que dice: "Busca por el agrado de buscar, no por el de encontrar..." (OP 352). Tal vez en este consejo se esconde la razón del interés de Borges por Wilkins, el reconocer en el obispo inglés lo que bien conoce en sí mismo cuando se da a la constante busca de sus inquisiciones. Por otra parte, en el artículo de *El Hogar* de julio de 1939, Borges ya había sintetizado el juicio preciso: "Pocos hombres merecen la curiosidad que merece Wilkins" (TC 333).

CAPÍTULO II

MICHAEL INNES Y LAS CITAS ERUDITAS

Como veremos a lo largo de este capítulo, en Michael Innes se conjugan dos temas fundamentales en el pensamiento y en los escritos de Borges: la presencia de citas y comentarios eruditos, y el ejercicio del relato policial.

Ante todo, conviene aclarar que Michael Innes es el seudónimo del escritor escocés John Innes Mackintosh Stewart (1906-1995). Nacido en Edimburgo, Stewart cumplió sus estudios en esa ciudad hasta que se trasladó a Oxford para obtener el bachillerato universitario. Desde entonces, su interés y trabajos van a fijarse en las obras de la literatura inglesa, especialmente las del período isabelino, al tiempo que también exhibe un buen conocimiento de las literaturas clásicas. Como docente, va a ser miembro de la facultad en la Universidad de Leeds, por diez años en la de Adelaida, Australia meridional, por tres años en la Universidad de Queen's, en Belfast y, finalmente, en la Universidad de Oxford.

Entre sus publicaciones académicas figuran libros con estudios críticos sobre Thomas Love Peacock, Joseph Conrad, Thomas Hardy, Rudyard Kipling y aquéllos más importantes sobre William Shakespeare, textos a los que hay que agregar numerosos artículos y reseñas. En cuanto a obras de ficción, J.I.M. Stewart es autor de 20 novelas y varias colecciones de cuentos. Pero si su producción en este género es considerable, su autoría de relatos policiales bajo el nombre de Michael Innes fácilmente la duplica con 45 novelas y 3 colecciones de cuentos que aparecen entre 1936 y 1987. Así, lo que sobresale a través de estos datos biográficos de J.I.M. Stewart/Michael Innes es la figura de un estudioso universitario, profesor de literatura, y autor de un enorme número de obras. Y será fácil comprobar que estas características, unidas a ciertas circunstancias anecdóticas, van a reflejarse en muchos de sus textos.

En el número del 22 de enero de 1937 de *El Hogar* Borges comenta *Death at the President's Lodging*, la primera novela de Michael Innes editada el año anterior (TC 77-78), y en el número del 3 de diciembre reseña *Hamlet, Revenge!*, la segunda novela de Innes de ese mismo año de 1937 (TC 192). No aparece en las páginas de *El Hogar* ninguna referencia a *Lament for a Maker*, que Innes publicó en 1938, pero cuando junto con Adolfo Bioy Casares, Borges organice para la editorial Emecé la colección de narrativa policial de "El Séptimo Círculo"[1] esta novela, con el título de *La torre y la muerte*, será la tercera en orden de aparición. *Death at the President's Lodging*, traducida inicialmente como *Los otros y el rector*, aparecerá como la número 26 de la colección, y *¡Hamlet, venganza!* será la número 34.

En estas páginas vamos a centrarnos en el comentario de las primeras novelas de Michael Innes por dos razones importantes: por las características de su escritura en relación con el tema general de este capítulo, y porque sabemos con seguridad que Borges había leído *Death at the President's Lodging*, y *Hamlet, Revenge!* antes de 1939, año de la redacción de "Pierre Menard, autor del Quijote" el que, como dijimos, es un texto clave en la evolución de su técnica narrativa.

Pero antes vamos a repasar algunos conceptos fundamentales sobre el uso y funciones de las citas eruditas como así también aquéllos sobre la teoría y práctica de la ficción policial.

* * *

---

[1]   En una entrevista, Borges explica la razón del título. Dice: "Con Bioy necesitábamos un título, y yo le propuse: 'Busquemos el círculo de los violentos en el Infierno de la *Divina comedia*' Ese círculo resultó ser el séptimo. Y quedó bien" (Alifano, *Conversaciones* 13).

Generalmente, la forma de referencia más común es escribir la cita o comentario en nota al pie de página. En *The Footnote: A Curious History*, Anthony Grafton analiza la evolución y uso de estas notas en textos de historia. Con ironía, comenta el aprendizaje obligado de cómo componer y utilizar esas notas que debe cumplir el historiador contemporáneo, aprendizaje que comienza en sus años de estudiante, pasando luego por el largo período que le lleva redactar la Tesis doctoral con una "producción industrial" de notas al pie para culminar cuando, ya en posesión de su título y empleado, el historiador compone notas cada vez que escribe un libro, o envía un artículo a una revista especializada (5).

En el primer Capítulo titulado "Footnotes: The Origin of a Species" ("Notas al pie: El origen de una especie") Grafton se refiere a la importancia de las notas que Edward Gibbon incluyó en su *Historia de la decadencia y ruina del Imperio Romano*, texto que por su estilo clásico y su escala épica distingue a su autor entre los historiadores del siglo XVIII (1). Enseguida explica que muchas de esas notas se hicieron famosas debido a su carga de irreverencia en materia religiosa y sexual (1). Más adelante, Grafton indica que la forma en que Gibbon documenta sus referencias en las notas no es algo nuevo pero lo que sí les es peculiar es la manera en que Gibbon mezcla en ellas referencias y comentarios (103). A continuación, para apreciar mejor estas características vamos a transcribir algunas de estas notas.

En el Capítulo V de la *Historia* Gibbon se refiere a los sucesos de la vida del emperador romano Septimio Severo (146-211), y critica a algunos historiadores que quisieron comparar a éste con Julio César. Y aquí es cuando escribe la Nota 41, en la que dice: "Aunque ciertamente exaltar el carácter de César no es la intención de Lucano, la imagen que da del héroe en el décimo libro de la *Farsalia* cuando lo describe al mismo tiempo haciendo el amor a Cleopatra, manteniendo el sitio contra el poder de Egipto y conversando con los sabios del país es, en realidad, el más noble panegírico" (1: 138). (La traducción es nuestra)[2]

Otro buen ejemplo de la manera en que Gibbon escribe sus notas al pie de página lo hallamos en la número 20 del Capítulo LXIV, Capítulo que se inicia con el relato de las conquistas de Gengis Kan y los mongoles. Gibbon cita a Voltaire quien había escrito que las batallas europeas eran encuentros insignificantes comparadas con las que se libraron en los campos de Asia. Y escribe al pie: "[20]M. de Voltaire, *Essai sur l'Histoire Générale*, tom. iii. c.60, p. 8. Como habitualmente, su narración de los sucesos de Gengis y los mongoles contiene mucha verdad y sentido general, con algunos errores particulares" (6: 210). (La traducción es nuestra)[3]

La razón por la que aquí nos detenemos a considerar estas citas y notas de Gibbon se apoya en el hecho de que la *Historia de la decadencia y ruina del Imperio Romano* figura en el grupo de los libros preferidos por Borges. Cuando en 1985 Borges selecciona los textos "de lectura imprescindible" (BP i) que formarían la colección de su "Biblioteca personal", uno de los elegidos es la *Historia* de Gibbon. Muchos años antes, en 1961, el Departamento de Lenguas y Literaturas Modernas de la Facultad de Filosofía y Letras de la Universidad de Buenos Aires publica *Páginas de historia y de autobiografía* de Edward Gibbon, con Selección y prólogo de Jorge Luis Borges. Este prólogo es el mismo que encabeza

---

2   "[41] Though it is not, most assuredly, the intention of Lucan to exalt the character of Caesar, yet the idea he gives of that hero, in the tenth book of the *Pharsalia*, where he describes him, at the same time, making love to Cleopatra, sustaining a siege against the power of Egypt, and conversing with the sages of the country, is, in reality, the noblest panegyric" (*The History of the Decline and Fall of the Roman Empire* 1: 138).

3   "[20] M. de Voltaire, *Essai sur l'Histoire Générale*, tom. iii. c.60, p. 8. His account of Zingis and the Moguls contains, as usual, much general sense and truth, with some particular errors" (*The History of the Decline and Fall of the Roman Empire* 6: 210).

el volumen de la *Historia* de Gibbon en la serie de la "Biblioteca personal", y algunos de sus párrafos merecen un comentario. Así, leemos:

> Como quien sueña y sabe que sueña, como quien condesciende a los azares y a las trivialidades de un sueño, Gibbon, en su siglo XVIII, volvió a soñar lo que vivieron o soñaron los hombres de ciclos anteriores, en las murallas de Bizancio o en los desiertos árabes. (P 73)

A veces, la información es escueta: "Gibbon murió sin agonía el 15 de enero de 1794, al cabo de una breve enfermedad" (P 72). En otras ocasiones lo que es breve es el juicio evaluador: "El buen sentido y la ironía son costumbres de Gibbon" (P 73). Pero en una u otra forma, lo que trasciende de este "Prólogo" es el interés y encomio que Borges manifiesta por la obra de Gibbon, actitud que se explicaría si observamos que en las páginas de la *Historia de la decadencia y ruina del Imperio Romano* aparecen con frecuencia algunos de sus temas predilectos.

Por ejemplo, en el Capítulo X Gibbon comenta la lucha del emperador Decio (201-251) contra los godos, y al hablar del origen de estos pueblos en Escandinavia, su religión e instituciones, menciona las *Eddas* a las que describe como "un sistema de mitología, compilado en Islandia en el siglo XIII, y estudiado por los eruditos de Dinamarca y Suecia como los restos más valiosos de sus antiguas tradiciones" (1: 283). (La traducción es nuestra)[4]

Si pasamos a la obra de Borges las referencias a las *Eddas* son reiteradas y ya están presentes en textos tempranos como el ensayo sobre *Las kenningar*, publicado en *Sur* en 1932 e incorporado

---

[4]   "the *Edda*, a system of mythology, compiled in Iceland about the thirteenth century, and studied by the learned of Denmark and Sweden, as the most valuable remains of their ancient traditions" (*The History of the Decline and Fall of the Roman Empire* 1: 283).

como un capítulo de *Historia de la eternidad* de 1936 en el que, al final, Borges anota una lista de la bibliografía utilizada a la que encabeza la compilación de la *Edda prosaica* de Snorri Sturluson (HE 49-79). Un estudio más completo de la *Edda Mayor* (poética), de la *Edda Menor* (prosaica), y de Snorri Sturluson, es el que Borges escribe con la colaboración de Delia Ingenieros en *Antiguas literaturas germánicas* (México: FCE, 1951. 58-69, 97-110). También, en *El otro, el mismo* de 1969 Borges dedica un soneto a "Snorri Sturluson (1179-1241)" (OP 227). Yendo a otro tema, es bien conocida la que Borges califica como su tendencia "a estimar las ideas religiosas o filosóficas por su valor estético y aun por lo que encierran de singular y de maravilloso" (OI 263). En cuanto a esto, la *Historia* de Gibbon es rica en comentarios sobre sectas, creencias, y supersticiones, ya sea cuando en el Capítulo XV se refiere a los gnósticos (1: 518-21), o cuando en el VIII habla de Zoroastro y el *Zendavesta*, con una nota al pie que aclara que el antiguo idioma en que este texto fue escrito se llamaba Zend (1: 229).

Aunque sin la inmediata trascendencia ideológica de aquellas mitologías nórdicas o de estas doctrinas orientales que figuran tanto en los textos de Borges como en la *Historia* de Gibbon, no hay duda de la importancia que el tema del ajedrez adquiere en la obra de Borges.[5] Y nuevamente, la *Historia* de Gibbon ofrece un ejemplo claro del mismo tema con el agregado de ilustrar en la nota al pie que completa el texto el tono que el autor impone en la redacción de la misma. Se trata del Capítulo LXV en el que Gibbon historia las hazañas de Tamerlán, el famoso guerrero y conquistador del siglo XIV. En la página en que habla del carácter y cualidades de Tamerlán dice que éste se complacía en conversar con los doctos sobre temas de historia y ciencia, y que su entretenimiento en las horas de ocio era el juego de ajedrez que él perfeccionó o

---

5   En el Capítulo 6: "Xul Solar: Los juegos del lenguaje y del ajedrez", trataremos este tema con más detalle.

alteró con nuevos refinamientos. Al final de este párrafo es cuando Gibbon inserta la Nota 67, la que al pie de página dice lo siguiente: "Su nuevo sistema consistió en pasar de 32 piezas y 64 casillas a 56 piezas y 110 ó 130 casillas; pero, excepto en su corte, el viejo juego se consideraba suficientemente elaborado. El emperador mongol quedaba más agradado que herido ante la victoria de un vasallo: ¡un jugador de ajedrez apreciará el valor de este encomio! (6: 275). (La traducción es nuestra)[6]

Esta mezcla de la referencia al personaje y a los datos históricos con el comentario sobre hechos anecdóticos o triviales es la que señala Grafton cuando determina lo peculiar en las notas de los textos de Gibbon. En cuanto a la impresión que junto con la totalidad del texto éstas causaron en Borges a lo largo de sus tempranas lecturas de la *Historia*[7] conviene transcribir el párrafo final de su "Prólogo" que dice:

> Recorrer el *Decline and Fall* es internarse y venturosamente perderse en una populosa novela, cuyos protagonistas son las generaciones humanas, cuyo teatro es el mundo, y cuyo enorme tiempo se mide por dinastías, por conquistas, por descubrimientos y por la mutación de lenguas y de ídolos. (P 74)

Lo que hay que destacar en esta cita es que Borges califica al texto histórico como "una populosa novela". Y lo hace en forma de

---

6   "[67] His new system was multiplied from 32 pieces and 64 squares to 56 pieces and 110 or 130 squares; but, except in his court, the old game has been thought sufficiently elaborate. The Mogul emperor was-rather pleased than hurt with the victory of a subject: a chessplayer will feel the value of this encomium!" (*The History of the Decline and Fall of the Roman Empire* 6: 275).

7   En "La duración del infierno", texto publicado en 1929, Borges menciona el Capítulo L de la *Historia* (D 99). Asimismo, cita la obra de Gibbon en dos artículos de 1931, "Una vindicación de la Cábala" (D 58), y "La postulación de la realidad" (D 67-68).

elogio al tiempo que expresa la satisfacción que le produce acercarse a esa *Historia* la que por las características de su estilo –dentro del que caben las notas al pie– se deja leer como una novela. Con esto ya nos estamos acercando a una distinción básica entre las citas en textos de investigación y aquéllas que aparecen en textos de ficción. En "At the Margin of Discourse: Footnotes in the Fictional Text", Shari Benstock se refiere a las funciones diferentes que cumplen las notas al pie de página incluidas en un libro de estudios críticos frente a las que aparecen en una obra de creación literaria. Indica que, en su función más elemental, las primeras sirven como comentarios o referencias para las partes del texto a las que se las adjunta, pero que de esta manera son siempre marginales, no incorporadas al texto sino adosadas a él. En cambio, el uso de notas al pie en los textos literarios como en las novelas que analiza (*Tom Jones* de Henry Fielding, *Tristram Shandy* de Laurence Sterne, y *Finnegans Wake* de James Joyce) extiende, explica, o define las premisas ficticias del texto (204). Sabemos que en la obra de Borges son frecuentes las notas al pie de página pero hay que recordar que éstas son sólo una de las diversas maneras de citar referencias y comentarios.

En cuanto a la forma en que Borges compone e introduce las citas eruditas las que, en relación con Michael Innes, son el tema central de este capítulo, baste por el momento anotar el comentario de Beatriz Sarlo en el artículo titulado "Un clásico marginal":

> Borges tuvo la astucia de las citas. Nadie más astuto, nadie más engañador en el uso de la cita: nunca pueden creerse del todo, nunca están en el lugar completamente adecuado y, muchas veces, parecen arbitrarias, puestas como para mostrar otra cosa. (10)

* * *

Mucho han escrito los críticos sobre el tema del relato policial o detectivesco, sea en términos generales, o en forma específica en cuanto a la relación de Borges con ese género narrativo. Entre las obras dedicadas a esto último hay que mencionar por su importancia *The Mystery to a Solution: Poe, Borges, and the Analytic Detective Story*, el excelente ensayo en el que, con alarde de erudición, John T. Irwin analiza esa problemática desde los ángulos más diversos.

En *Generally Speaking*, libro publicado en 1929, G.K. Chesterton dedica el primer Capítulo, "On Detective Novels", al comentario de la narrativa policial y, con no velada ironía, se sorprende de que los críticos de la época no prestaran atención a la técnica de esos relatos dado que, para él, este tipo de narrativa es el que más se apoya en estrictas leyes lógicas (2-3).

Desde entonces la situación ha cambiado considerablemente y hoy la obra policial no sólo es objeto de investigaciones literarias sino también filosóficas y científicas. Si el libro de Irwin de 1994 sobresale entre los textos de crítica literaria más recientes, la colección de ensayos compilados en 1983 por Umberto Eco y Thomas A. Sebeok bajo el título de *The Sign of Three: Dupin, Holmes, Peirce* se destaca entre aquéllos que estudian la técnica del relato policial en relación con los procedimientos de la lógica y la semiótica modernas.[8]

---

[8]   En *Bioy Casares y el alegre trabajo de la inteligencia* comentamos que el título que equipara a dos personajes de ficción, Auguste Dupin y Sherlock Holmes, con el filósofo y científico norteamericano Charles Sanders Peirce (1839-1914) se explica sobre la base de la relación entre el método de pesquisa de los detectives de Poe y Conan Doyle, y los tipos de razonamiento lógico considerados por Peirce (65-66). En "La abducción en Uqbar", texto incluido en *De los espejos y otros ensayos* (173-84), Umberto Eco analiza los *Seis problemas para don Isidro Parodi* de Borges y Bioy Casares a la luz de los modos de razonamiento formulados por Peirce, especialmente el de Abducción.

Hemos mencionado los trabajos de Irwin y de Eco-Sebeok no sólo por la calidad de sus páginas sino también porque muestran la amplitud del campo de investigación del relato policial, amplitud que abre la puerta a las interpretaciones más variadas, con un enorme número de textos que las ilustran.

Ciertamente, Chesterton estaría satisfecho ante esta respuesta a su queja de la falta de interés de los críticos de su época por los procedimientos y técnicas de la narrativa detectivesca.

En cuanto a nuestros comentarios a esta altura del análisis, más que referirnos a opiniones generales sobre el relato policial vamos a centrarnos en las que el mismo Borges enunció con frecuencia, las que declara provienen de su experiencia de lector: "Me ha tocado en suerte el examen, no siempre laborioso, de centenares de novelas policiales" (BP 76), y "Muchas páginas he leído (y escrito) sobre el género policial" (BS 251).

En 1978 Borges pronuncia una conferencia en la Universidad de Belgrano la que, con el título de "El cuento policial", aparece publicada en el volumen de *Borges oral*. Este es el escrito más extenso sobre el tema y en donde, en cierta manera, sintetiza los juicios que venía manifestando desde épocas tempranas. El primero, y terminante, es reconocer a Poe como el iniciador del género. En 1978 afirma: "Hablar del relato policial es hablar de Edgar Allan Poe, que inventó el género" (BO 65). Con el mismo énfasis, en 1937 exaltaba dentro del legado de Poe "la invención del género policial" (TC 114).

El segundo juicio es el que determina las diferencias –y la distinta evaluación– entre el cuento y la novela policial. En el "Prólogo" a *La piedra lunar* de Wilkie Collins de 1971, "Prólogo" que Borges repite para el mismo libro en la serie de su "Biblioteca personal", leemos: "La verdad es que el género policial se presta menos a la novela que al cuento breve; Chesterton y Poe, su inventor, prefirieron siempre el segundo" (P 48/ BP 17). Muchos años antes, en textos de 1937 y 1938, deslindaba mejor el sentido de esas diferencias. Así, anota:

> A falta de otras gracias que lo asistan, el cuento policial puede ser puramente policial. Puede prescindir de aventuras, de paisajes, de diálogos y hasta de caracteres; puede limitarse a un problema y a la iluminación de un problema... En cambio, la novela policial tiene que ser también otras cosas, si no quiere ser ilegible... las primeras novelas policiales –*The Woman in White* (1860) y *The Moonstone* (1868) de Wilkie Collins– eran también novelas psicológicas, al modo de Charles Dickens. (TC 261-62)

Por esos mismos años, y en términos semejantes, repite la distinción: "El cuento policial puede ser meramente policial. En cambio, la novela policial tiene que ser también psicológica si no quiere ser ilegible. Es irrisorio que una adivinanza dure trescientas páginas, y ya es mucho que dure treinta..." (TC 247). Es interesante observar que en esta última cita Borges no sólo confirma sus juicios acerca de las dos formas de la narrativa policial sino que también reitera conceptos centrales en su interpretación del hecho literario. Nos referimos aquí al rechazo de la extensión injustificada de cualquier texto narrativo. En el "Prólogo" de 1941 de *El jardín de senderos que se bifurcan* escribe: "Desvarío laborioso y empobrecedor el de componer vastos libros; el de explayar en quinientas páginas una idea cuya perfecta exposición oral cabe en pocos minutos" (F 11). Y en 1938 hablaba con ironía de la posibilidad/imposibilidad de escribir una novela policial: "Uno de los proyectos que me acompañan, que de algún modo me justificarán ante Dios, y que no pienso ejecutar (porque el placer está en entreverlos, no en llevarlos a término), es el de una novela policial un poco heterodoxa" (TC 227). La preferencia de Borges por las formas breves, tanto en la lírica (sonetos) como en la narrativa (cuentos) lo ubica directamente en la línea del pensamiento de Edgar Allan Poe que el norteamericano expresa en dos textos fundamentales: el artículo de 1842 "Hawthorne's *Twice-Told Tales*" sobre la colección de cuentos de su compatriota Nathaniel Hawthorne, y el ensayo de 1846, "Philosophy of Composition", ensayo que Borges analiza en detalle en la conferencia sobre "El cuento policial" (BO 70-72). En ambos trabajos, pero especialmente en el estudio sobre los cuentos de Hawthorne, Poe enfatiza la importancia del efecto que la obra literaria produce en el lector y establece que, ante todo, el cuentista debe atender a la consecución de un efecto único o singular ("Hawthorne's" 136). La exigencia del efecto y, con esto, el dirigir el punto de mira al lector en cuanto destinatario del texto literario son rasgos evidentes de la modernidad de las ideas del escritor norteamericano.

Al tiempo que Borges reconoce la originalidad de Poe en la exaltación de la figura del lector, va a extender la trascendencia de este último cuando al referirse al proceso de creación de la obra literaria pone en el mismo nivel a autor y lector. Poéticamente, ya insinuaba este acercamiento en el epígrafe a *Fervor de Buenos Aires*, de 1923: "Nuestras nadas poco difieren; es trivial y fortuita la circunstancia de que seas tú el lector de estos ejercicios, y yo su redactor" (OP 21). Y en "Nota sobre (hacia) Bernard Shaw" de 1951, expresa el concepto memorable y tan divulgado de que un libro cambia según cambian sus lectores. Dice: "El libro no es un ente incomunicado: es una relación, es un eje de innumerables relaciones. Una literatura difiere de otra, ulterior o anterior, menos por el texto que por la manera de ser leída" (OI 218).

En las páginas de "El cuento policial" encontramos las mismas reflexiones:

> El hecho estético requiere la conjunción del lector y del texto y sólo entonces existe. Es absurdo suponer que un volumen sea mucho más que un volumen. Empieza a existir cuando un lector lo abre. Entonces existe el fenómeno estético, que puede parecerse al momento en el cual el libro fue engendrado. (BO 66)

Es decir que el hecho estético tanto se da cuando el autor escribe el libro (el "momento en el cual el libro fue engendrado") como cuando el lector lo lee ("Empieza a existir cuando un lector lo abre"). En seguida, y en esta línea, completa la alabanza del creador del relato detectivesco. Dice: "Hay un tipo de lector actual, el lector de ficciones policiales. Ese lector ha sido –ese lector se encuentra en todos los países del mundo y se cuenta por millones– engendrado por Edgar Allan Poe" (BO 66). Caracteriza al lector de esos relatos como el que "lee con incredulidad, con suspicacia, una suspicacia especial" (BO 67). Y reitera el juicio: "Si Poe creó el relato policial, creó después el tipo de lector de ficciones policiales" (BO 67).

Aunque sin la importancia que dentro del pensamiento y de la obra de Borges tiene este tema de la función del lector en el proceso de la creación literaria, otra de sus opiniones sobre el género policial que conviene recordar es la de preferir el tipo de relato-enigma o tradicional de la escuela inglesa, y rechazar las obras norteamericanas de la llamada "línea dura" por la carga de violencia física y sexual, los personajes siniestros y, sobre todo, porque olvidan "el origen intelectual del relato policial" (BO 79). Observa que en Inglaterra, en cambio, "es pudoroso el delito" (TC 323), y "el género policial es como un ajedrez gobernado por leyes inevitables" (TC 237). Al comparar en esta última frase la estructura de los relatos policiales clásicos con la precisión de la estrategia del juego de ajedrez confirma nuevamente que lo que valora en ellos es "el hecho de un misterio descubierto por obra de la inteligencia, por una operación intelectual" (BO 72).

Además, en ocasiones Borges no sólo exalta la función ordenadora de estos textos en el plano literario sino que, por extensión, la observa en cierta manera reflejada en un medio más amplio. Así, decía en 1942: "Mediocre o pésimo, el relato policial no prescinde nunca de un principio, de una trama y de un desenlace. Interjecciones y opiniones, incoherencias y confidencias, agotan la literatura de nuestro tiempo; el relato policial representa un orden y la obligación de inventar" (BS 250). Y al concluir la conferencia de 1978 sostiene que la novela policial "está salvando el orden en una época de desorden" (BO 80).

Muchos años antes, en "A Defence of Detective Stories" (1902), Chesterton había celebrado al género como una especie de literatura popular de la ciudad moderna, agitada y renovadora como las baladas de Robin Hood. El escritor inglés ve a los criminales como los hijos del caos, y al detective-policía como el centinela que protege a la sociedad y nos recuerda que vivimos en guerra con un mundo hostil y desordenado (4-6).

Algunos críticos interpretan esta oposición de orden-caos en un nivel metafísico. Así, Maurice J. Bennett en su estudio "The Detective Fiction of Poe and Borges" opina que ambos escritores comparten el deseo de hallar un principio ordenador o imponer un esquema que defienda de la incoherencia del universo. Para los dos, la narrativa policial representa la antítesis formal del caos de la experiencia humana (265).[9] Una diferencia notable, según el crítico, sería que mientras Poe reconoce en el cosmos un sentido inherente el que, por lo tanto, puede descubrirse, para Borges el sentido se deriva únicamente de la actividad de la inteligencia humana, y así es algo que se construye. Pero uno y otro recurren al cuento razonador como la forma literaria que de modo más efectivo incluye la búsqueda del sentido y la interpretación final de los símbolos revelados. Para ellos, el relato así concebido significa la victoria de la mente ordenadora.[10]

Hasta aquí esta revisión de las opiniones críticas de Borges sobre el género policial las que, en gran medida, explican su interés por las ficciones de Michael Innes.

* * *

---

[9]   "For both Poe and Borges, the detective story stands as a formal antithesis to the chaos of human experience" (Bennett 265).

[10]   Estos párrafos son resumen y traducción libre del texto de Bennett, 266-67.

En 1935 el joven J.I.M. Stewart va a recibir el nombramiento de profesor de literatura inglesa en la Universidad de Adelaida y, según comenta, el ocio de las seis semanas de travesía oceánica desde Liverpool hasta Adelaida le servirá para escribir su primera novela policial, *Death at the President's Lodging* (Innes, "John Appleby" 11). Tanto en el original en inglés como en las versiones en castellano, el título de esta obra va a aparecer con cambios. La traducción literal al español sería "Muerte en la residencia del presidente", pero cuando en 1946 se publica en la colección de "El Séptimo Círculo" el título es *Los otros y el rector*. Finalmente, en ediciones posteriores como la de 1976 de Alianza Emecé, se cambia el título por el de *Muerte en la rectoría*. Por su parte, *Death at the President's Lodging* en la primera edición de Londres de 1936, pasa a ser *Seven Suspects* en la de New York de 1937. La razón del cambio fue la de evitar que el público norteamericano confundiera a su presidente con el presidente o rector del colegio universitario que es la víctima en el relato. Para nuestro análisis aquí vamos a utilizar los dos textos de que disponemos: *Death at the President's Lodging* (London, 1936) y *Muerte en la rectoría* (Madrid, 1976), con las citas según las páginas de este último.

El sitio donde transcurre la acción de la novela es el Colegio o Facultad de San Antonio, institución que Innes organiza con todas las reminiscencias de sus días de estudiante en Oxford, y las más recientes como profesor en la Universidad de Leeds. La estructura de patios y edificios de la Facultad parece presentar al principio el misterio del cuarto o ámbito cerrado pero esto no será así y sólo servirá para complicar un poco la pesquisa. Lo importante en *Muerte en la rectoría*, y esencial desde la perspectiva de nuestro estudio, es el ambiente intelectual en el que figuran los profesores sospechosos de haber asesinado al rector y, sobre todo, John Appleby, el detective creado por Michael Innes que aparece en más de treinta de sus relatos y novelas. En ésta, John Appleby se pre-

senta como un joven inspector de Scotland Yard, ex-alumno de San
Antonio, y dueño de "una inteligencia experimentadora" y "una
cultura general subyacente" (12). En la semblanza de su personaje
que escribe para el volumen *The Great Detectives*, Innes enfatiza
aún más estas dotes cuando reconoce en Appleby una educación
formidable, particularmente en el campo de la literatura clásica, y
una familiaridad con materias artísticas y literarias recónditas
("John Appleby" 12).[11] Por su parte, en *Murder for Pleasure*,
Howard Haycraft califica a Appleby como producto de la educación universitaria y ciertamente el más entusiasta observador de
citas y alusiones literarias entre los policías profesionales (188).[12]

En *Muerte en la rectoría* Innes/Stewart vuelca una mirada irónica sobre un mundo académico que le es familiar, con sus tradiciones solemnes y sus curiosas mezquindades. Y aunque en la
"Advertencia" que precede a la novela indica que la "imaginaria
Facultad de San Antonio forma parte de una universidad inexistente" y que sus ex-alumnos y docentes "son igualmente fantásti-
cos", "fantasmas que se mueven en un escenario puramente espe-
culativo" (8), lo cierto es que, aunque exagerados en sus características, es fácil relacionar a muchos de ellos con sus modelos verda-
deros. Así desfilan el decano, el reverendo y honorable Tracy
Deighton-Clerk, en ese momento más interesado en evitar que el
crimen manche la reputación de la Facultad que en dedicarse a sus
estudios de historia comparada de las religiones, y el profesor
Empson, psicólogo que trata de mantener sus evaluaciones científicas, y Titlow, arqueólogo, y Haveland, antropólogo, y el profesor
Gott que a espaldas de sus trabajos académicos escribe, bajo seudónimo, relatos policiales. La lista podría prolongarse pero lo que

---

[11] "to show himself quite formidably educated, particularly in the way of clas-
sical literature". "his mysteriously acquired familiarity with recondite artistic
and literary matters" (Innes, "John Appleby" 12).

[12] "university bred and surely the most avid spotter of literary quotations and
allusions among professional sleuths" (Haycraft, *Murder for Pleasure* 188).

importa destacar es que la condición de profesores universitarios de estos personajes deja paso a la caracterización de algunos de ellos con los rasgos de una erudición ostentosa y justifica o, al menos, pone en su contexto, el despliegue de citas y referencias que es el tema central de nuestro estudio. Por otra parte, y fiel a su modalidad, el inspector Appleby también aporta su dosis de información erudita, actividad en la que incluso participan algunos alumnos de San Antonio. De todo esto resulta el número considerable de obras y autores mencionados en las páginas de *Muerte en la rectoría*, con una diversidad que se fija desde Píndaro (115,122) hasta Freud (67), desde Shakespeare (131) hasta Shelley (114), desde Montaigne (71,72) hasta T.S. Eliot (112), para dar algunos ejemplos entre otros muchos. Pero más que detenernos en la simple mención de nombres y textos importa aquí observar qué resonancias éstos despertaban en Borges, ubicado como lector de la novela de 1936. En principio, es fácil inferir que Borges estaría satisfecho de encontrar en sus páginas la referencia a algunos de sus autores preferidos. En el género policial aparecen Poe (24,37,52), Conan Doyle –con Sherlock Holmes– (24), y Wilkie Collins (52). Estos son los nombres que Borges menciona en *El Hogar* donde dice: "Michael Innes, en *Death at the President's Lodging*, hace de la novela policial una variedad de la psicológica. Ese procedimiento, como se ve, lo acerca más a Poe que al minucioso y gárrulo Conan Doyle, y más a Wilkie Collins que a Poe. (Hablo de los clásicos..." (TC 77).

Siempre dentro del grupo de sus autores predilectos, en *Muerte en la rectoría* Borges hallará al Dr. Johnson (9) junto a Matthew Arnold (35), Sir Thomas Browne (35), y la cita de la obra de Edward Gibbon en la escena en la que uno de los profesores lee "en voz alta a su esposa *La decadencia y ruina del Imperio Romano*" (81).

Igualmente, nombres familiares para Borges y que mencionamos en el capítulo anterior sobre John Wilkins son los de Henry

Sweet, el lingüista y filólogo autor de varios artículos en la Enciclopedia Británica quien en *Muerte en la rectoría* aparece como el autor del *Anglo-Saxon Reader* (85), y G.F. Watts, el pintor que Borges valora a través de los comentarios de Chesterton, y al que Innes recurre para describir la figura del decano de la Facultad de San Antonio: "Su fisonomía era, al mismo tiempo, extraordinariamente enérgica y extraordinariamente bondadosa, y hasta sus incipientes patillas recordaban los magníficos dibujos de G.F. Watts" (35).

En "Libros y amistad", texto incluido en *La otra aventura*, Adolfo Bioy Casares recuerda que con Borges tradujeron a varios escritores, entre ellos a Max Beerbohm (144), el crítico y caricaturista inglés que adquirió notoriedad con la publicación en 1911 de la novela *Zuleika Dobson*. Cuando en una escena de *Muerte en la rectoría* Appleby entra en el salón comedor de San Antonio donde ya están ubicados los profesores con sus togas y trajes de etiqueta sentados en torno a la mesa principal y, a lo largo del recinto, los estudiantes alineados y revestidos con distintos atuendos según sus años de estudio, el solemne espectáculo le hace evocar las páginas de *Zuleika Dobson*. Comenta el narrador:

> Una de las más graciosas fantasías relacionadas con la vida universitaria es, sin duda, *Zuleika Dobson*, esa preciosa narración de Max Beerbohm, en la cual todos los estudiantes de una Universidad se arrojan en las fatales aguas del Isis, desesperados al no alcanzar el amor de la heroína. El toque maestro, como se recordará, es el final. La vida habitual continúa, y aquella noche los profesores se dirigen al comedor de sus respectivas Facultades, como de costumbre, y cenan sin advertir que las mesas, ocupadas antes por los desdichados alumnos, están desiertas. Tales pensamientos desfilaban por la mente del inspector Appleby en el momento de hacer su entrada en el salón de San Antonio al día siguiente de una tragedia menos colectiva que aquélla. (42)

Aún mejor ejemplo de obras o textos bien conocidos por Borges al tiempo de su lectura de la novela es el que aparece en la conversación entre un grupo de estudiantes empeñados en colaborar con la investigación del crimen, cuando uno de ellos le pregunta a un compañero si ha leído *Treinta y nueve escalones* (112). El título corresponde a la novela que John Buchan publicó en 1915, pero lo más significativo aquí es que, en 1935, Alfred Hitchcock dirigió la versión cinematográfica de la misma, film que Borges va a comentar en el Nº 19 de *Sur*, de abril de 1936.[13] Los "Dos films" a los que se refiere el título de la nota son *Crimen y castigo*, dirigido por Sternberg sobre la obra de Dostoievski, y *Los treinta y nueve escalones*, películas a las que Borges compara en su evaluación:

> De una intensísima novela, Sternberg ha extraído un film nulo; de una novela de aventuras del todo lánguida –*Los treinta y nueve escalones* de John Buchan– Hitchcock ha sacado un buen film. Ha inventado episodios. Ha puesto felicidades y travesuras donde el original sólo contenía heroísmo. (BS 183)

Sobre la base de estas fechas podemos suponer que cuando Michael Innes escribe *Muerte en la rectoría* durante su viaje a Australia en 1935 no sólo recuerda la novela de Buchan sino la más reciente película de Hitchcock y, en el caso de Borges, tenemos la certeza de que había visto el film antes o por la misma época en que lee la obra de Innes.

Para comprender la importancia que esto tiene en la disposición del lector de ficciones sería suficiente imaginarnos en esas circunstancias, leyendo una novela en la que se menciona el texto que sirvió de base para una película que acabamos de ver poco antes.

El interés de Borges como lector de *Muerte en la rectoría* no sólo debía fijarse en las citas que Michael Innes incluye en la

---

13 En *Borges y el cine*, Edgardo Cozarinsky detalla el elenco y equipo de filmación de *The Thirty-Nine Steps* (40).

novela sino, sobre todo, en la forma en que el autor introduce o mezcla esas referencias en la ficción narrativa. En este sentido, la habilidad de Innes es indudable, especialmente en los casos en que, como vamos a comentar a continuación, extrema lo erudito de la cita al mencionar a autores ignotos y casi esotéricos para el lector moderno. Un buen ejemplo de esto último se da en la escena en que Appleby va a consultar a Sir Teodoro Peek acerca de las actividades del profesor Campbell, uno de los sospechosos en su lista. Sir Teodoro es un viejo erudito en las literaturas clásicas, ya retirado de las tareas docentes. Appleby lo encuentra cabeceando entre libros y manuscritos, y completamente inmerso en sus recónditas meditaciones. A las preguntas de Appleby sobre Campbell Sir Teodoro contesta refiriéndose a Harpocracio quien trabajó para preservar textos de Androcio, Fanodemo, Filocoro, Istro, Hecateo, Eforo, Teopompo, Anaximenes, Marsias, y Cratero (126). Si el lector se preocupa por investigar estas citas comprobará que, efectivamente, Harpocracio fue un maestro de retórica en Alejandría en los primeros siglos de nuestra era quien compiló textos de los autores enumerados por Sir Teodoro.[14] Ciertamente, ninguno de los lectores de la novela de Innes se va a dedicar a poner en claro esta andanada de erudición que extenúa aun al muy libresco inspector Appleby. Y por supuesto, el autor no espera que lo hagan. El propósito de esta y otras citas eruditas es integrarlas en el texto de modo que complementen la caracterización de los personajes, ofrezcan pistas —verdaderas o falsas— y, sobre todo, distraigan al lector o aumenten su ansiedad en cuanto a su propia reflexión detectivesca.

Un ejemplo aún más ilustrativo de este procedimiento aparece en el segundo capítulo. Appleby está revisando la oficina del rector y se enfrenta con los catorce grandes volúmenes de la Argentorati Athenaeus. Appleby murmura: "Los *Deipnosofistas*... en la edi-

---

14   Ver Harpocration. *Lexeis of the Ten Orators*. Ed. John J. Keaney. Amsterdam: Adolf M. Hakkert, 1991.

ción de Schweighäuser... muy voluminosa..., la de Dindorf es más reducida: está allí" (32). De nuevo, todos estos nombres extraños se corresponden con referencias precisas. Athenaeus, conocido como Athenaeus de Naucratis por ser nativo de esa ciudad de Egipto, es el autor de los *Deipnosofistas*, texto escrito a principios del siglo III, y publicado entre 1801 y 1807 por Argentorati en edición al cuidado de Johannes Schweighäuser. Una versión abreviada fue editada posteriormente por Wilhelm Dindorf. El título, que podría traducirse como *El banquete (o la cena) de los sofistas*, indica el tema de la obra que presenta la escena de un banquete, en Roma, al que asisten filósofos, gramáticos, médicos, juristas, y músicos, quienes van a dialogar sobre temas heterogéneos pero relacionados con el central de la fiesta gastronómica. En efecto, esta *Cena de los sofistas* ha sido calificada como el más antiguo libro de cocina (Athenaeus viii). Los personajes, que citan a los autores más diversos, aparecen como ejemplos de pedantería. En esto se asemejan a los personajes de *Muerte en la rectoría*, el grupo de profesores de la Facultad de San Antonio que, como los sofistas en la cena, aprovechan el convite universitario para hacer alarde de conocimientos y vanidades. Esto sería un guiño de complicidad que Innes dirige a aquellos pocos de sus lectores suficientemente versados en literaturas clásicas como para advertir la asociación por semejanza. Obviamente, Innes no supone contar con tal tipo de lector y, de nuevo, su propósito es agregar en la escena elementos que van a distraer la atención de éste y, junto con él, del detective. En la página de la novela que describe esta escena, Innes presenta un plano del cuarto con la ubicación en los estantes de la biblioteca de la obra de Athenaeus junto con otras algo más familiares como el *Diccionario Biográfico Nacional* (D.B.N.), o el *Nuevo Diccionario Británico* (N.D.B.). (32). (**Figura 1**). En la pared detrás del *Deipnosofistas* hay una caja de caudales que, cuando es violada, va a introducir la sospecha de un robo. Otra pista, quizá más significativa, es que los tres volúmenes de la edición abreviada del *Deip-*

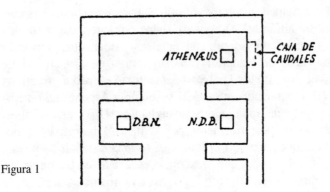

Figura 1

nosofistas están invertidos en su ubicación en los estantes. Sabemos que, fiel a su preferencia por el relato policial en el que se llega a dilucidar el enigma por medio del razonamiento, Borges rechazaba reemplazar la solución intelectual del misterio por una "científica", con explicaciones "de toxicología, de balística, de dactiloscopia, de medicina legal" (TC 157). Igualmente, en la reseña de *The Beast Must Die* de Nicholas Blake la que con el título de *La bestia debe morir* es la primera que, con Bioy Casares, elige para iniciar la colección de "El Séptimo Círculo", Borges alaba al autor porque, dice: "No abruma a sus lectores: no incurre en la compleja abominación de horarios y de planos" (TC 247). Según esto, no debe haber prestado mucha atención al plano o diagrama de las bibliotecas dibujado por Innes, pero en cambio debe haber considerado con gran interés el efecto de las citas eruditas de Athenaeus y los Diccionarios, de los *Deipnosofistas* y Argentorati, de Schweighäuser y Dindorf.

En la solución del misterio del asesinato del rector que marca el desenlace de la novela, Innes vuelve a utilizar el recurso de la cita erudita. Y, de nuevo, la mención le será grata a Borges por tratarse de Thomas de Quincey, otro de sus autores favoritos. En el "Prólogo" al volumen con las obras de De Quincey seleccionadas para publicarse en la colección de su "Biblioteca personal" escribe: "De Quincey. A nadie debo tantas horas de felicidad personal" (BP 91). En *Muerte en la rectoría* Appleby, prosiguiendo con su investigación, conversa con el profesor Titlow y, de pronto, éste le pregunta: "¿Ha leído usted el libro de De Quincey titulado *El homicidio considerado como una de las bellas artes?*" (74). Y, más abajo, explica: "Trata de una anécdota sobre Kant. Eso le interesará, pues se estudia la actitud académica frente al homicidio. Y si se toma el trabajo de invertir los términos, creo que le resultará sumamente útil" (75). En un primer momento, Appleby no le da mucha importancia al consejo del profesor de leer "Los clásicos secundarios de la literatura inglesa" (79), pero más adelante comienza a sospechar que la clave del misterio está en la obra de De Quincey (150, 172).

Efectivamente, en las primeras páginas de *On Murder considered as one of the Fine Arts*, el ensayo publicado en 1827, De Quincey reflexiona acerca de la responsabilidad que le cabe a un testigo presencial de acciones criminales y, en nota al pie de página, comenta la exagerada y "extravagante" exaltación de mantenerse fiel a la verdad que Kant formula, aun en el caso en que con ella se ayude a un asesino a encontrar a su víctima (De Quincey 6).

Ya cerca del final de la novela varios de los profesores explican las razones de su comportamiento a veces extraño o sospechoso, hasta que le llega el turno al profesor Titlow quien, convencido erróneamente de que el asesino ha sido su colega Pownall, y de que éste está tratando de inculparlo, va a urdir una trama de mentiras y pistas falsas para que el que cree es el criminal sea descubierto. En su explicación, vuelve a la cita de Kant:

> Kant sostenía que en ninguna circunstancia imaginable se justifica la mentira, ni siquiera para ocultar a un presunto asesino el paradero de su víctima. De pie allí, junto al cadáver de Umpleby, escuché un imperativo muy diverso. Si la habilidad de un asesino sólo

puede ser vencida merced a una mentira, debe decirse… o realizarse esa mentira. Vi ante mí un dilema moral. (185)

Lo cierto es que, junto con Titlow hay otros que enfrentan el dilema moral de mantenerse fieles a la verdad, o mentir si con esto ayudan a encontrar al asesino o, al menos, disipan las sospechas que pesan sobre ellos. Contrariando el mandato de Kant, varios de los profesores de la Facultad de San Antonio han estado mintiendo y sembrando indicios engañosos porque cada uno sospecha del otro, y trata de confundirlo.

Si consideramos que la trama compleja de la novela va a ir clarificándose para resolverse al final sobre la base de invertir la idea de Kant: no decir la verdad sino mentir si con esto se logra señalar al criminal, no sería del todo aventurado suponer que quizás Michael Innes partió de esta cita para construir el esquema general de su novela.

En cuanto a Borges y el imperativo de una explicación racional para el enigma del relato policíaco, qué mejor medio para satisfacer este requisito que el apoyarse en una cita de Kant y De Quincey.

Por último, un comentario marginal sobre *Muerte en la rectoría* y sus personajes el que supondría algunas posibles relaciones con los textos y personajes de Borges. Nos referimos aquí a la caracterización del profesor Gott, miembro de la Facultad de San Antonio quien, con el seudónimo de Pentreith, es un renombrado autor de novelas policiales (51-52). Sin duda, en este personaje, como en gran medida en el del inspector Appleby, Michael Innes refleja algunos de sus rasgos más destacados: erudición en Appleby, y el conciliar las actividades académicas con la redacción de relatos de detectives en Gott. Acerca de esto último, en "Death as a Game", su artículo de 1965, Innes explica que no le fue difícil mantener estos dos trabajos a la vez porque en Inglaterra, especialmente en las décadas de sus primeras ficciones, el género policial clásico era respetado como una forma literaria legítima que contaba entre sus entusiastas lectores a intelectuales de la talla de Bertrand Russell (55).

En las referencias a las historias de Gott, Innes pone un toque burlón con títulos como *El asesinato en la cueva de estalactitas* (88), o *Envenenamiento en el jardín zoológico* (113) pero, en general, la figura de Gott se presenta atractiva, especialmente cuando entabla sus charlas inquisidoras con Appleby. En una de estas escenas, el inspector califica las habilidades del académico:

> –Es usted –prosiguió Appleby en tono didáctico– un bibliógrafo profesional, lo cual equivale a ser un investigador. Hace una ciencia de los componentes físicos de un libro, lo cual le permite, por la confrontación de los más mínimos fragmentos, descubrir falsificaciones, robos, plagios, la intervención de esta o aquella mano en un texto dado, aquí una interpolación, allá una corrupción del original, que datan a veces de cientos de años. Mediante esa labor investigadora ha llegado usted a descubrir en los dramas de Shakespeare cosas que ni siquiera el mismo Shakespeare sospechaba. (127-28)

Excepto por la ironía de las últimas líneas acerca de los extravíos de algunos académicos, crítica en la que coincidirían muchos autores, entre ellos el mismo Borges, la opinión de Appleby sobre Gott es positiva, y lo elogia incluso cuando habla de sus libros de ficción policial. Dice: "Las novelas de Pentreith son las mejores de su tipo: agradablemente fantásticas y, al mismo tiempo, densamente lógicas" (128).

Y Appleby no es el único que se refiere a la técnica narrativa de Gott/Pentreith. En una conversación entre algunos alumnos de San Antonio, uno de ellos comenta que el profesor le pidió su opinión acerca de un epígrafe en su último libro. Y cuando un compañero le pregunta de qué se trata, explica: "Él toma citas de algún texto imaginario, y las coloca al principio de cada capítulo" (112). La versión original en inglés es todavía más clara cuando dice que

Gott organiza fragmentos que provienen de textos imaginarios y los ubica al comienzo de cada capítulo (*Death at the President's Lodging* 177).[15] En esto, y aunque no necesariamente en forma de epígrafe, es posible percibir algo de familiar con ciertos recursos narrativos en la obra de Borges.

Al final de *Muerte en la rectoría* Appleby se despide de Gott, y le dice: "Espero que nos encontraremos nuevamente" (199). Esto prueba que al concluir la redacción de su primera novela, Michael Innes ya estaba ideando la segunda porque, efectivamente, en *Hamlet, Revenge!* vuelven a aparecer el profesor y el detective

Publicada en 1937, Borges la reseña en *El Hogar* en diciembre de ese año y, con Bioy Casares, la selecciona como el volumen número 34 de "El Séptimo Círculo" bajo el título, en traducción literal, de *¡Hamlet, venganza!*

Desde las primeras páginas, y a lo largo de toda la novela, Michael Innes vuelve a mostrarse dueño de una cultura general amplia y variada. No se trata sólo de las habituales y numerosas menciones literarias con Aristófanes, Horacio, Milton, Chaucer, Addison, Pope, Dickens, Stevenson, Dostoievski, Proust, Conrad, Wilkie Collins, André Breton, y muchos otros, sino de los comentarios sobre pintura en las obras de Tiziano, el Greco, Rembrandt, Veermer, Degas, Fantin Latour y Gauguin, o las reflexiones sobre la coreografía de Leonid Massine para un ballet de Chaikovski que Innes pone en boca de su muy ilustrado inspector Appleby (79,87). Pero, sin duda, donde el autor despliega mayor erudición es en las citas relacionadas con el campo de sus estudios de literatura isabelina y, específicamente en este caso, con sus investigaciones sobre la obra de Shakespeare.

---

15   "You see he makes up excerpts from imaginary learned text-books and sticks them at the beginnings of his chapters" (*Death at the President's Lodging* 177).

A lo explícito del título siguen las líneas del primer epígrafe: "Los actores han llegado, milord… Mañana habrá comedia" (7), con la referencia al arribo de los cómicos que siguiendo los dictados de Hamlet van a representar la escena de la muerte de su padre. Aunque en su reseña Borges critica la forma en que Innes presenta la solución del misterio, al final, no vacila en calificar a *Hamlet, Revenge!* como "una novela admirable", y agrega: "Un rasgo quiero destacar: la interpretación del drama de Hamlet en el prólogo de la obra –interpretación que no es desdeñable y que prefigura secretamente la historia que leeremos después" (TC 192). Como en una obra dramática, Innes divide el texto de *¡Hamlet, venganza!* en Prólogo, Desarrollo, Desenlace, y Epílogo y, en efecto, en las 72 páginas del Prólogo (citamos siempre por la edición en castellano) va a introducir las escenas de la representación de *Hamlet* a las que se refiere Borges.

La novela comienza con la descripción del palacio de Scamnum, y la historia de los Crispin, la familia de los actuales dueños, el duque y la duquesa de Horton. De la duquesa, Anne Crispin, ha sido el plan de organizar la representación como una forma de entretenimiento para los huéspedes que han sido invitados a Scamnum, y entre los cuales se elegirán a los actores de ese elenco de aficionados. El grupo es heterogéneo e incluye entre otros a Lord Auldearn, funcionario del gobierno como Lord canciller y quien será la primera víctima, a lady Elizabeth Crispin, hija de los duques, a Gervase Crispin, primo y a Noel Gylby, sobrino de los duques, a un tal doctor Bunney, de Oswego, Estados Unidos, a Melville Clay, el único actor profesional, a Charles Piper, escritor, y a Timothy Tucker, editor, a sir Richard Nave, médico, y a David Malloch, académico erudito, a la norteamericana Mrs. Terborg y sus dos hijas, y a la rusa Anna Merkalova. Todos ellos actuarán bajo la dirección de Giles Gott que aquí se presenta como pariente lejano de la duquesa (15), enamorado de lady Elizabeth (110) y, según se lo describe en el programa de la función, poseedor de una

Maestría en Artes, miembro de la Academia Británica, experto en bibliografía isabelina, y profesor de la Facultad o Colegio de San Antonio (43). Al ubicar el desarrollo de la trama de *¡Hamlet, venganza!* en una residencia que se levanta en medio de la campiña inglesa Innes continúa la tradición de la novela policial clásica de preferir como escenario el ambiente de casas o edificios aislados en los que se puede concentrar, pero también complicar, la pesquisa.

La descripción de Scamnum y de sus alrededores es detallada pero lo que más nos interesa en estas primeras páginas es la forma en que Innes utiliza la imagen de la mansión de los duques para relacionarla con la obra de Shakespeare. En el episodio participan Lord Auldearn, quien se acerca a Scamnum en su automóvil, y Giles Gott, que está caminando por la calzada. Auldearn pregunta: "¿Está por aquí el llamado castillo de Barkloughly?", a lo que Gott responde: "He ahí el castillo, detrás de aquel grupo de árboles". Y de nuevo Auldearn: "¿Guarnecido con trescientos hombres, según he oído decir?". Y Gott: "En la actualidad a la espera de ser equipado con trescientos huéspedes, según presumo" (14).

Al final de la escena, Innes, tal vez apiadado de los legos en materia de teatro isabelino, o deseoso de marcar la referencia, aclara por boca de Gott que las frases del saludo entre él y Auldearn corresponden a *Ricardo II*. Y por cierto, si vamos a las *Obras* de Shakespeare, encontramos la mención del castillo de Barkloughly en el Acto Tercero de ese drama (381). Pero esta cita no termina aquí sino que se extiende para relacionarse con lo que será parte importante de la trama de la novela, y otro ejemplo significativo de la forma en que Michael Innes introduce el dato erudito en medio de la ficción.

Lo que leemos es que Auldearn y Gott, distraídos con su conversación, acaban de advertir que en un rincón del automóvil hay una bolita de papel estrujado. Gott la recoge y al alisar el papel descubre en éste tres líneas escritas a máquina. Es entonces que dice:

"Más Shakespeare... como nuestro saludo de hace unos minutos. Pero no es de *Ricardo II*, sino de *Macbeth*" (16). Enseguida, y respondiendo al pedido de Lord Auldearn, Gott lee en voz alta esas líneas que son las que Lady Macbeth declama en la escena V del Acto Primero: "El cuervo mismo enronquece/ al anunciar con su graznido/ la fatal entrada de Duncan en mi castillo" (16).[16] Este es el primero de los seis mensajes que van a formar una serie de pistas las que, en la conclusión, muestran que han sido preparadas por los criminales.

El texto del quinto mensaje también proviene de *Macbeth* y entre las diez líneas que lo componen la que suena más ominosa es la que anuncia que, antes de que caiga la noche, se habrá cumplido allí "una acción de siniestra memoria" (72) ("A deed of dreadful note" *Hamlet, Revenge!* 71).

El segundo mensaje enfatiza el tema de la venganza en la cita tomada de la escena II del Quinto Acto de *Tito Andrónico*: "Y en sus oídos musiten mi espantoso nombre,/ Venganza, que hará estremecer al estúpido ofensor" (20) ("And in their ears tell them my dreadful name,/ Revenge, which makes the foul offender quake" *Hamlet, Revenge!* 23).

Los tres mensajes restantes se relacionan con Hamlet, aunque no necesariamente con el *Hamlet* de Shakespeare.

El tercero consiste en las dos palabras del título, *¡Hamlet, venganza!* y, según explica Gott, no aparece en el texto de Shakespeare sino en *Miseria del ingenio* (*Wits Miserie*), la obra que en 1596 publica Thomas Lodge (34-35). Igualmente, y siempre de acuerdo con los comentarios del docto profesor Gott, el cuarto mensaje, "Yo no gritaré: '¡Hamlet, venganza!'" (48) ("I will *not* cry Hamlet, revenge" *Hamlet, Revenge!* 48) procede de *El cuervo de la noche* (*The Night Raven*), libro de Rowland (261).

---

16   "The raven himself is hoarser/ That croaks the fatal entrance of Duncan/ Under my battlements" (Innes, *Hamlet, Revenge!* 19).

Por fin, el sexto y último mensaje, "El cuervo con su graznido clama venganza" (252) ("The croaking raven doth bellow for revenge" *Hamlet, Revenge!* 243), sí es cita de Shakespeare y, además, es la frase clave con la que Hamlet indica a los cómicos que deben empezar la representación del asesinato de su padre, en la escena II del Tercer Acto del drama.

En la última página de *¡Hamlet, venganza!*, el enamorado Giles Gott se despide de su amada lady Elizabeth con las mismas palabras con que Hamlet se dirige a Ofelia al final de su célebre monólogo: "¡Oh Ninfa! En tus plegarias/ que todos mis pecados se recuerden" (293).

La secuencia de las citas en los mensajes va a complicarse con la forma en que éstos son emitidos: en un papel escrito a máquina, en una carta, en un telegrama, en la voz grabada en un dictáfono o en un disco combinado con una radio, o simplemente a través del teléfono. También, la complejidad de la trama aumenta cuando Appleby y, en mayor medida, Gott proponen distintas teorías para interpretar el contenido de los mensajes desde suponer que el asesinato de Lord Auldearn se debe, como en *Hamlet*, a una venganza demorada, o que las alusiones al cuervo –*raven* en inglés– se refieren al anagrama de uno de los sospechosos, el doctor Richard Nave, quien a veces firma como R. Nave (261).

Por nuestra parte, lo que hemos hecho al sacar y analizar todas estas citas fuera de su contexto es destruir el suspenso del relato policial y presentarlas como ejemplos desgajados de erudición. Esto es exactamente lo contrario de lo que Michael Innes consigue en *¡Hamlet, venganza!* con su habilidad para integrar el conocimiento erudito con las exigencias de la novela-enigma.

Por otra parte, y más cuando se lee el texto en la versión original en inglés como hizo Borges, las citas no sólo aparecen naturalmente en sus páginas sino que imponen el tono de excelencia literaria reconocido en forma unánime por la crítica (Scheper 33).

El hecho de asignar al personaje de Gott sus características de especialista en la literatura del período isabelino deja a Innes libre para desplegar diversos conocimientos generales sobre el tema. Así, cuando Gott prepara el escenario para la representación de *Hamlet* en uno de los salones del palacio de Scamnum se explica que, en aquella época, las compañías de teatro "representaban originalmente sus piezas en los patios de las posadas londinenses" (51). También, acerca de la tarima que entonces servía de escenario, se dice que ésta "quedaba rodeada por el auditorio en tres de sus lados; y el cuarto, a no dudarlo, daba a unas habitaciones que los actores usaban como camerinos y para las entradas y salidas de escena" (51). A esto se suma la descripción del salón dividido por un tabique, con los siguientes agregados: "En medio del tabique, y frente al área mayor de la sala, se construyeron la escena posterior y la superior, coronadas por una especie de torrecilla enana" (58).

Si bien todos estos detalles confirman que los invitados a Scamnum van a asistir "a una representación de *Hamlet* idéntica a aquéllas en las que el mismo Shakespeare participara" (58), Innes no las dispone arbitrariamente sino que el hecho de determinar la ubicación en esos sitios de los distintos personajes en el momento del disparo que da muerte a Lord Auldearn/Polonio es un dato fundamental como bien lo considera el inspector Appleby desde el comienzo de su pesquisa. Más especializado, y menos relevante para dilucidar las circunstancias del crimen es el comentario sobre las distintas interpretaciones críticas del drama de *Hamlet* con la referencia a la de entonces llamada "nueva escuela histórica" que insiste menos en los rasgos psicológicos del protagonista al tiempo que se concentra en el enfrentamiento por el poder del reino entre Claudio y Hamlet. Leemos:

> En ese *Hamlet*, a través de la elaboración ideológica y poética de la obra, se acentuaba enfáticamente la situación básica de conflicto entre el usurpador y el heredero legítimo. El sentido de un desen-

lace desesperado y de una lucha a muerte entre dos inteligencias debía estar presente siempre. La batalla entre dos potencias: por un lado, el astuto rey y su ministro Polonio, igualmente astuto; por el otro, la figura solitaria del príncipe, más formidable por más intelectual... Éste iba a ser el eje del *Hamlet* de Scamnum. (66)

Por momentos, la erudición de Innes se detiene en temas menores. Así ocurre en la primera escena de la novela cuando el duque va a hablar con Macdonald, su jardinero, para ordenarle que prepare las flores que adornarán los salones del palacio. Macdonald, el "autoritario escocés" que "era una de las curiosidades de Scamnum" (12) rechaza por imposible el pedido de un número enorme de claveles rojos y sugiere reemplazarlos por las "flores silvestres de Shakespeare" con la mención de un libro con este título (13). El duque se sorprende de que su jardinero sea un estudioso de Shakespeare a lo que Macdonald responde diciendo: "Shakespeare, señoría, era entendido en el arte de la jardinería, y es conveniente que un jardinero en jefe sea entendido en Shakespeare" (13). A esto agrega que en *Hamlet* "esa pieza que están montando ahora hay once imágenes relativas a la jardinería" (13). Y ante la pregunta del duque, las enumera:

Once, señoría. Dos sobre las malas hierbas; otras dos sobre la gangrena de los árboles; tres sobre los frutales, y otras sobre la rosa, la violeta, las espinas, los injertos, y sobre el arte de cortar flores de las plantas, *cosa que no debe hacerse nunca*. Está en el nuevo libro del profesor Spurgeon. (13)

Toda esta información parece sugerir que el tema de la jardinería interesaba especialmente a Innes fuera o no parte de sus investigaciones sobre la obra de Shakespeare. En la primera página de *¡Hamlet, venganza!* el autor compara los jardines de Scamnum con los famosos jardines del palacio de Schönbrunn, en los alrededores de Viena. Esta mención de Schönbrunn es casual y bien puede ser el fruto de una cultura de viajero. En cambio, las citas que Innes incluye más adelante sobre parques, diseños y paisajes son claramente eruditas además de arcaicas y algo extravagantes en su contenido. Las mismas aparecen en la conversación de Noel Gylby con Mrs. Terborg quienes están caminando por los jardines de Scamnum para llegar al invernadero. A esta altura del relato Noel, atraído e interesado por la joven Diana Sandys acepta la idea de la muchacha de que ambos deben colaborar en alguna forma con la pesquisa. Y la primera tarea que Diana le asigna es la de interrogar a la norteamericana acerca de unos guantes que supuestamente son una buena pista para resolver las circunstancias del crimen. Conociendo el interés de Mrs. Terborg por plantas y flores Noel piensa que la dama estará de acuerdo con su propuesta de visitar el invernadero, visita que le dará a él el tiempo necesario para interrogarla siguiendo una lista de preguntas que Diana ha elaborado. Para lograr que Mrs. Terborg acepte su invitación Noel se refiere a las características del pabellón donde se ubica el invernadero, y dice lo siguiente acerca de su constructor: "Creo que tomó la idea del libro de Repton, *Teoría y práctica del paisaje en los jardines*. Mucho después, naturalmente, porque Repton murió... ¿Cuándo?... A primeros de siglo" (238). En efecto, Humphry Repton, nacido en 1752 y muerto en 1818, escribió *The Art of Landscape Gardening / by Humphry Repton; including his sketches and hints on landscape gardening, and Theory and practice of landscape gardening*. Enseguida, y cuando su interrogatorio va por mal camino, Noel recurre a otra cita que explica pertenece al libro titulado *Ascensión y progreso del gusto actual en materia de parques* (239). Esto corresponde a *The Rise and Progress of the Present Taste in Planting Parks, Pleasure Grounds, Gardens, etc. [in a poetic epistle to the Right Honorable Charles Lord Viscount Irwin]*, obra publicada en Londres en 1767. Aquí, Noel no sólo menciona el título sino que va a recitar una estrofa de esta "epístola poética" sobre parques y jardines:

At Scamnum, Croome and Caversham we trace
Salvator's wildness, Claude's enlivening grace,
Cascades and Lakes as fine as Risdale drew,
While Nature's vary'd in each charming view.
(*Hamlet, Revenge!* 230)

En este punto, debemos advertir de nuevo que aunque separadas de su contexto estas citas parezcan ejemplos gratuitos de ostentosa erudición no es ese el efecto que producen en quien lee la novela siguiendo el hilo de la trama y el proceso de caracterización de los personajes. Noel es un joven veinteañero, director de una revista sobre temas variados, entre ellos algunos literarios, quien en esta escena trata de cumplir correctamente la misión que le ha encomendado Diana y para lo cual utiliza en forma oportuna estas referencias sobre textos que son del agrado de Mrs. Terborg. También, con orgullo juvenil, para demostrar sus conocimientos sobre la materia. A lo sumo, el lector sólo interesado en la resolución del enigma puede saltear estos párrafos sin demasiadas consecuencias.

Si pensamos en Borges en relación con estas últimas citas podemos suponer que éstas le interesaron en la medida y en la forma que aparecen enlazadas en el desarrollo de la ficción. Pero sin duda, y como lo expresa en la reseña de *El Hogar*, lo que más admira en *¡Hamlet, venganza!* es la habilidad de Innes para intercalar en la novela la representación del drama de *Hamlet*, lo que impone a la narrativa el alto tono literario también presente en la transcripción de fragmentos de otras obras de Shakespeare. Y al respecto, cabe agregar una información adicional. Cuando en 1951 Borges y Bioy Casares realizan la selección para la Segunda serie de *Los mejores cuentos policiales*, entre los de Wilkie Collins, Chesterton, Agatha Christie, Eden Phillpotts, Graham Greene, o William Faulkner, incluyen "La tragedia del pañuelo" de Michael Innes. En el relato, el inspector Appleby concurre a un destartalado teatro de provincia donde una compañía de aficionados representa el *Otelo* de Shakespeare. La acción se fija en los episodios terribles y conmovedores de la última escena y, aunque sin disponer ahora de la extensión de una novela, Innes va a transcribir en las pocas páginas del cuento algunos de los fragmentos más memorables de la tragedia.

Si en su segunda novela Innes se apoya en pasajes de la obra del gran dramaturgo inglés, en la tercera, *Lament for a Maker*, lo que menciona como motivo central es el canto de un antiguo bardo de su tierra escocesa. El título de la edición de "El Séptimo Círculo", *La torre y la muerte*, tiene que ver con los episodios de la trama pero al apartarse completamente del original le resta su fuerza expresiva. En traducción literal *Lament for a Maker* equivale a "Lamento por un poeta" porque *maker* deriva del verbo *to make* que significa "crear", "construir", "hacer", y de allí *maker*, el "hacedor", como en el libro de Borges y, en su forma arcaica, el "poeta". De manera directa, Innes se refiere en la novela a los versos de William Dunbar (1465?-1520), el poeta escocés quien ya al final de su vida escribe el llamado "Lament for the Makaris/ Quhen he was seik" (*Lament for a Maker* 79) ("Lamentación por los Poetas / cuando estaba enfermo" *La torre y la muerte* 83).

Escrito en Middle Scots o Escocés Medio del siglo XV, por su tono elegíaco y por la estructura de Danza macabra de algunas de sus estrofas el poema de Dunbar puede compararse con las "Coplas" de su contemporáneo castellano Jorge Manrique (1440-1479) quien en ellas también presenta el tema de la muerte igualadora y las reflexiones filosóficas sobre la fugacidad de los bienes terrenales. La composición de Dunbar consta de 25 cuartetos que en la última línea repiten *"Timor mortis conturbat me"* (El temor a la muerte me perturba), frase que proviene del responsorio a la séptima lección en el tercer nocturno del Oficio de Difuntos (Dunbar 352). Por su condición de clérigo, Dunbar conocía muy bien el latín y las ceremonias de la liturgia, pero los destinatarios de su elegía no son sus hermanos de hábito sino los "makaris", en Scots, los poetas y, en especial, los poetas escoceses que se le habían anticipado en la muerte.

Como veremos, el argumento de la novela se corresponde con el significado del título en ambas versiones, *Lament for a Maker*, en inglés, y *La torre y la muerte*, en castellano.

El personaje central es Ranald Guthrie, el atormentado señor del Castillo de Erchany, en las Tierras Bajas (Lowlands) de Escocia, sobre quien circulan toda clase de historias entre la gente del pueblo cercano. Desde que llegó a tomar posesión de su heredad, Guthrie ha ido aislándose, después de limitar al mínimo el número de servidores y clausurar la mayoría de las salas del castillo para pasar la mayor parte del tiempo encerrado en su estudio de la gran torre central del edificio. La mañana del día de Navidad, Ranald Guthrie aparece muerto al pie de la torre.

Todo lo que se dice de Guthrie es negativo: avaro, violento, injusto con sus arrendatarios, perturbado o demente en muchas de sus acciones. Excepto que a veces se recuerda que fue también erudito y poeta. De allí que tal vez podría justificarse el lamento por su vida miserable.

Al igual que en las novelas anteriores, la trama de *La torre y la muerte* es sumamente compleja. En ella se incluye la historia de la animosidad ancestral entre los Guthrie y los Lindsay lo que muchos piensan es la causa de la furia con que Ranald rechaza a Neil Lindsay, el joven pretendiente de su sobrina Christine Mathers. El hecho de que la muchacha viva en el castillo junto con su tío da lugar a rumores maliciosos sobre esa relación y aumenta el misterio de por qué, desde niña, Christine ha estado a cargo de Ranald Guthrie. Otra historia de fondo es la de Ranald y su hermano Ian quienes, muy jóvenes, partieron para Australia. Después de un tiempo llega la noticia de que Ian ha muerto, y Ranald regresa como heredero a Erchany. A estas dos se suman las más secundarias sobre otros personajes como Hardcastle, el funesto administrador-sirviente de Guthrie y su mujer, desesperada en su lucha contra las ratas que merodean por los salones, o los comentarios sobre Tammas, el muchacho bobo que completa la lista de habitantes del castillo. Y, por supuesto, lo que cubre la mayor parte del relato es la descripción de las circunstancias del crimen, y el desarrollo de las pesquisas para resolver el enigma policial.

Si la trama de *La torre y la muerte* es de por sí intrincada, la estructura de su redacción dividida en siete partes agrega a esto el juego de las distintas voces narrativas. La primera y la séptima, "I. El relato de Ewan Bell", y "VII. Conclusión, por Ewan Bell" están a cargo de este curioso personaje quien, en la primera página se presenta como "el zapatero de Kinkeig" (9), y a quien se describe como un anciano "venerable y magnífico" (170). Por su trato con sus parroquianos en su oficio de remendón, Ewan Bell está muy al tanto de los chismes y consejas de la gente de Kinkeig pero, además, conoce la historia del lugar y, buen lector, en alguno de sus estantes tiene los poemas de Dunbar "en la muy erudita y elegante edición del doctor Small" (81). Pero lo que impresiona en la narrativa de Bell la que, como principio y fin, sirve de marco al resto de la novela es que está dicha –escrita por Innes– en lo que un crítico calificó como perfecta prosa escocesa (Scheper 46).

En la segunda sección, "II. La carta-diario de Noel Gylby" aparece este joven a quien conocimos en *¡Hamlet, venganza!* como el sobrino de los duques de Horton, quien le escribe a Diana Sandys, aquí ya su enamorada, con el relato de los sucesos ocurridos desde su llegada al castillo de Guthrie la víspera de Navidad. Por boca de Appleby, Innes aclara la conexión de estos personajes en las dos novelas: "Debo explicar que Gylby y yo éramos viejos conocidos, pues nos habíamos encontrado un año antes en alguna circunstancia agitada" (215).

La sección tercera, "III. Las investigaciones de Aljo Wedderburn", la cuarta, "IV. John Appleby", y la sexta "VI. John Appleby" contienen los detalles de la pesquisa por parte del procurador de

Edimburgo, el señor Wedderburn, y del bien conocido inspector de
Scotland Yard, John Appleby. Pero la que ahora más nos interesa para nuestro análisis es la
quinta, "V. El testamento del doctor" en la que el doctor del título
es Ian Guthrie, el hermano de Ranald que supuestamente había
muerto en Australia. Encerrado en la torre por Ranald y Hardcastle,
Ian tiene consigo las páginas escritas en Sydney con la historia de
lo que sucedió en el pasado, cómo Ranald lo abandonó, herido, en
medio de un incendio de malezas, su larga caminata angustiado y
sediento por las solitarias tierras australianas hasta llegar a la costa
del mar donde lo recoge Richard Anson quien, desde ese momento,
será su benefactor. Ian ha perdido la memoria y Anson decide llamarlo Richard Flinders, con su nombre y el apellido de un antiguo
navegante de esa zona. Con su nueva identidad, Ian estudia medicina y va a especializarse en radiología, materia sobre la que
escribe el libro *Radiología experimental*. También cuenta en su
escrito que cuando un día presencia en un parque la inauguración
de la estatua de un explorador escocés, y escucha el sonido de las
gaitas que participan del acto solemne, estas imágenes le devuel-
ven la memoria. Sabe que es Ian Guthrie, y recuerda que, inde-
fenso y desprovisto de toda subsistencia, Ranald lo había abando-
nado a una suerte fatal. Sabe que, ante la presunción de su muerte,
Ranald ha heredado el castillo de Erchany, y tiene conciencia de la
injuria y de la injusticia sufridas pero en parte porque no lo animan
ideas de retribución de las ofensas y, sobre todo, interesado en su
carrera médica, decide continuar su vida como Richard Flinders.
Sin embargo, al final de su testamento, Ian expresa cierta nostalgia
por los lugares de su niñez y el impulso, un poco infantil, de "dar
un susto a Ranald" (245). Cuando continúa el escrito, sabemos que
ha cedido a ese impulso con la terrible consecuencia de estar ahora
a merced de los designios funestos de su hermano. Ian reconoce la
ingenuidad de haber avisado a Ranald la fecha y la hora de su llegada con lo que le dio el tiempo necesario para urdir sus planes.

También, el no haber percibido la intensidad del sentimiento de culpa que ha trastornado a Ranald. El desenlace de esas pasiones, dice "guarda extraña armonía con la verdad central de la más grande de las tragedias escocesas, *Macbeth*. Hay una culpa de la que uno no puede alejarse, de la cual no hay salida, salvo por medio de la sangre. Ranald no recuerda una jugada sucia, sino una traición y un crimen" (246).

Convencido de que Ian viene a vengarse, y confiado en que la extraña característica de los Guthrie "de ser muy parecidos" (251) iba a posibilitar el engaño Ranald decide matar a Ian y adoptar su identidad como Richard Flinders. Dado que con la excepción de Hardcastle, su cómplice en el crimen, nadie sabe del secreto retorno de Ian, cuando el cadáver de éste aparezca al pie de la torre todos pensarán que es él que ha sido asesinado por Neil Lindsay. Con esto no sólo se habrá librado del hermano sino que también va a usurparle el buen nombre y los méritos que el doctor Richard Flinders había alcanzado en el ejercicio de su profesión. Para convertirse en Richard Flinders, Ranald también debe planear un detalle sangriento. Ian le había escrito que, en sus primeros trabajos de radiólogo, había perdido dos dedos de la mano derecha. Por esto decide volver a cortar los dedos de Ian para que no se viera que éstos habían sido amputados desde hacía tiempo y, eventualmente, cortarse sus dedos cuando se convierta en Richard Flinders. En el desenlace de la novela se verá que Ranald no va a poder cumplir ninguno de sus planes pero nuestro interés aquí no está en seguir minuciosamente todos los pasos que conducen a la revelación del misterio policial sino en observar las relaciones entre *La torre y la muerte* y la obra de Borges.

En *Borges and his Fiction: A Guide to his Mind and Art*, Gene H. Bell-Villada anota algunos comentarios sobre "Abenjacán el Bojarí, muerto en su laberinto", el cuento que Borges publica en el número 202 de *Sur* de agosto de 1951, y después incluido en *El Aleph*. En principio, dice que en sus elementos fundamentales el mismo se corresponde con un relato policial clásico cuando presenta un crimen, un investigador, y la verdadera explicación del misterio 25 años después de acaecidos los extraños sucesos.

Resumiendo brevemente el cuento de Borges recordamos que dos jóvenes amigos, Dunraven, poeta, y Unwin, matemático, llegan a las ruinas de un enorme edificio construido en forma de laberinto. Allí, Dunraven relata la historia de Abenjacán el Bojarí, un rey del desierto que, vencido en una rebelión, huye con Zaid, su primo y visir, un esclavo, y el tesoro recaudado con la expoliación de sus súbditos. Refugiados en una tumba, esa noche Abenjacán se enfurece al ver a Zaid que es un cobarde, dormido a su lado, y decide que, como tal, su primo no merece compartir con él el tesoro. Con su daga le atraviesa la garganta, y ordena al esclavo que le destroce la cara con una roca. Pero en un sueño se le aparece Zaid que le dice que va a destruirlo donde quiera que esté. Entonces Abenjacán decide atravesar el mar sobre el que "un muerto no podría andar" (A 127) y, al llegar a Inglaterra, va a construir ese laberinto, custodiado por el esclavo y su león, para que el fantasma se pierda en él. Después de unos años, sigue contando Dunraven, Abenjacán irrumpe en la rectoría del pastor Allaby y le dice que Zaid ha entrado en el laberinto y que su esclavo y su león están muertos. Dominado por el terror, se va, y cuando Allaby penetra en el laberinto no sólo encuentra muertos al esclavo y al león sino también a Abenjacán, los tres con la cara destrozada. Después de una noche de reflexión, Unwit va a darle a su amigo la verdadera versión de lo ocurrido. Explica que quien se presentó en Inglaterra como Abenjacán era en realidad el cobarde Zaid que mientras su rey dormía cerca de la tumba se apodera de parte del tesoro, y huye con el esclavo. Al llegar a Inglaterra, construye el laberinto, no para esconderse sino para atraer al valiente y confiado Abenjacán a quien mata cuando éste entra en el laberinto. Le destroza la cara para que nadie note la diferencia, y parte en un barco para regresar a la tumba y recuperar el resto del tesoro enterrado en ella.

Al final de su análisis, Bell-Villada señala que en "Abenjacán el Bojarí, muerto en su laberinto" Borges realiza una parodia del relato policial, parodia que casi llega a la caricatura (139). Apoya esta opinión refiriéndose a las extrañas acciones de Zaid, a la trama de un falso rey que se instala en un laberinto con un león y un esclavo para allí atrapar a su perseguidor, o a la figura del "investigador" Dunraven, poeta barbudo y verboso que, sin cuestionarla, repite la historia que urdió Zaid. Si aceptamos este juicio, y suponemos que *La torre y la muerte* es la narrativa policial clásica que Borges parodia en "Abenjacán el Bojarí, muerto en su laberinto", podríamos establecer comparaciones interesantes.

Acerca del tema central de la traición, en *La torre y la muerte* Ranald traiciona a su hermano, lo deja herido en medio de un incendio, y va a adueñarse del castillo que debía heredar Ian. En "Abenjacán el Bojarí, muerto en su laberinto" Zaid traiciona a su primo y señor, y se apodera del tesoro que el rey había acumulado. En cuanto al lugar de la acción principal, la torre en la que Ranald aguarda a Ian para matarlo pasa a ser el laberinto en donde Zaid mata a Abenjacán. Más evidente aún, el hecho de usurpar la identidad del rival: Ranald en su intento de adoptar la de Richard Flinders, Zaid robándole la suya al Bojarí. Ian y Abenjacán se parecen también en la ingenuidad con que caen en la trampa que les prepara su victimario. Por fin, el ejemplo más extremo de una supuesta parodia que termina en lo grotesco sería el de los dos dedos que Ranald piensa cortar, y cortarse, con las tres caras, la del león, la del esclavo, y la de Abenjacán, destrozadas por Zaid. Tal vez pensando en esta exageración es que Borges anota en la Posdata de 1952 para *El Aleph*: "'Abenjacán el Bojarí, muerto en su laberinto' no es (me aseguran) memorable a pesar de su título tremebundo" (A 172).

No creemos que en su relato Borges se propusiera parodiar la novela de Innes de manera específica pero dado las curiosas semejanzas que observamos en los ejemplos anteriores, es probable que alguna de las imágenes o acciones de ésta, como la de asumir la identidad del enemigo, quedaran en su memoria para incorporarse más tarde a sus ficciones.

Volviendo al tema de las citas eruditas, en "Abenjacán el Bojarí, muerto en su laberinto" Borges las anota en forma ligera y con el propósito de mejorar la caracterización de un personaje. Así, cuando dice: "Unwin había publicado un estudio sobre el teorema que Fermat no escribió al margen de una página de Diofanto" (A 123), con la mención de Pierre de Fermat, matemático francés del siglo XVII, y de Diofanto, matemático griego de la escuela de Alejandría. De igual manera, agrega más adelante: "Unwit recordó a Nicolás de Cusa, para quien toda línea recta es el arco de un círculo infinito" (A 124) en donde se refiere al teólogo y filósofo alemán del siglo XV. Por su parte, en *La torre y la muerte* Michael Innes vuelve a demostrar su habilidad en el juego de citas verdaderas e imaginarias, y en hacer de todas ellas elementos significativos de la ficción. Así, en una escena de la primera sección, Christine le dice a Ewan Bell que su tío está comprando libros de medicina, y que "noche tras noche pasa estudiándolos en la torre" (78). Enseguida, los identifica: "Hay uno de un tal Osler, sobre Medicina General, y uno de Flinders, sobre Radiología, y uno de Richards sobre Enfermedades Cardíacas…" (78). Más adelante en la novela, el procurador Aljo Wedderburn está revisando las pertenencias de Ranald en su estudio de la torre y se sorprende de encontrar una pila de libros de literatura médica. Menciona a algunos de ellos y, ahora con el título, la *"Radiología experimental*, por Richard Flinders" (189). Sabemos que Richard Flinders es Ian Guthrie, personaje de ficción, pero William Osler era un médico canadiense que efectivamente había escrito un libro titulado *Principles and Practice of Medicine*, y Dickinson Woodruff Richards, un renombrado investigador norteamericano, pionero en los estudios sobre enfermedades del corazón.

Atento a la trama de la novela, lo que Innes explica con estas citas es que si Ranald planeaba adoptar la identidad de su hermano médico, aun cuando éste hubiera decidido retirarse del ejercicio de la medicina (245), él debía poseer los conocimientos generales de la materia, conocimientos propios de un profesional como el doctor Richard Flinders. Y entre los textos que lo ayudaran en esta tarea obviamente debía incluir el que el mismo Flinders había escrito. Si bien estas citas son un buen ejemplo de la técnica de Innes de mezclar las referencias reales con las ficticias, las que imponen el tono de la novela son las que provienen del texto de Dunbar. En *La torre y la muerte* Innes transcribe 16 de las 25 estrofas que forman el poema. Y lo hace a través del recitado lúgubre de Ranald Guthrie quien, como una figura fantasmagórica, aparece "atravesando, embozado, su ventoso y ruinoso corredor y salmodiando esa tremenda elegía de Dunbar" (106).

En realidad, para apreciar en toda su fuerza expresiva esta novela de Innes hay que leerla en su versión original, con el comienzo y el fin a cargo de Ewan Bell escritos en esa bien alabada prosa escocesa, y a todo lo largo del texto la repetición abrumadora de los cuartetos de Dunbar con sus tres líneas en escocés antiguo, y la última en el latín retumbante del Oficio de Difuntos:

> Our plesance heir is all vane glory,
> This fals warld is bot transitory,
> The flesche is brukle, the Feyind is sle:
> *Timor mortis conturbat me.*
>
> (*Lament for a Maker* 115)

No sabemos si como en el caso de las novelas anteriores Borges leyó *Lament for a Maker* el mismo año de su publicación en 1938. Sí que, cuando con Bioy Casares seleccione las obras para "El Séptimo Círculo", *La torre y la muerte*, editada en 1945, será la tercera de la serie. Borges decía que para organizar la colección habían

leído setecientas u ochocientas novelas policiales (Villordo 67).
Ante este enorme número, la prioridad que asigna a *Lament for a
Maker* es prueba evidente de una evaluación positiva y gustosa de
la obra. En esto Borges se une a la mayoría de los críticos que ala-
ban en la tercera novela de Innes la profundidad de la trama, la
atmósfera obsesionante y, sobre todo, la belleza de su escritura
(Scheper 45).

Ahora, en el juego de relaciones entre Innes y Borges queremos
introducir como otro participante al escritor polaco Stanislaw Lem.
Considerado como uno de los grandes escritores del siglo XX, su
renombre se apoya en principio en su calidad de autor de más de
veinte libros –novelas y relatos– de ciencia ficción. Pero aunque
importante, este género representa sólo una parte de su obra que
incluye ensayos científicos y filosóficos, artículos de crítica literaria, estudios sobre temas de cibernética y de tecnología, textos tea-
trales para la televisión, notas autobiográficas, y discusiones polé-
micas con algunos de sus críticos. A través de la diversidad de sus
escritos, Lem reflexiona sobre ciertas ideas fundamentales: la relación de los seres humanos con el universo, con otras civilizaciones
no humanas, con el espacio, y con las máquinas. Asimismo, fija su
atención en los fenómenos misteriosos, la burocracia, la comunicación, la evolución biológica, los viajes espaciales, las teorías filosóficas acerca de Dios, la ética, o el origen del universo (Ziegfeld ix).

Frente a la magnitud y variedad de sus trabajos debemos aclarar
que aquí sólo vamos a referirnos a Lem en forma marginal, y en
cuanto a aquello que directa y curiosamente lo relaciona con Innes
y con Borges. Mejor dicho, no con Innes sino con Giles Gott, el
personaje del profesor de la Facultad de San Antonio quien, como
su creador, también escribe novelas policiales. Recordemos la
escena de *Muerte en la rectoría* en la que dos alumnos de San
Antonio comentan que cuando, con el seudónimo de Pentreith,
Gott organiza esos relatos, usa un recurso especial para anotar los

epígrafes. Dicen: "El toma citas de algún texto imaginario, y las coloca al principio de cada capítulo" (112).

Por su parte, en el "Prólogo" de 1941 de *El jardín de senderos que se bifurcan*, y después de criticar aquellos libros que alargan en cientos de páginas la exposición de una idea que puede caber en unas pocas, Borges explica:

> Mejor procedimiento es simular que esos libros ya existen y ofrecer un resumen, un comentario... Más razonable, más inepto, más haragán, he preferido la escritura de notas sobre libros imaginarios. Estas son "Tlön, Uqbar, Orbis Tertius"; el "Examen de la obra de Herbert Quain"; "El acercamiento a Almotásim". (F 11-12)

Si Innes (Gott) insinúa la posibilidad de formar epígrafes con fragmentos de textos imaginarios, y Borges organiza algunos de sus cuentos como notas a esas obras inexistentes, en 1971 Stanislaw Lem va a escribir un volumen de más de doscientas páginas que, en su totalidad, consiste en reseñas de libros inventados. El título en polaco, *Doskonala próznia*, se traduce como *A Perfect Vacuum* en la publicación en inglés y, como Lem explica, "Un vacío perfecto" es como decir, un libro "acerca de nada".[17]

El tono que predomina en las dieciséis "reseñas" es el de una crítica paródica dirigida en muchas de ellas a escuelas o tendencias literarias como las que representa el grupo de autores del *nouveau roman*, o *El grado cero de la escritura* de Roland Barthes. Pero como es habitual en la obra de Lem, junto con la sátira, o detrás de ella, aparecen ideas o reflexiones sobre los temas más diversos.

Para advertir el carácter inusual de *A Perfect Vacuum* basta con echar una mirada al "Índice" de los capítulos ("reseñas"), y comprobar que el primero es la reseña firmada por S. Lem de *A Perfect Vacuum*. En ella, S. Lem se refiere a los otros capítulos de *A Per-*

---

17   "(*A Perfect Vacuum* –that is to say, a book "about nothing")" (Lem 6).

fect Vacuum, todos reseñas de libros imaginarios. Es decir que estamos leyendo la reseña de un libro inexistente que contiene las reseñas de otros libros inexistentes, y que es el libro que estamos leyendo. En la interpretación de esta obra de Lem, Richard E. Ziegfeld supone que en ella se refleja la crisis intelectual por la que atravesaba el autor cuando, perdida su confianza en el valor de la ciencia, comienza a percibir el universo como un juego (119). No es nuestro propósito comentar específicamente los escritos de Lem sino observar en qué medida éstos se relacionan con la obra de Borges y, para esto, basta con leer las primeras líneas de *A Perfect Vacuum*, que copiamos traduciéndolas al castellano:

> Reseñar libros inexistentes no es un invento de Lem; no sólo encontramos estos experimentos en un escritor contemporáneo, Jorge Luis Borges (por ejemplo, su "Examen de la obra de Herbert Quain"), sino que la idea va mucho más atrás –e inclusive Rabelais no fue el primero en usarla.[18]

Es interesante que Lem mencione especialmente el "Examen de la obra de Herbert Quain" porque en este cuento el narrador reseña cuatro "libros" de Quain y del último, *Statements*, dice que consta de ocho relatos. En las líneas finales de la narración anota lo siguiente: "Del tercero, *The rose of yesterday*, yo cometí la ingenuidad de extraer "Las ruinas circulares", que es una de las narraciones del libro *El jardín de senderos que se bifurcan*" (F 83). O sea que al esquema lúdico de *A Perfect Vacuum*, con reseñas de reseñas de libros imaginarios, corresponde el juego de Borges de hacer que el narrador de "Examen de la obra de Herbert Quain",

---

18 "Reviewing nonexistent books is not Lem's invention; we find such experiments not only in a contemporary writer, Jorge Luis Borges (for example, his "Investigations of the Writings of Herbert Quain"), but the idea goes further back –and even Rabelais was not the first to make use of it" (Lem 3).

cuento incluido en el libro de 1941, *El jardín de senderos que se bifurcan* (Buenos Aires: *Sur*), se refiera a "Las ruinas circulares" que es otro de los relatos que forman parte del mismo libro. Es decir que en un libro se incluye un cuento que habla de ese libro en el que está incluido.

Para concluir este capítulo sobre las relaciones de Borges y Michael Innes en el uso de las citas eruditas anotamos ahora dos citas bibliográficas y anecdóticas.

La primera es la que se refiere a las características del inspector Appleby entre las que se destacan su curiosidad, su ironía, y su amor por los libros ("the qualities that serve him the best are his curiosity, his irony, and his love of books" Slung 591).

La segunda es la que advierte que para gozar de un típico relato de Michael Innes el lector debe ser capaz de reconocer citas de las más variadas fuentes y descubrir la ironía en la mención de lugares, nombres y títulos ("To enjoy a typical Michael Innes mystery, a reader must be able to recognize quotations from a variety of literary sources, discover irony in the use of place names, surnames, and titles" Rosenbaum 924).

Con la primera cita, sería fácil establecer el paralelo entre Appleby y Borges mientras que con la segunda, si por un momento nos olvidáramos de que estos comentarios son acerca de la obra de Michael Innes y pensáramos en la de Borges, veríamos que no resultaría muy forzado aplicárselos a esta última.

CAPÍTULO III

EDWARD KASNER Y JAMES NEWMAN: MATEMÁTICAS-IMAGINACIÓN-FICCIÓN

En el número 73 de *Sur*, de octubre de 1940, Borges anota lo siguiente:

Revisando la biblioteca, veo con admiración que las obras que más he releído y abrumado de notas manuscritas son el *Diccionario de la filosofía* de Mauthner, la *Historia biográfica de la filosofía* de Lewes, la *Historia de la guerra de 1914-1918* de Liddell Hart, la *Vida de Samuel Johnson* de Boswell y la psicología de Gustav Spiller: *The Mind of Man*, 1902. A ese heterogéneo catálogo (que no excluye obras que tal vez son meras costumbres, como la de G.H. Lewes) preveo que los años agregarán este libro amenísimo. (85)

El libro al que se refiere es el que está reseñando en estas páginas de *Sur*, libro que Edward Kasner y James Newman publicaron en 1940 con el título de *Mathematics and the Imagination* (New York: Simon and Schuster). La misma reseña será después incluida entre las "Notas" de la edición de 1957 de *Discusión* (165-66). En cuanto a la predicción de que este texto iba a figurar en el grupo de sus lecturas preferidas, ésta se materializa cuando Borges selecciona el libro de Kasner y Newman para que aparezca publicado en 1985 como uno de los volúmenes de su "Biblioteca personal", con el título de *Matemáticas e imaginación*.

Acerca de los autores, Edward Kasner (1878-1955) y James Roy Newman (1907-1966), la información que pudimos reunir es escasa y se corresponde con sus actividades en el campo de las matemáticas. Nacidos en la ciudad de New York, en sus estudios o en la profesión docente ambos estuvieron vinculados con la Universidad de Columbia. Además de *Mathematics and the Imagination*, Kasner publicó algunas monografías y compilaciones de textos presentados en conferencias y coloquios. La lista de publicaciones de Newman es más extensa, y entre sus títulos se destaca *Gödel's Proof*, escrito en colaboración con Ernest Nagel (New York: New York UP, 1958), obra considerada por algunos críticos como la guía más útil, y la que contiene la explicación general más accesible de la mencionada prueba de Gödel (Thomas 259).

Algunos de estos datos sobre Kasner y Newman figuran en la versión en castellano que la editorial Hachette publicó en Buenos Aires en 1944, y no sabemos si en alguna oportunidad Borges consultó esta traducción. Lo cierto es que leyó y reseñó el libro en el original en inglés en 1940, y que en el texto de la reseña sólo se refiere a ese "libro amenísimo" y no a ninguno de sus autores.

Por otro lado, cuando en una entrevista en 1985 Borges explica las razones de haber elegido determinados textos para su "Biblioteca personal" y su interlocutora comenta: "–Hay unos autores que nunca oí nombrar: Kasner y Newman, ¿quiénes son?", Borges contesta: "–Escribieron unos libros muy lindos sobre matemáticas, son muy imaginativos y tienen problemas". (Vázquez, "Borges y sus libros")

En el "Prólogo" que escribe para la edición de Hyspamérica de 1985 Borges menciona a Euclides, Horacio, Pascal, Bertrand Russell, y Möbius pero no a Kasner o a Newman. Es de hacer notar que de los 62 prólogos que redactó para los volúmenes de su "Biblioteca personal" (más cuatro para obras de autor anónimo) éste es el único en el que ni siquiera una vez cita el nombre de los autores. En el último párrafo dice: "Harto más deleitable que este prólogo son las páginas de este libro" (9). De manera que si observamos dónde cae el énfasis en su evaluación y vemos que no es en los autores sino en ese "libro amenísimo", con páginas "deleitables" tal vez tendríamos que asignar el calificativo de "raro" tal como lo venimos haciendo a lo largo de nuestro estudio más al libro en sí que a sus autores, o a Kasner y Newman sólo en cuanto autores de *Matemáticas e imaginación*.

En este punto, la pregunta básica es qué clase de libro es éste. Si atendemos a los temas discutidos en sus páginas los mismos van desde la escolar "prueba del 9" para verificar el resultado de una multiplicación hasta abordar complejos conceptos de lógica matemática o referirse a la teoría de los conjuntos y la determinación de los números transfinitos según lo expuesto por Georg Cantor. Como comentaremos en este capítulo, muchos de estos temas aparecen reiteradamente en la obra de Borges, tanto en los ensayos y conferencias como en los poemas y los textos de ficción. Pero antes de darnos a esta tarea conviene atender a la forma en que Kasner y Newman los presentan, y a inquirir qué razones los movieron a escribir *Matemáticas e imaginación*.

En la reseña de 1940 Borges se refiere a las características de la redacción del volumen. Dice: "Sus cuatrocientas páginas registran con claridad los inmediatos y accesibles encantos de las matemáticas, los que hasta un mero hombre de letras puede entender, o imaginar que entiende" (D 165). Por su parte, en la "Introducción" a su libro, Kasner y Newman explican que en esa época en que en forma creciente se tiende a la popularización de la ciencia el propósito que los guió al escribirlo fue presentar a las matemáticas, aun en sus aspectos más avanzados, a través de lo que los franceses llaman *Haute vulgarisation*, en una forma que no "desagrada por su condescendencia ni confunde en una masa de verbosidad técnica" (14). De acuerdo con este designio los autores imponen en el texto un tono de conversación con el lector, no exento de notas de humor e ironía. Con frecuencia, nos previenen contra el sometimiento ingenuo a los dictados del sentido común (19, 57), o contra la confianza en la validez de lo que percibimos con nuestros sentidos (212-13). Así, comentan: "Desde el punto de vista ordinario las matemáticas se ocupan de cosas raras. Le demostraremos a usted que, si de vez en cuando trata con cosas raras, la mayor parte de las veces se ocupa de cosas familiares en una forma extraña" (20).

Kasner y Newman reconocen las dificultades que un lector profano debe enfrentar cuando se discuten ideas o problemas matemáticos de difícil comprensión. Por ejemplo, después de referirse a las clases que Cantor llamó contables o denumerablemente infinitas, y a una jerarquía de alephs, anotan lo siguiente: "Todo esto puede parecer muy extraño, pero es completamente disculpable, pues el lector se encuentra, a esta altura, enteramente aturdido" (55). Más adelante, escriben: "Demos este bálsamo al lector que nos ha acompañado tan valientemente a través de las páginas sobre geometría analítica y números complejos" (113). O, en forma más extensa y solidaria, Confiesan:

> Se nos ha sugerido que al llegar aquí, el lector, cansado, cierra el libro con un suspiro... y se va al cine. Sólo podemos adelantarle, para calmarlo, que esta demostración, como la que sigue sobre la no contabilidad de los números reales, es difícil. Usted puede rechinar sus dientes y tratar de entender todo lo que pueda de ellas, o bien prescindir de ambas. Lo esencial, antes de retirarse, es saber que Cantor descubrió que las fracciones racionales son contables, pero que el conjunto de los números reales no lo es. De este modo, y a pesar de lo que le dicte el sentido común, no hay más fracciones que números enteros y hay más números reales entre 0 y 1, que elementos en toda la clase de los números enteros. (58)

En las primeras páginas del capítulo en el que van a discutir las geometrías de cuatro dimensiones, y las geometrías no-euclidianas, Kasner y Newman califican la forma habitual en que ambos temas han sido descriptos como "un arrogante espantajo". Y extienden el juicio negativo a aquellos críticos que practican la misma confusa retórica: "Los sumos sacerdotes en toda profesión idean complicados rituales y lenguaje oscuro, tanto para ocultar su propia ineptitud como para infundir terror a los no iniciados" (120).

Por supuesto que no todos están de acuerdo con el estilo con el que Kasner y Newman presentan las lucubraciones matemáticas. Apoyándose en una extensa y sólida bibliografía, en *The Cosmic Web: Scientific Field Models and Literary Strategies in the Twentieth Century* N. Katherine Hayles analiza las relaciones que las grandes teorías físico-matemáticas, que transformaron el pensamiento contemporáneo, guardan con los métodos de investigación lingüística y las diversas formas de la creación y la crítica literarias.

Como lo indica el título del quinto capítulo ("Subversion: Infinite Series and Transfinite Numbers in Borges's Fictions"), en sus páginas Hayles estudia los conceptos de series infinitas y números transfinitos en cuanto a la forma en que los mismos se reflejan en las ficciones de Borges. Al tiempo de comentar la significación del Aleph en las teorías de Cantor, y la manera en que Borges lo figura en el cuento de ese título, Hayles indica que la forma errónea en que en este caso Borges interpreta algunos aspectos de la posición de Cantor proviene de su lectura del libro de Kasner y Newman, libro, dice, escrito en un estilo coloquial que haría palidecer a otros matemáticos.[1]

Sin descartar por completo la opinión autorizada de Hayles en su evaluación del texto de Kasner y Newman, nuestro interés aquí se orienta más a observar aquellas características que atrajeron la atención de Borges y que explican las razones por las que *Matemáticas e imaginación* se mantuvo siempre en la lista de sus libros preferidos.

Para empezar, y sin ir más lejos, podemos referirnos a los epígrafes que encabezan los nueve capítulos y el "Epílogo" los que bien podrían haber sido seleccionados por Borges dado que los mismos pertenecen a algunos de sus autores favoritos: Heráclito,

---

[1] "The book is written in a popularized, colloquial style that might well make other mathematicians blanch" (Hayles 160).

Pascal, Bertrand Russell, William James y, especialmente, Mark Twain y Lewis Carroll.

Otra de las razones de la complacencia de Borges por el libro de Kasner y Newman puede hallarse en aquellos párrafos en los que los autores reflexionan acerca del uso del lenguaje para representar conceptos matemáticos. Cuando comparan la brevedad y simplicidad de los términos matemáticos con los largos y complejos vocablos de otras ciencias como la química o la biología, de paso comentan que, a pesar de todo, la extensión de estos últimos permite describir en forma sintética y precisa lo que a un literato le llevaría media página (15-16).

Más adelante, Kasner y Newman inician la discusión acerca de los números que, aunque enormes, son finitos. Así, hablan del GOOGOL que es "un 1 seguido de cien ceros" (31), y del GOOGOLPLEX que es "10 elevado a la potencia GOOGOL" (36), o sea $10^{10.100}$. Entre los ejemplos que dan de números muy grandes como el de los granos de arena de una playa (32), o el número de gotas de agua que caen por las cataratas del Niágara en un siglo (33) mezclan, con un guiño de humor, el número mencionado por la divorciada que en el juicio de divorcio manifestó que amaba a su esposo "un millón billón billón de veces y ocho veces la vuelta al mundo" (32). Pero más importante para nuestro análisis es cuando se refieren, ahora con ironía, a una "reciente y popular novela histórica" que por sí sola es responsable "por la impresión de varios cientos de billones de palabras" (33). Como comentamos en páginas anteriores, esta crítica a la verbosidad literaria coincide muy bien con la que Borges expresó en distintas oportunidades.

En este punto, y antes de considerar en forma específica diversos temas y conceptos expuestos en *Matemáticas e imaginación*, queremos anticipar una de las conclusiones de este capítulo, conclusión que puede enunciarse de la siguiente manera: la lectura en 1940 del libro de Kasner y Newman le sirve a Borges para corroborar o ilustrar ideas y reflexiones que habían ocupado su mente desde hacía mucho tiempo. Si dejamos de lado datos y comentarios anecdóticos o secundarios como así también la necesaria ejemplificación de problemas y teoremas y nos centramos en las teorías fundamentales en el campo de las matemáticas y de la lógica, comprobaremos que casi no hay ninguna que Borges vaya a "descubrir" en este libro. Esto puede confirmarse si enumeramos en orden cronológico y en forma sucinta algunos textos anteriores a 1940 en los que Borges comenta o alude a temas tratados por Kasner y Newman.

Así, en una carta dirigida a su amigo del colegio de Ginebra, Maurice Abramowicz, fechada el 1° de noviembre de 1920, leemos: "Además, en el Círculo, infinitas discusiones sobre la cuarta dimensión y las teorías de Einstein [...] Como ultraísta y como kantiano, yo creo en la cuarta dimensión" (TR 414). Por supuesto, con el entusiasmo de sus 21 años, Borges profesa aquí creencias que va a cuestionar años después. Pero esto no invalida el hecho de que veinte años antes de reseñar el libro de Kasner y Newman ya estaba informado acerca de algunos de los temas que aparecen en las páginas de *Matemáticas e imaginación*.

En 1927 Borges pronuncia una conferencia sobre "El idioma de los argentinos", texto que pasará a integrar el volumen de ese título al año siguiente. Comienza allí refiriéndose a la circunstancia casual que en principio, y en muchos casos, asignó un término verbal a un concepto. Y dice:

> Sospecho que la palabra *infinito* fue alguna vez una insípida equivalencia de *inacabado*; ahora es una de las perfecciones de Dios en la teología y un discutidero en la metafísica y un énfasis popularizado en las letras y una finísima concepción renovada en las matemáticas –Russell explica la adición y multiplicación y potenciación de números cardinales infinitos y el porqué de sus dinastías casi terribles– y una verdadera intuición al mirar al cielo. (IA 136)

Siempre en la lista de textos anteriores a 1940 en los que Borges presenta temas que van a figurar en *Matemáticas e imaginación*, corresponde mencionar ahora a "La perpetua carrera de Aquiles y la tortuga", artículo publicado en el diario *La Prensa* de Buenos Aires el 1º de enero de 1929, e incluido en *Discusión* en 1932. Partiendo de las paradojas de Zenón de Elea, en este artículo como así también en "Avatares de la tortuga", de 1939, Borges enfrenta de lleno el concepto de infinito. De la misma manera, Kasner y Newman van a apoyarse en las paradojas de Zenón para llegar a Cantor y las matemáticas del infinito (47-50 y 66-69).

Estos textos ocupan un lugar central en nuestro estudio, pero antes de pasar a un comentario detallado de los mismos vamos a concluir con la lista que venimos enumerando con la fecha de publicación, el título del texto y, sintéticamente, los temas o autores que se relacionan con los que aparecen en *Matemáticas e imaginación*. Esto resulta en lo siguiente:

- 1933 (14 de octubre): Reseña de *"La expansión del universo* de Sir Arthur Stanley Eddington" (BRM 200-01). Newton, Einstein. Eddington.
- 1934 (5 de diciembre) "La cuarta dimensión" (BRM 29-32). Geometría euclidiana. Henry More. Kant. Hinton.
- 1934 (y publicado en *Sur* en 1936): "La doctrina de los ciclos" (HE 89-107). La clase de los números naturales es infinita. Cantor. Russell. Eddington.
- 1936: "Historia de la eternidad" (HE 11-48). Paradoja de Zenón. Russell.
- 1938 (8 de julio): *"Men of Mathematics*, de E.T. Bell" (TC 249-50). Números transfinitos. Sistema binario de numeración. Zenón. Leibniz. Cantor.
- 1938 (14 de octubre): "Un resumen de las doctrinas de Einstein" (TC 276-77). Relatividad. Cuarta dimensión. Henry More. Einstein.

La información precedente prueba que a través de lecturas y reflexiones ejercitadas antes de leer *Matemáticas e imaginación*, y antes de escribir la mayoría de sus ficciones, Borges estaba familiarizado con muchos de los grandes temas de la lógica, de la física y de las matemáticas. Buen ejemplo de estos conocimientos como así también de la relación de sus textos con el libro de Kasner y Newman son los dos artículos que Borges escribe centrándose en la segunda paradoja de Zenón de Elea: "La perpetua carrera de Aquiles y la tortuga" (1929) y "Avatares de la tortuga" (1939). Al comienzo del primero Borges califica a esta paradoja de Zenón como una *joya*, con lo que esta palabra implica de "valiosa pequeñez, delicadeza que no está sujeta a la fragilidad, facilidad suma de traslación, limpidez que no excluye lo impenetrable, flor para los años" (D 113). En seguida, indica su propósito de presentar el enunciado de la paradoja como así también el de varias de sus refutaciones. Para lo primero recurre a "la biblioteca" que le "facilita un par de versiones de la paradoja gloriosa" (D 113). Esta biblioteca a la que distingue con el artículo determinante es, sin duda, la biblioteca de su padre a la que ya nos referimos en capítulos anteriores y sobre la que repetirá siempre el mismo comentario: "Yo me he educado menos en colegios y universidades que en la biblioteca de mi padre" (Vázquez, *Borges: Imágenes* 35).

La primera versión proviene "del hispanísimo diccionario Hispano-Americano, en su volumen vigésimo tercero" que dice: "El movimiento no existe: Aquiles no podría alcanzar a la perezosa tortuga" (D 113-14). No satisfecho con esta versión, recurre a la que ofrece G.H. Lewes en su *Biographical History of Philosophy*, exposición que Borges escribe de esta manera:

Aquiles, símbolo de rapidez, tiene que alcanzar a la tortuga, símbolo de morosidad. Aquiles corre diez veces más ligero que la tortuga y le da diez metros de ventaja. Aquiles corre esos diez metros, la tortuga corre uno; Aquiles corre ese metro, la tortuga corre un decímetro; Aquiles corre ese decímetro, la tortuga corre un centímetro; Aquiles corre ese centímetro, la tortuga un milímetro, Aquiles el milímetro, la tortuga un décimo de milímetro, y así infinitamente, de modo que Aquiles puede correr para siempre sin alcanzarla. Así la paradoja inmortal. (D 114)

Borges repite esta explicación en "Avatares de la tortuga" (D 130), y en la forma de frasearla sigue con pocos cambios el texto de Lewes (60). (Un ejemplo de las diferencias sería cuando habla de una distancia de diez metros y no de mil pies como anota Lewes)

Todavía en forma más literal Borges traslada la refutación de la paradoja que G.H. Lewes toma de la *Lógica* de Stuart Mill, refutación en la que, dice, están implícitas "la de Aristóteles y la de Hobbes" (D 114). Pero si bien podemos comprobar que Borges sigue puntualmente el libro de Lewes (61), también advertimos que, en este caso, ha ido a consultar la obra de Stuart Mill. Basamos esta afirmación en lo siguiente. Lewes anota la referencia a la obra de Stuart Mill indicando el tomo y la página: "Mill's *Logic* (ii. 453)". Borges, con el número del libro y del capítulo: "Mill- *Sistema de lógica*, libro quinto, capítulo siete". Además, Borges comenta que para Mill el problema de Aquiles y la tortuga "no es más que uno de tantos ejemplos de la falacia de confusión" (D 114). Este comentario, que no aparece en Lewes, se aclara cuando leemos que el capítulo siete del libro quinto del *Sistema de lógica* corresponde a las "Falacias de confusión".

El detenernos a aclarar que Borges verifica la cita de Stuart Mill que anota Lewes yendo a consultar el texto original de donde ésta proviene no significa que nos hayamos lanzado a una pesquisa irrelevante de minucias literarias. Por el contrario, estas observaciones entran de lleno dentro del tema central de nuestro estudio que no sólo es el de considerar a ese grupo de autores a quienes calificamos como "raros" sino también el de atender a las razones que atrajeron hacia ellos la atención de Borges, y analizar la forma y las circunstancias en que los leyó o en que se familiarizó con sus trabajos.

En *La filosofía de Borges*, Juan Nuño escribe el Capítulo V bajo el título de "Vindicación de la paradoja: 'La perpetua carrera de Aquiles y la tortuga'; 'Avatares de la tortuga'". Es decir que lo dedica al comentario de los dos artículos de Borges que ahora nos ocupan.

Al iniciar el capítulo, Nuño indica que Borges realiza una "caracterización impropia" de Zenón cuando lo presenta como "negador de que pudiera suceder algo en el universo" (78). Pero la crítica más negativa la dirige a Lewes cuando dice: "Para primero resumir la paradoja y pasar luego a comentarla, se basa Borges en la versión más anecdótica, menos científica, de las que existen, la de Lewes en su chismosa *Biographical History of Philosophy*" (78).

Como vimos, en la reseña del libro de Kasner y Newman, Borges ubica a la *Historia biográfica de la filosofía* entre el grupo de obras que más ha "releído y abrumado de notas manuscritas" aunque más abajo aclara que algunas de esas obras "tal vez son meras costumbres, como la de G.H. Lewes" (D 165). Por otra parte, en "La perpetua carrera de Aquiles y la tortuga", antes de transcribir la paradoja según la versión de Lewes, anota que la *Biographical History of Philosophy* "fue la primera lectura especulativa que yo abordé, no sé si vanidosa o curiosamente" (D 114). Coincidiendo con esta declaración, Roberto Paoli opina que la *"Biographical History of Philosophy* debe juzgarse de primera importancia entre las lecturas juveniles de Borges", y ubica a George Henry Lewes en el grupo de aquellos autores que sin ser "titulares de un sistema filosófico original" tal vez fueron "brillantes divulgadores" ("Borges y la filosofía" 363).

Una forma de dirimir o conciliar opiniones tan diversas es ir a la lectura directa de varias páginas de la *Biographical History of Philosophy*, por ejemplo todas las que Lewes dedica a Zenón de Elea (55-62). De entrada, el tono es encomiástico cuando Lewes caracteriza a Zenón como uno de los filósofos más distinguidos de la antigüedad y exalta su actitud serena, la ausencia de ambición por el poder o los honores mundanos y la conciencia de su integridad (55-56). En el campo de la filosofía, Lewes destaca a Zenón como el creador de la Dialéctica (57), el discípulo de Parménides que, en Atenas, va a presentar las doctrinas de su maestro (58), el expositor de ideas contradictorias acerca del movimiento y, relacionadas con ellas, el autor de las célebres paradojas (59-61). Pero hay unos párrafos que justificarían la crítica de Nuño cuando califica a la *Biographical History of Philosophy* como "anecdótica" y "chismosa". Se trata de aquellos en los que Lewes relata el episodio en el que Zenón se enfrenta con Nearchus, tirano de Elea y, después que lo apostrofa, se muerde y corta la lengua y la escupe en la cara del tirano (Lewes 56-57). No tenemos ninguna evidencia que pruebe que esta escena de violencia haya impresionado a Borges de una u otra manera, o que la haya retenido en su memoria. En cambio, esto ocurre con otros pasajes de la obra de Lewes. Por ejemplo, en las páginas que escribe sobre Pitágoras (15-33), Lewes recuerda el aura de leyenda que siempre lo rodea, su importancia como uno de los fundadores de las matemáticas, su descubrimiento de los distintos acordes de la escala musical o su teoría de la música de las esferas. Pero hay una línea, una breve línea, que es significativa. En ella Lewes dice: "Pitágoras enseñó en secreto; y nunca escribió" ("Pythagoras taught in secret; and never wrote" Lewes 24). Si vamos a "Del culto de los libros", artículo que Borges publica en 1951, leemos en la primera página: "Es fama que Pitágoras no escribió" (OI 157), mientras que al final del mismo párrafo, Borges enlaza a Pitágoras con "Jesús, el mayor de los maestros orales, que una sola vez escribió unas palabras en la tierra y no las leyó ningún hombre (Juan, 8:6)" (OI 158). Aún más importante es la sentencia de Heráclito que Lewes incluye en sus comentarios: "Nadie ha estado dos veces en el mismo río" ("No one has ever been twice on the same stream" Lewes 69). Si aceptamos la declaración de Borges de que su primera lectura especulativa fue la del libro de Lewes, y recordamos la repetición reiterada de esta imagen en su prosa y en sus versos ("aquel ejemplo [de Heráclito] al que vuelvo siempre: nadie baja dos veces al mismo río" BO 85) es indudable que la *Historia biográfica de la filosofía*, sean cual fueren sus defectos, dejó en él una impresión trascendente y duradera.

Después de este desvío del tema central que veníamos discutiendo, desvío que a esta altura de nuestro estudio no debe sorprendernos dado que para comentar a Borges debemos estar siempre dispuestos a transitar por "senderos que se bifurcan", volvamos al texto de "La perpetua carrera de Aquiles y la tortuga". Lo habíamos dejado en las páginas en que Borges transcribe la refutación de la paradoja propuesta por Stuart Mill sobre la que opina lo siguiente: "No anteveo el parecer del lector, pero estoy sintiendo que la proyectada refutación de Stuart Mill no es otra cosa que una exposición de la paradoja" (D 115).

Después de explicar sus objeciones a esta refutación pasa a la que Henri Bergson desarrolla en su *Ensayo sobre los datos inmediatos de la conciencia*. Al final de la transcripción anota: "(*Datos inmediatos*, versión española de Barnés, páginas 89, 90. Corrijo, de paso, alguna distracción evidente del traductor.)" (D 117).

Nuevamente, Borges da la información precisa acerca del texto que está consultando. En cuanto a las correcciones que impone a la traducción de Domingo Barnés, el cotejo de ambas versiones demuestra que las diferencias no son muchas y que consisten más en rasgos de estilo que en cambios sustanciales. Lo cierto es que Borges deja en claro que no sólo está consultando la traducción al español del *Ensayo* de Bergson sino también el original en francés. Sin embargo, y aun en esta doble lectura, la tesis de Bergson tampoco le parece aceptable. En consecuencia, decide lo siguiente:

Arribo, por eliminación, a la única refutación que conozco, a la única de inspiración condigna del original, virtud que la estética de la inteligencia está reclamando. Es la formulada por Russell. La encontré en la obra nobilísima de William James, *Some Problems of Philosophy*, y la concepción total que postula puede estudiarse en los libros ulteriores de su inventor –*Introduction to Mathematical Philosophy*, 1919; *Our Knowledge of the External World*, 1926–. (D 117)

Este párrafo nos inquieta porque Borges, después de destacar a la refutación de Bertrand Russell como la única digna de enfrentar la paradoja de Zenón, aclara que no va a anotarla directamente de la obra de Russell sino tal como la presenta William James en *Some Problems of Philosophy*. Y por fin, que las ideas básicas que sustentan la refutación de Russell pueden encontrarse en dos "libros ulteriores" de este autor, *Introduction to Mathematical Philosophy*, y *Our Knowledge of the External World*.

Frente a esto, y aunque de nuevo parezca que nos detenemos en la discusión de detalles insignificantes, vamos a anotar algunos comentarios que, al final, resultarán pertinentes para apreciar la forma en que el pensamiento de Borges pasa de uno a otro autor y, en última instancia, de qué manera estas reflexiones lo mueven a valorar el libro de Kasner y Newman.

En primer lugar cabe preguntar por qué si Borges quiere exponer la refutación de Russell no lo hace directamente sino a través de la explicación de la misma que William James anota en *Some Problems of Philosophy*. Publicado en 1911, este libro es la obra póstuma de James quien había muerto el año anterior. Como dato curioso observamos que James cita varios libros de G.H. Lewes como *Aristotle* (16), o *Problems of Life and Mind* (68 y 205). Pero las páginas relevantes son las que corresponden a los Capítulos X y XI (154-88), en las que James presenta el enunciado de la segunda y tercera paradoja de Zenón (La de Aquiles y la tortuga, y la de la flecha en vuelo, respectivamente, 156-58), y en las que también se refiere al concepto de series y números transfinitos de Cantor (175-77), expresa su "perplejidad" ante el enunciado de que "el todo no es mayor que una de sus partes" (179), y explica la forma en que Russell refuta la paradoja de Aquiles y la tortuga (179-81), que es la explicación que Borges transcribe en su artículo (D 119). Al final de este último comentario, James pone una Nota al pie de página en la que indica que la forma en que Russell plantea el problema como así también los términos que propone para su solución son demasiado técnicos como para transcribirlos literalmente en un libro como el suyo (181). Pero lo más sorprendente es que, de inmediato, James va a rechazar de plano los argumentos de Russell. Suavizando las palabras, Borges escribe: "Tal es la solución de Russell. James, sin recusar la superioridad técnica del contrario, prefiere disentir" (D 119). Luego, traduce el largo párrafo de James:

> Las declaraciones de Russell (escribe) eluden la verdadera dificultad, que atañe a la categoría *creciente* del infinito, no a la categoría *estable*, que es la única tenida en cuenta por él, cuando presupone que la carrera ha sido corrida y que el problema es el de equilibrar los trayectos. Por otra parte, no se precisan dos: el de cada cual de los corredores o el mero lapso del tiempo vacío, implica la dificultad, que es la de alcanzar una meta cuando un previo intervalo sigue presentándose vuelta a vuelta y obstruyendo el camino. (*Some Problems of Philosophy*, 1911, p.181). (D 119)

Por fin, y según Borges, si queremos informarnos acerca de "la concepción total" que Bertrand Russell postula de acuerdo con los términos de la refutación, debemos consultar dos libros que Russell escribió años después de la obra de William James: *Introduction to Mathematical Philosophy* y *Our Knowledge of the External World*.

Esta no es la única vez que Borges menciona textos de Russell. Por ejemplo, en "Avatares de la tortuga" parafrasea unos párrafos de *Introduction to Mathematical Philosophy* (D 132), texto que también figura en la lista de libros consultados para escribir "La doctrina de los ciclos" y que en esa lista precede a otro de Russell, *The ABC of Atoms* (HE 107). Siempre en "La doctrina de los ciclos" y aunque sin citarlo en forma específica, Borges traduce un párrafo que proviene de *Our Knowledge of the External World* (HE 94). En cambio, en "El tiempo circular", la referencia a otra obra de Russell es precisa cuando anota: "(*An Inquiry into Meaning and Truth*, 1940, pág. 120)" (HE 112). Con el mismo detalle, menciona a Russell al final de "La creación y P.H. Gosse" cuando dice: "En el capítulo noveno del libro *The Analysis of Mind* (Londres, 1921) supone que el planeta ha sido creado hace pocos minutos, provisto de una humanidad que 'recuerda' un pasado ilusorio" (OI 40). Lo curioso es que esta misma cita aparece intercalada en la ficción de "Tlön, Uqbar, Orbis Tertius". Ocurre cuando el narrador refiere que una de las escuelas de Tlön llega a negar el tiempo y, al final de su explicación, pone una nota al pie de página que dice: "[1]Russell (*The Analysis of Mind*, 1921, página 159) supone que el planeta ha sido creado hace pocos minutos, provisto de una humanidad que 'recuerda' un pasado ilusorio" (F 23). Por último, en "Dos libros", artículo incluido en *Otras inquisiciones*, Borges describe a *Let the People Think* como una selección de los ensayos de Bertrand Russell. En los dos que comenta predomina el tono de crítica social con una buena dosis de humor e ironía. Así, leemos:

> En el tercer artículo –*Free Thought and Official Propaganda*– propone que las escuelas primarias enseñen el arte de leer con incredulidad los periódicos. Entiendo que esa disciplina socrática no sería inútil. De las personas que conozco, muy pocas la deletrean siquiera. Se dejan embaucar por artificios tipográficos o sintácticos; piensan que un hecho ha acontecido porque está impreso en grandes letras negras; confunden la verdad con el cuerpo doce; no quieren entender que la afirmación: *Todas las tentativas del agresor para avanzar más allá de B han fraca-*

sado de manera sangrienta, es un mero eufemismo para admitir la pérdida de B. (OI 180)

Todo lo anterior prueba la familiaridad de Borges con distintos textos de Bertrand Russell. En cuanto a los dos que menciona en "La perpetua carrera de Aquiles y la tortuga", ambos desarrollan algunos de los temas fundamentales de la lógica matemática. Pero desde la perspectiva de nuestro estudio, ahora sólo nos interesa destacar en ellos ciertos párrafos significativos.

En el Capítulo X de *Introduction to Mathematical Philosophy* titulado "Límites y continuidad" ("Limits and Continuity") Russell establece el concepto de continuidad a través de diversas y complejas lucubraciones. Pero al final de su exposición indica que la idea que en la mente del hombre de la calle, o del filósofo, se asocia con la palabra "continuidad" no se corresponde con el concepto matemático de "continuidad" tal como lo definieron Dedekind y Cantor, o como él lo ha venido definiendo en este capítulo (105).

Una reflexión similar acerca de las limitaciones del lenguaje común para expresar conceptos matemáticos o, a veces, simplemente para transmitir un significado preciso aparece en el Capítulo XIII de *Introduction to Mathematical Philosophy*. Lo que resulta curioso es observar que Borges incluye algunos de sus párrafos en "Avatares de la tortuga". Al iniciar esta discusión Russell recuerda un pasaje del *Parménides* de Platón que ofrece un ejemplo de progresión infinita. Borges transcribe así el texto de Russell: "Si el uno existe, el uno participa del ser, pero como son diferentes el ser y el uno, existe el dos; pero como son diferentes el ser y el dos, existe el tres, etc." (D 132). Después de estas líneas, Borges intercala otro ejemplo de progresión infinita para luego, en traducción libre, sintetizar el final del párrafo de Russell: "Russell opina que la vaguedad del término *ser* basta para invalidar el razonamiento. Agrega que los números no existen, que son meras ficciones lógicas" (D 132). En realidad, en su enunciado Russell es mucho más explícito y claro en denunciar la falta de un significado preciso para la palabra "ser". Dice:

> Este argumento es falso, en parte porque "ser" no es un término que tenga un significado definido, y aún más porque si se le inventara un significado definido, se encontraría que los números no poseen ser –ellos son, de hecho, lo que se llama "ficciones lógicas" (La traducción es nuestra).[2]

En la última página del libro Russell vuelve a insistir en la imposibilidad de enunciar adecuadamente las ideas de la filosofía matemática a través del lenguaje común. Dice que dado que éste no tiene palabras que naturalmente expresen en forma exacta lo que se desea expresar en el campo de la filosofía matemática, en tanto nos mantengamos adheridos al lenguaje común debemos imponer a sus palabras significados inusuales. Además, dice, la gramática y la sintaxis son extraordinariamente engañosas. Por esto, porque el lenguaje es engañoso así como difuso e inexacto cuando se lo aplica a la lógica, para un tratamiento completo y exacto de la filosofía matemática es absolutamente necesario recurrir al simbolismo lógico.[3]

Aunque estas críticas de Russell acerca de la insuficiencia del lenguaje ordinario se aplican básicamente a los casos cuando éste

---

2   "This argument is fallacious, partly because 'being' is not a term having any definite meaning, and still more because, if a definite meaning were invented for it, it would be found that numbers do not have being –they are, in fact, what are called 'logical fictions'"

3   "Since ordinary language has no words that naturally express exactly what we wish to express, it is necessary, so long as we adhere to ordinary language, to strain words into unusual meanings... Moreover, ordinary grammar and syntax is extraordinarily misleading... Because language is misleading, as well as because it is diffuse and inexact when applied to logic... logical symbolism is absolutely necessary to any exact or thorough treatment of our subject" (Russell, *Introduction* 205).

es el instrumento para expresar conceptos de la filosofía matemática, es lógico suponer que las mismas no pasaron inadvertidas para alguien, como Borges, siempre atento a los problemas de la comunicación verbal.

En cuanto a *Our Knowledge of the External World*, el otro libro que Borges sugiere como lectura complementaria para entender las bases sobre las que Russell sustenta su refutación, sólo vamos a anotar aquí que en sus páginas Russell presenta las cuatro paradojas de Zenón: la primera, la de la pista de carrera o de la dicotomía (186-88), la segunda, de Aquiles y la tortuga (188), la tercera, la de la flecha en vuelo (188-90), y la cuarta o la del estadio (190-93). En "Mathematics and the Metaphysician" ("Matemáticas y el metafísico"), ensayo escrito en 1901, e incluido después como un capítulo de *Mysticism and Logic and Other Essays* en 1919, Russell exalta a Zenón como el fundador de la filosofía de la infinitud, y el inventor de cuatro argumentos, todos inmensamente sutiles y profundos, para probar que el movimiento es imposible, que Aquiles nunca puede alcanzar a la tortuga, y que una flecha en vuelo está realmente en reposo.[4]

Si evaluáramos los textos de Russell sobre la base de los fragmentos que anotamos hasta aquí (con traducciones o paráfrasis del original) podríamos decir que son claros y no presentan gran dificultad para interpretarlos. Así, podría repetirse la pregunta de por qué Borges no escribe la refutación de Russell directamente sino que lo hace a través de la versión que de ella da William James. La respuesta la hallaríamos al cumplir la lectura completa de los libros de Russell y confirmar la advertencia de James en cuanto al carácter técnico y la complejidad de los conceptos de filosofía matemática expuestos en sus páginas. Por otra parte, después de recomen-

---

[4]   "He invented four arguments, all immeasurably subtle and profound, to prove that motion is impossible, that Achilles can never overtake the tortoise, and that an arrow in flight is really at rest" (Russell, *Mysticism* 80).

dar su lectura, Borges califica a esos textos como "libros de una
lucidez inhumana, insatisfactorios e intensos" (D 117). Aunque el
juicio es definitivo, aquí hay algo más. El rumbo de lectura que
Borges ha cumplido en "La perpetua carrera de Aquiles y la tortuga" marca un camino sinuoso: un diccionario, Lewes, Stuart Mill
a través de Lewes, Bergson, Bertrand Russell a través de William
James. Este transitar de un autor a otro, de un pensamiento a otro,
de una creencia a su confrontación, es común en los ensayos de
Borges. Pero aquí percibimos algo más: cierta inquietud o desaso-
siego o, tal vez, una búsqueda frustrada. La razón de todo esto la da
Borges al concluir el artículo cuando dice:

> He arribado al final de mi noticia, no de nuestra cavilación. La
> paradoja de Zenón de Elea, según indicó James, es atentatoria no
> solamente a la realidad del espacio, sino a la más invulnerable y
> fina del tiempo. Agrego que la existencia en un cuerpo físico, la
> permanencia inmóvil, la fluencia de una tarde en la vida, se alar-
> man de aventura por ella. Esa descomposición es mediante la sola
> palabra *infinito*, palabra (y después concepto) de zozobra que
> hemos engendrado con temeridad y que una vez consentida en un
> pensamiento, estalla y lo mata. (D 119-20)

El mismo tono de alarma aparece diez años después en las primeras líneas de "Avatares de la tortuga", el artículo publicado en
Sur en diciembre de 1939: "Hay un concepto que es el corruptor y
el desatinador de los otros. No hablo del Mal cuyo limitado imperio es la ética; hablo del infinito" (D 129).

A los pocos meses, en octubre de 1940, y también en *Sur*, Borges escribe la reseña de *Matemáticas e imaginación* donde ya ha
podido leer el párrafo alentador con el que Kasner y Newman inician el tratamiento del tema:

> Los problemas del infinito han desafiado la mente del hombre y
> han encendido su imaginación como ningún otro problema en la

historia del pensamiento humano. El infinito nos parece, a un mismo tiempo, tan extraño como familiar. Algunas veces más allá de nuestra comprensión y otras veces natural y fácil de entender. Al conquistarlo, el hombre rompió las cadenas que lo aprisionaban a la tierra. Para esta conquista se requirieron todas sus facultades: su capacidad de raciocinio, su fantasía poética y su afán de saber. (45)

A continuación, Kasner y Newman fijan el tratamiento del tema del infinito dentro del campo de las matemáticas. Así, dicen:

Establecer la ciencia del infinito implica el principio de la *inducción matemática*. Este principio afirma el poder del raciocinio por recurrencia o repetición. Simboliza casi todo el pensamiento matemático, todo lo que hacemos cuando construimos agregados complejos partiendo de elementos simples. (46)

Comentan que al ser capaces de formar números crecientes hasta diez, hasta un millón, hasta un googol, aceptamos la idea de esa progresión sin fin. Y de esto concluyen:

Sin ninguna sensación de discontinuidad, sin transgredir los cánones de la lógica, el matemático y el filósofo han tendido un puente sobre el golfo que separa lo finito del infinito. Las matemáticas del infinito constituyen una confirmación completa del poder innato de razonar por recurrencia. (46)

Después de enunciar estos principios generales, los autores indican que, habitualmente, no presenta dificultad aceptar que la palabra "infinito" significa "sin fin, sin límites", "no finito", pero que lo opuesto ocurre cuando se trata de definir, de dar una definición matemática del "infinito". El precisar qué es, o si existe el infinito ha sido el centro de demostraciones y argumentos antagónicos en una lucha, dicen, "que comenzó en la antigüedad con las paradojas de Zenón" y que "jamás ha cesado" (47).

En esto, Kasner y Newman coinciden con lo que Bertrand Russell había dicho en *Our Knowledge of the External World*: "En cierta forma, los argumentos de Zenón han sentado las bases para casi todas las teorías del espacio, del tiempo y de la infinitud que se han construido desde su época hasta nuestros días" (193. La traducción es nuestra).[5] Según estas razones, y como lo hizo Russell –y Borges–, para iniciar la discusión sobre el infinito Kasner y Newman van a partir de las paradojas de Zenón.

Comienzan por la primera, la de la dicotomía que, explican, afirma que es imposible recorrer una distancia dada. En seguida, y en forma sintética, presentan su enunciado: "primero, debe recorrerse la mitad de la distancia; luego, la mitad de la distancia restante; luego, otra vez, la mitad de la que queda y así sucesivamente" (48).

En "Avatares de la tortuga" Borges, tal vez siguiendo a Lewes, la resume aún más cuando dice: "El movimiento es imposible (arguye Zenón) pues el móvil debe atravesar el medio para llegar al fin, y antes el medio del medio, y antes el medio del medio, del medio, y antes…" (D 130).

Después de deducir la conclusión que señala "que siempre queda alguna parte de la distancia a recorrer y, por lo tanto, el movimiento es imposible", Kasner y Newman van a anotar una solución al problema para lo que hacen algo que todos alguna vez tratamos de imaginar frente a las paradojas de Zenón: delinear el esquema de sus términos y figurar su desarrollo. (**Figura 1**)

A la explicación gráfica sigue la explicación verbal:

> Una solución de esta paradoja enseña que las distancias sucesivas a recorrer forman una serie geométrica infinita: 1/2 + 1/4 + 1/8 + 1/16 + 1/32 + …cada uno de cuyos términos es la mitad del que lo

---

[5]   "Zeno's arguments, in some form, have afforded grounds for almost all the theories of space and time and infinity which have been constructed from his day to our own" (Russell, *Our Knowledge* 193).

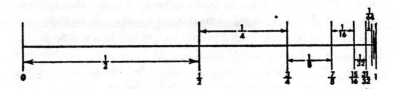

Figura 1. La dicotomía de Zenón.

precede. Aunque esta serie tiene un infinito número de términos, su suma es *finita* e igual a 1. (48)

Estas imágenes mueven a muchos críticos a referirse a "La muerte y la brújula", el relato de 1942 en el que Borges plantea el enfrentamiento entre Lönnrot, el investigador, y Scharlach, el criminal, relato que concluye con una propuesta de movimientos y destinos cuya figuración podría compararse con la de la primera paradoja de Zenón de Elea. Entre esos críticos cabe mencionar a Floyd Merrell quien en *Unthinking Thinking: Jorge Luis Borges, Mathematics, and the New Physics* presenta un excelente estudio, completo y erudito, sobre el tema que indica el subtítulo que es el de la relación de la obra de Borges con los principios de las matemáticas y de la física. En este libro Merrell dedica varias páginas (42-52) al comentario de las paradojas de Zenón y de sus derivaciones en los textos de Borges, como es el caso con "La muerte y la brújula".

Sin desconocer la importancia de los trabajos de Merrell o la validez de las interpretaciones de otros investigadores, aquí vamos a tratar de no alejarnos demasiado de nuestro propósito principal que sigue siendo el de observar el efecto que la lectura de *Matemáticas e imaginación* causó en Borges y cómo éste puede transparentarse en algunos de sus textos. Para esto sólo recordemos que en el desenlace de "La muerte y la brújula" Scharlach explica cómo planeó atraer a Lönnrot a su perdición con el juego aritmético de pasar del 3 al 4, y el geométrico de ir del triángulo al rombo.

Aun ante la certeza de que pronto va a morir, Lönnrot no desiste de razonar una vez más "el problema de las muertes simétricas y periódicas". Después, consecuente con el hilo de sus reflexiones, va a proponer a su victimario un camino, marcado con hitos, al final del cual podrá matarlo:

En su laberinto sobran tres líneas –dijo por fin–. Yo sé de un laberinto griego que es una línea única, recta. En esa línea se han perdido tantos filósofos que bien puede perderse un mero *detective*. Scharlach, cuando en otro avatar usted me dé caza, finja (o cometa) un crimen en A, luego un segundo crimen en B, a 8 kilómetros de A, luego un tercer crimen en C, a 4 kilómetros de A y B, a mitad de camino entre los dos. Aguárdeme después en D, a 2 kilómetros de A y de C, de nuevo a mitad de camino. Máteme en D, como ahora va a matarme en Triste-le-Roy. (F 158)

Frente a la clara alusión a la paradoja de la dicotomía ("un laberinto griego que es una línea única, recta" en la que "se han perdido tantos filósofos") estaríamos tentados a hacer lo que hicieron Kasner y Newman, es decir, figurar esa línea que sucesivamente se va dividiendo por la mitad, y por la mitad, y por la mitad...

Si consideramos esa figuración, primero nos alarma entender si Lönnrot está proponiendo – "finja (o cometa)"– una serie de asesinatos, en A, en B, en C, antes del suyo en D. Pero si volvemos a la formulación de la paradoja de Zenón advertimos que el camino propuesto por Lönnrot no le servirá a Scharlach si su único propósito es matar al odiado enemigo. Simplemente porque según Zenón, nunca podrá recorrer los 8 kilómetros que separan A de B, con lo que se descalabra todo el derrotero.

Por supuesto, los cuidadosos razonamientos de Lönnrot no cambian el designio fatal que Scharlach le tiene prometido, pero la forma en que el asesino responde a su víctima abre otras conexiones con el pensamiento de Borges: "–Para la otra vez que lo mate –replicó Scharlach– le prometo ese laberinto, que consta de una sola línea y que es invisible, incesante" (F 158). Nos referimos aquí a esa primera frase: "Para la otra vez que lo mate" junto con la última palabra, "incesante", con la que Scharlach califica el laberinto del devenir. La imagen del acto de matar que se repite continuamente sería un ejemplo del tema que Borges discute en "La doctrina de los ciclos", de 1934 –y vuelve a tratar, con variaciones, en "El tiempo circular", de 1943– y que es, resumiéndolo, el del Eterno Retorno, idea que, confiesa, siempre lo acompaña: "Yo suelo regresar eternamente al Eterno Regreso" (HE 108). Pero esto último nos distrae de lo que ahora nos ocupa que es observar el efecto que la lectura de *Matemáticas e imaginación* pudo haber causado en Borges, y considerar si la reminiscencia de alguna imagen del libro de Kasner y Newman, como la de la figura de la paradoja de Zenón, reavivó su propósito de hacer que, subrepticiamente, la paradoja entrara en sus ficciones.

Después de iniciar el tratamiento de las matemáticas del infinito con las paradojas eleáticas, Kasner y Newman pasan a discutir la acción renovadora que en ese campo ejercieron las teorías de Georg Cantor. Por nuestra parte, preferimos postergar para más adelante el comentario sobre la relación entre este último tema y los textos de Borges, y pasar a analizar otros varios que aparecen en *Matemáticas e imaginación*.

En la reseña de 1940, Borges enumera algunos de los que, aparentemente, más le impresionaron: la cuarta dimensión, la notación binaria, la cinta de Möbius, el silogismo dilemático o bicornuto, la teoría de los números transfinitos o, como vimos, las paradojas de Zenón (D 165).

Acerca de la cuarta dimensión, en páginas anteriores indicamos que ya en 1920, en una carta a Abramowicz, Borges se refiere a las discusiones sobre el tema planteadas en las reuniones del grupo de jóvenes ultraístas. Más importantes aún son dos trabajos que Borges publica en 1934 y 1938. El primero, con el título de "La cuarta dimensión" corresponde al Nº 40 de la *Revista multicolor de los sábados*; el segundo es "Un resumen de las doctrinas de Einstein", reseña del libro *Relativity and Robinson* de C.W.W.,[6] que aparece en *El Hogar* el 14 de octubre de 1938. Aunque este último texto es más breve que el primero, ambos se asemejan, especialmente al principio y al final de la exposición. Así, leemos: "Hacia 1670, el plotiniano inglés Henry More usó la frase *cuarta dimensión*, acaso por primera vez en el mundo" (BRM 29), y "La cuarta dimensión fue imaginada en la segunda mitad del siglo XVII por el plotiniano inglés Henry More" (TC 276). La misma semejanza aparece en las frases finales de ambos artículos pero lo más significativo es que en ellas Borges se refiere a la forma en que los principios de la cuarta dimensión fueron aplicados a un texto literario. En 1934 dice: "En 1897, H.G. Wells publicó aquel famoso *Caso Plattner*, que narra la aventura de un serio profesor de alemán que fue arrebatado a un mundo de espantos y volvió zurdo y con el corazón del lado derecho. Lo habían invertido íntegramente, igual que en un espejo" (BRM 31). Y en 1938, repite: "En *El caso Plattner* de Wells, un hombre es arrebatado a un mundo de espantos; al regresar, advierten que es zurdo y que tiene el corazón del lado derecho. En otra dimensión lo habían invertido íntegramente, igual que en los espejos" (TC 277).

Kasner y Newman dedican varias páginas a dilucidar el concepto de cuarta dimensión en las matemáticas (125-40). Comienzan admitiendo la dificultad de aprehender esa idea: "La noción de una cuarta dimensión, aunque precisa, es muy abstracta y, para la gran mayoría, está más allá de la imaginación y en la región más pura del conocimiento" (126). Y, como había hecho Borges, reconocen a Henry More como aquél que verbalizó el

---

6   Ver nuestros comentarios sobre este libro en *Bioy Casares y el alegre trabajo de la inteligencia* (53-54).

concepto aun contra las opiniones que desde Aristóteles negaban su formulación ("Inconscientemente un filósofo, Henry More, vino a redimirlo" 127).

Después, se refieren a las diversas alegorías y ficciones que se propusieron "a fin de hacer más aceptable la idea de una cuarta dimensión", y aclaran que hablar del tiempo como de una cuarta dimensión puede ser admitido por el físico pero no por el matemático (127-28).

Luego, y ya con razonamientos más complejos, se apoyan en los que sustenta la geometría analítica la que permite fórmulas de dos dimensiones, de tres dimensiones, de cuatro dimensiones... o de n dimensiones (129-34). Pero en este punto reconocen que todo esto es muy abstracto, y que aun el matemático desearía "vislumbrar qué le parecería si pudiese, por un instante, introducirse en una cuarta dimensión" (134). Comentan la dificultad de representar gráficamente figuras de cuatro dimensiones dado que sobre el plano del papel de dos dimensiones sólo pueden dibujarse figuras de dos dimensiones y, a lo sumo y gracias a la perspectiva, aquellas de tres dimensiones como un cubo. Pero el intento de dibujar un *hipercubo*, un cubo de cuatro dimensiones fracasa porque lo que puede dibujarse es "sólo una perspectiva de una 'perspectiva'" (135). Sin embargo, y dando vuelo a la imaginación más que ateniéndose a las matemáticas, Kasner y Newman ofrecen la figura de ese "hipercubo". **(Figura 2)**

Lo que importa destacar aquí es que al final de su artículo en la *Revista multicolor de los sábados*, Borges copia la página de *El ABC de la cuarta dimensión*, de Claude Bragdon, en la que el autor, con la explicación para cada una de las figuras, dibuja una línea (una dimensión), un cuadrado (dos dimensiones), un cubo (tres dimensiones) y un tetrahipercubo (de cuatro dimensiones) cuyo dibujo coincide con el que aparece en las páginas de *Matemáticas e imaginación* (BRM 32).

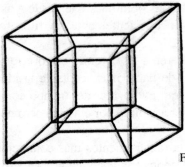

Figura 2. El hipercubo.

El hipercubo, como la figura de la paradoja de Zenón, son dos de las muchas ilustraciones que abundan en el libro de Kasner y Newman. En el "Prólogo" a la edición de su "Biblioteca personal" Borges, con indudable complacencia, invita al lector a observar esas "extrañas ilustraciones" (BP 36).

En el quinto capítulo de *Matemáticas e imaginación* titulado "Pasatiempos de épocas pasadas y recientes" los autores presentan rompecabezas o problemas que se solucionan aplicando principios de aritmética o geometría.

El tono diversivo del texto se anticipa en el epígrafe que lo encabeza. La cita es de Mark Twain, y dice: "El trabajo consiste en todo lo que un cuerpo está obligado a hacer y el juego consiste en todo lo que un cuerpo no está obligado a hacer" (160).

Después de recordar que desde la antigüedad muchos filósofos y científicos se dieron a resolver estos juegos de ingenio no sólo como una forma de entretenimiento sino también para arribar a través de ellos a reflexiones fundamentales en sus disciplinas, Kasner y Newman enumeran algunos de esos rompecabezas. Así, mencionan el de los que tienen que cruzar un río en un bote pequeño con la condición de que algunos de ellos no pueden quedarse solos en una u otra orilla, el de las maniobras ferroviarias de una locomotora y dos vagones para no sobrepasar el límite de longitud que permiten los desvíos que pueden utilizar para conectarse, o los de los ardides hechos con naipes que, aclaran, "son habitualmente rompecabezas aritméticos disfrazados" (168). Sobre estos juegos aritméticos dicen que es importante observar qué "escala de notación" se utiliza en ellos (169), y dan varios ejemplos en los que la escala es el sistema decimal.

De la escala decimal, Kasner y Newman pasan a tratar la escala de notación binaria, escala mencionada por Borges en su reseña ("la notación binaria que Leibniz descubrió en los diagramas del *I King*" D 165). En la explicación, incluyen algunos comentarios secundarios:

> La notación *binaria* o *bivalente* (que emplea la base 2), no es un concepto nuevo, pues se encuentran referencias de la misma en un libro chino que se cree ha sido escrito 3000 años antes de Jesucristo. Cuarenta y seis siglos después descubrió nuevamente Leibniz las maravillas de la escala binaria y se admiraba ante ella como si fuese una nueva invención. En su uso de sólo dos símbolos Leibniz vio, en el sistema bivalente, algo de gran significación religiosa y mística. (171)

Después de explicar que mientras que "la escala decimal requiere diez símbolos: 0, 1, 2, 3, 4,... 9, la escala binaria usa solamente dos: 0 y 1" (171), los autores escriben los primeros 32 números enteros con la notación decimal y la correspondiente notación binaria. A esto siguen una serie de ejemplos de rompecabezas que pueden resolverse mediante el uso de la notación binaria como el de los anillos chinos, el de la Torre de Hanoi, o el problema denominado Nim, todos ilustrados con esquemas y dibujos (172-76).

Si en la reseña de *Matemáticas e imaginación* Borges se refiere a la notación binaria en una o dos líneas, en la que había escrito dos años antes sobre *Men of Mathematics*, de E.T. Bell, publicada en *El*

Hogar en julio de 1938, la mención es más extensa y detallada.
Aunque su evaluación del texto de Bell es elogiosa, al final
lamenta que un "libro tan abundante de noticias curiosas, no hable
del sistema binario de numeración que los diagramas de una obra
china –el *I King*– sugirieron a Leibniz" (TC 250). Luego, completa
el comentario con la notación binaria de una serie de números enteros.

De la Bibliografía que anotan para *Matemáticas e imaginación*,
Kasner y Newman dicen lo siguiente: "Esta bibliografía descrip-
tiva contiene cierto número de obras que se relacionan con el contenido de este libro. No es (ni pretende ser) completa, terminante o
suficiente. Es simplemente una expresión de gustos personales que
puede ser útil al lector cuya curiosidad haya sido estimulada"
(355).

Ante todo, cuando explican que la selección de los textos de
esta Bibliografía es "una expresión de gustos personales" la frase
nos lleva a recordar lo que Borges declaraba acerca de la que él
practicó para organizar los volúmenes de su "Biblioteca personal":
"Esta serie de libros heterogéneos es, lo repito, una biblioteca de
preferencias" (BP iii).

Pero lo más relevante es advertir que en la lista de obras que
responden a "gustos personales" figura el libro de E.T. Bell, *Men of
Mathematics*, con una descripción tanto o más positiva que la que
Borges escribió en su reseña de *El Hogar*. Esta coincidencia en la
forma de valorar determinados textos es otra de las razones que
explican por qué Borges hace de *Matemáticas e imaginación* uno
de sus libros preferidos.

Borges vuelve a referirse a la notación binaria en una reseña del
libro de George S. Terry, *Duodecimal Arithmetic*, publicada en *Sur*
en noviembre de 1939 (BS 215-16), y también en nota al pie de
página en "El idioma analítico de John Wilkins", de 1942 (OI 140),
lo que prueba que este tema de las matemáticas ocupaba con fre-

cuencia su pensamiento, antes y después de leer el libro de Kasner y Newman.

Volviendo a la reseña de *Matemáticas e imaginación* resulta extraña la línea que alude a "la levemente obscena tira de Möbius" (D 165), referencia que Borges va a ampliar al final del "Prólogo" para el volumen de su "Biblioteca personal", en 1985: "la hoja de Möbius, que cualquiera puede construir con una hoja de papel y con una tijera y que es una increíble superficie de un solo lado" (BP 36). Esto último es lo que indican Kasner y Newman cuando hablan de la cinta de Möbius como un ejemplo curioso de la topología, la rama de las matemáticas que "es una geometría del lugar, de la posición" (267) en cuanto estudia "la posición y relación de las partes de una figura con respecto a otra sin tener en cuenta la forma o el tamaño" (269). Después de comentar que su construcción es sencilla, dan las siguientes instrucciones: "Tómese un rectángulo de papel, alargado, ABCD, désele media vuelta y únanse sus extremos de manera que C caiga en B y D en A" (281). Debajo, los autores dibujan primero la cinta rectangular, AB en un extremo, y CD en el otro y, en seguida, la cinta de Möbius que resulta de unirla según lo indicado. (**Figura 3**)

A esto agregan que mientras la tira rectangular cerrada en la forma habitual (AC y BD) resulta en un cilindro que es una superficie *bilátera*, la cinta de Möbius es una superficie *unilátera*. Luego, con el acostumbrado dejo de humor, dicen que "si un pintor conviniese en pintar solamente un lado de la misma, su gremio se interpondría, puesto que al pintar un lado estaría, en realidad, pintando ambos lados" (281).

No encontramos en las ficciones de Borges ninguna reminiscencia de la tira de Möbius, con su "increíble superficie de un solo lado". Lo que más se le acerca es la figura geométrica que sirve de base al relato "El disco", incluido en *El libro de arena*. En el "Epílogo" a esa colección de cuentos, Borges lo explica así: "Dos objetos adversos e inconcebibles son la materia de los

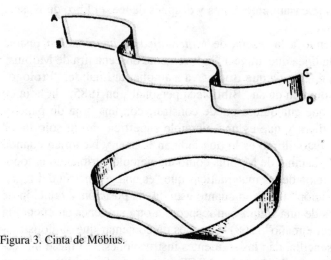

Figura 3. Cinta de Möbius.

últimos cuentos. 'El disco' es el círculo euclidiano, que admite solamente una cara; 'El libro de arena', un volumen de incalculables hojas'" (LA 181-82).

La narración de "El disco" es breve, como reducido es el número de sus personajes: un viejo leñador, el extraño visitante, también anciano, que se proclama rey porque posee el disco de Odín y, aunque inanimado, el protagonista de la historia: el disco que tiene "un solo lado" (LA 165). Codicioso del poder que supuestamente se deriva de la posesión del disco, el leñador mata a su dueño pero cuando busca el disco del que sólo había percibido "una cosa fría" y "un brillo", no lo encuentra. En la última línea, el leñador declara su condena: "Hace años que sigo buscando" (LA 166).

En "Indicios", artículo incluido en el volumen *Borges y la ciencia*, Humberto Alagia, de la Facultad de Matemática, Astronomía y Física de la Universidad Nacional de Córdoba, Argentina, analiza "indicios de matemática" en los textos de Borges. Acerca de "El

disco" pregunta "a qué lado único se refiere el relato" (90), indica
que en "geometría analítica no hay mayor problema para identificar un disco" lo que "significa determinar su ecuación respecto de
algún sistema de coordenadas" (96), y sintetiza en parte sus
comentarios cuando dice: "El disco tiene un papel dramático porque es el de la geometría euclidiana, es funcional para el cuento
porque su misterio tiene que ver con la dificultad de concebir objetos bidimensionales en nuestro entorno tridimensional" (90).

Ateniéndonos siempre a la lista de temas que Borges destaca en
su reseña de *Matemáticas e imaginación*, sorprende que mientras a
algunos importantes como el de la cuarta dimensión, el de la teoría
de los números transfinitos, o el de la notación binaria los menciona en una o dos líneas, al que denomina el del "silogismo dilemático o bicornuto"[7] le concede más de la mitad de la totalidad de
su texto. Lo explica así:

> De este último, con el que jugaron los griegos (Demócrito jura que
> los abderitanos son mentirosos; pero Demócrito es abderitano:
> luego Demócrito miente: luego no es cierto que los abderitanos
> son mentirosos: luego Demócrito no miente: luego es verdad que
> los abderitanos son mentirosos; luego Demócrito miente; luego...)
> hay casi innumerables versiones que no varían de método, pero sí
> de protagonistas y de fábula. (D 165-66)

---

7   En *La filosofía de Borges*, Juan Nuño aclara que la "'paradoja del mentiroso'
(o del Cretense o de Epiménides) no es un ejemplo de silogismo dilemático o
syllogismus cornutus. El dilema es un silogismo que concluye en una sentencia disyuntiva de la cual se afirman los dos miembros. Forzadamente podría
tenerse a la paradoja del mentiroso como modo disyuntivo, pues de hecho es
un razonamiento que, en su expresión, no da a elegir" (84). Por su parte, Hayles adopta el nombre de "Strange Loop", nombre propuesto por Douglas
Hofstadter, para referirse a lo que Borges llama en su reseña silogismo dilemático o bicornuto (34 y 142).

A continuación, y con datos precisos, Borges anota algunas de esas versiones como la que aparece en "Aulo Gelio (*Noches áticas*, libro quinto, capítulo X)", en "Luis Barahona de Soto (*Angélica*, onceno canto)", en "Miguel de Cervantes (*Quijote*, segunda parte, capítulo LI)" o en "Bertrand Russell (*Introduction to Mathematical Philosophy*, página 136)" (D 166).

Y, finalmente, concluye la reseña con su versión de la paradoja:

> A esas perplejidades ilustres, me atrevo a agregar ésta: En Sumatra, alguien quiere doctorarse de adivino. El brujo examinador le pregunta si será reprobado o si pasará. El candidato responde que será reprobado... Ya se presiente la infinita continuación. (D 166)

Con esto, aquí se imponen algunos comentarios. En primer lugar, es interesante comprobar que, en su libro, Kasner y Newman sólo se refieren a la llamada paradoja del mentiroso o de Epiménides en forma limitada y secundaria. Así la describen en tres líneas: "En ella, se hace decir a un cretense que todos los cretenses son embusteros, lo cual, si es cierto, convierte en mentiroso al que habla, por decir la verdad" (71-72). Más adelante, en la sección en que tratan el tema de las paradojas lógicas la ponen en una nota al pie de página para ilustrar ese tipo de razonamiento: "[10] Por ejemplo, el acertijo de Epiménides referente a los cretenses que dice que todos los nativos de la isla de Creta son mentirosos" (215). Esto es todo, sólo cuatro o cinco líneas en el libro reseñado frente a aquellos largos párrafos en la reseña.

En cuanto a qué nos dice este desequilibrio, la respuesta es que delata la forma en que Borges lee *Matemáticas e imaginación* o, para el caso, cualquier otro libro. Su atención se fija a veces en capítulos enteros o largos razonamientos mientras que en otras ocasiones sólo se detiene en una frase o en un par de líneas. Después, desde estas bases tan distintas, continuará con su meditar o, más importante, se apoyará igualmente en ellas para encaminarse hacia sus ficciones.

Por otro lado, la detallada enumeración de diversas versiones del silogismo, desde la de Aulo Gelio hasta la de Bertrand Russell, se entiende mejor si vemos que seis años antes de sus comentarios en la reseña, en diciembre de 1934, Borges había publicado en la *Revista multicolor de los sábados* un artículo más extenso sobre el tema de la paradoja (BRM 27-29). Bajo el título de "Dos antiguos problemas" el artículo se divide en cuatro secciones. En la primera, "El mentiroso", Borges presenta la paradoja tradicional que puede atribuirse a Demócrito de Abdera o a Epiménides de Creta, por lo que dice: "elija mi lector aquel sonido que más le gusta" (BRM 27). La segunda sección se titula "El cocodrilo" y los interlocutores en la escenificación de la paradoja son un cocodrilo, una mujer y su hijo. En la tercera, "El puente", Borges copia la página del capítulo LI, de la Segunda parte de *Don Quijote* en la que aparece Sancho Panza quien, en su cargo como gobernador de la ínsula Barataria, debe resolver el problema de aquél que dijo que su propósito de cruzar el río por el puente era el de morir en la horca, problema planteado en los términos de la paradoja del mentiroso. Por fin, en "El adivino", la sección con que concluye el artículo, se anticipa con mínimas diferencias el texto que también cierra la reseña de 1940: "En Sumatra, un hombre quiere doctorarse de brujo. El examinador le pide que adivine si será reprobado o si pasará. El hombre dice que será reprobado... Ya se presiente la infinita continuación" (BRM 29).

"El adivinador" es la versión que Borges da de la paradoja, propósito que deja en claro en la forma en que encabeza su relato en ambas ocasiones: "He urdido una tercera fábula" (BRM 29); "A esas perplejidades ilustres, me atrevo a agregar ésta" (D 166).

Pero si sacáramos a "El adivinador" de su contexto liberándolo de ser ilustración de un silogismo, no sería muy forzado interpretarlo como un fragmento narrativo, casi como un micro-relato. Tal

vez aquí el creador de ficciones ya estaba invadiendo el terreno del
razonador de conceptos lógicos.

Ahora, si conectamos "infinita continuación", las dos palabras
que aparecen en la última línea de "El adivinador", con el último
ejemplo de silogismo dilemático que Borges anota en la reseña de
Matemáticas e imaginación, el de Bertrand Russell con la mención
del "conjunto de todos los conjuntos que no se incluyen a sí mismos" (D 166), enfrentaremos el tema que ocupa con la misma intensidad el pensamiento matemático, la reflexión filosófica, y la sensibilidad poética: la idea del infinito.

Como Borges había señalado, en la página 136 de *Introduction
to Mathematical Philosophy* Russell propone formar la clase de
todas las clases que no son miembros de sí mismas ("Form now the
assemblage of all classes which are not members of themselves."),
pero cuando pregunta si esta clase es miembro de sí misma o no lo
es, llega a la conclusión de que las dos hipótesis –que es o que no es
miembro de sí misma– implican contradicción.

Kasner y Newman discuten el argumento propuesto por Russell
dentro de la sección que dedican al estudio de las paradojas lógicas
(214-20) al principio del cual, y como comentamos en páginas anteriores, ponen en una nota al pie de página la referencia al acertijo de
Epiménides.

Si vamos a la página 136 del libro de Russell, que es la que Borges cita, veremos que Russell también explica en ella que su propuesta de reunir una clase de todas las clases que no son partes de sí
mismas, la que resulta en una contradicción, nació junto con el
intento de descubrir si existía algún error en la prueba de Cantor
acerca del mayor de los números cardinales. La mención de Cantor
nos lleva de lleno al centro de la cuestión de las matemáticas del infinito que Cantor establece a través de su teoría de los conjuntos y la
determinación del concepto de números transfinitos. El título de una
de sus monografías más importantes, *Beiträge zur Begründung der
transfiniten Mengenlehre* (Contribución a las bases de la teoría de

conjuntos transfinitos), sintetiza en gran parte la esencia de sus trabajos.

Como es lógico, Kasner y Newman dedican muchas páginas de su texto a exponer los argumentos de Cantor. Empiezan por subrayar la definición que Cantor da de clase infinita, la que resulta paradójica frente a nuestra manera habitual de razonar. Dicen "UNA CLASE INFINITA TIENE LA ÚNICA PROPIEDAD DE QUE EL TODO NO ES MAYOR QUE ALGUNAS DE SUS PARTES. Esta proposición es tan esencial para las matemáticas del infinito como la que expresa: EL TODO ES MAYOR QUE CUALQUIERA DE SUS PARTES, para la aritmética finita" (53).

Luego, escriben los números enteros del 1 al 7 con puntos suspensivos que indican su continuación, y debajo de cada uno de ellos, su duplo, que es un número entero par, lo que resulta en la correspondencia uno-a-uno de cada uno de los elementos de la clase de todos los números enteros, impares y pares, con los elementos de la clase compuesta únicamente de números enteros pares:

1	2	3	4	5	6	7...
2	4	6	8	10	12	14...

Después, en un párrafo más extenso, anotan lo siguiente:

Ahora bien, la clase de los números enteros es infinita. Ningún número entero, no importa cuán grande sea, puede describir su cardinalidad (o numerosidad). Sin embargo, puesto que es posible establecer una correspondencia de uno-a-uno entre la clase de los números pares y la clase de los números enteros, hemos logrado contar la clase de los números pares del mismo modo que contamos una colección finita. Estando perfectamente equiparadas las dos clases, debemos llegar a la conclusión de que tienen la misma cardinalidad... De este modo llegamos a la paradoja fundamental de todas las clases infinitas: existen partes componentes de una clase infinita que son tan grandes como la clase misma. ¡EL TODO NO ES MAYOR QUE ALGUNA DE SUS PARTES! (54)

Por fin, agregan que este procedimiento de equiparar la clase de números enteros con la clase de los números pares puede repetirse reemplazando a los números pares por el cuadrado, el cubo de los números enteros, o cualquier otra clase "entresacada" de la clase de los primeros.

Esto es lo que hace Borges cuando en "La perpetua carrera de Aquiles y la tortuga", y en "La doctrina de los ciclos" ejemplifica la correspondencia entre la serie de los números enteros y otras series que los implican. Lo curioso es que en el primer texto, de 1929, el procedimiento lo atribuye a Russell, mientras que en el segundo, de 1934, menciona correctamente a Cantor y "a su heroica teoría de los conjuntos" (HE 92).

En "La perpetua carrera de Aquiles y la tortuga", leemos: "Para Russell, la operación de contar es (intrínsecamente) la de equiparar dos series" (D 117). Y más abajo: "La serie natural de los números es infinita, pero podemos demostrar que son tantos los impares como los pares" (D 118). Y, a continuación, ejemplifica éste y otros procedimientos que también equiparan dos series:

Al 1 corresponde el 2

"   3   "   " 4

"   5   "   " 6, etcétera.

La prueba es tan irreprochable como baladí, pero no difiere de la siguiente de que hay tantos múltiplos de tres mil dieciocho como números hay.

Al 1 corresponde el 3018

"   2   "   " 6036

"   3   "   " 9054

"   4   "   " 12072, etcétera. (D 118)

Después de anotar un último ejemplo con el número 3018 elevado a sucesivas potencias, Borges va a enunciar la definición de clase infinita según se deriva de los razonamientos arriba ilustrados. Dice:

> Una genial aceptación de estos hechos ha inspirado la fórmula de que una colección infinita –verbigracia, la serie de los números naturales– es una colección cuyos miembros pueden desdoblarse a su vez en series infinitas. La parte, en esas elevadas latitudes de la numeración, no es menos copiosa que el todo: la cantidad precisa de puntos que hay en el universo es la que hay en un metro de universo, o en un decímetro, o en la más honda trayectoria estelar. (D 118-19)

Si en este ensayo la referencia a la teoría de los conjuntos sirve para interpretar la paradoja de Zenón, en "La doctrina de los ciclos" la misma enfrenta la tesis del Eterno Retorno, atribuida a Nietzsche, que Borges transcribe al comienzo de su texto cuando anota:

> El número de todos los átomos que componen el mundo es, aunque desmesurado, finito, y sólo capaz como tal de un número finito (aunque desmesurado también) de permutaciones. En un tiempo infinito, el número de las permutaciones posibles debe ser alcanzado, y el universo tiene que repetirse. (HE 89)

Después de tratar de concebir "las sobrehumanas cifras" invocadas en ese enunciado (HE 90), establece el enfrentamiento: "Cantor destruye el fundamento de la tesis de Nietzsche. Afirma la perfecta infinitud del número de puntos del universo, y hasta de un metro de universo o de una fracción de ese metro" (HE 92). A este párrafo, sigue la repetición exacta del texto de 1929, con los ejemplos y el enunciado referidos a la teoría de los conjuntos que copiamos antes.

Continuando con sus comentarios sobre las teorías de Cantor, Kasner y Newman llegan a un tema fundamental en el campo de las matemáticas y, como veremos, central también en el marco de nuestro estudio, que es el de la determinación de los números transfinitos y de los símbolos que los representan. En forma sintética, y bastante clara, lo explican así:

> Cantor llamó *contables o denumerablemente infinitas* a las infinitas clases que pueden ponerse en una correspondencia uno-a-uno con los números enteros y, por lo tanto, ser "contadas". Ya que todos los conjuntos finitos son contables y que podemos asignar un número a cada uno, es natural que tratemos de extender esta noción asignando a la clase de todos los números enteros un número que represente su cardinalidad. Sin embargo, es evidente, de acuerdo con nuestra descripción de "clase infinita", que ningún número entero ordinario sería adecuado para describir la cardinalidad de toda la clase de los números enteros... De este modo, fue creado el primero de los números transfinitos para describir la cardinalidad de las clases infinitas contables. (55)

Y en cuanto al símbolo para enunciar este número transfinito, agregan:

> Se sugirió representarlo con un símbolo etimológicamente antiguo, pero matemáticamente nuevo: la primera letra del alfabeto hebreo, $\aleph$ (aleph). Sin embargo, Cantor decidió finalmente usar el símbolo compuesto $\aleph_0$ (Aleph-cero). Si se nos pregunta "¿cuántos números enteros hay?" sería correcto contestar: "Hay $\aleph_0$ números enteros". (55)

Aunque Kasner y Newman prosiguen con la consideración de las propuestas de Cantor al referirse a una jerarquía de alephs: $\aleph_0$, $\aleph_1$, $\aleph_2$, $\aleph_3$,... o entre otros argumentos, a las clases no denumerablemente infinitas, para nuestro análisis es suficiente con que nos detengamos en los dos conceptos ya enunciados: el de los números transfinitos, y el de Aleph-cero.

En la obra de Borges, la mención o aplicación de uno u otro concepto aparece antes y después de 1940, fecha de su lectura de *Matemáticas e imaginación*. Si se trata de los números transfinitos, ya encontramos la referencia en la reseña sobre *"Men of Mathematics*, de E.T. Bell", de julio de 1938. Borges explica que el libro "es una historia de los matemáticos europeos, desde Zenón de Elea hasta Georg Ludwig Cantor de Halle", y agrega: "No sin misterio se unen esos dos nombres: veintitrés siglos los separan, pero una misma perplejidad les dio fatiga y gloria a los dos, y no es aventurado colegir que los extraños números transfinitos del alemán fueron ideados para resolver de algún modo los enigmas del griego" (TC 250).

Al año siguiente, al final de "La biblioteca total" el artículo publicado en el número 59 de *Sur*, en agosto de 1939, los números transfinitos no sólo son extraños sino que ahora también inspiran temor: "Uno de los hábitos de la mente es la invención de imaginaciones horribles. Ha inventado el Infierno, ha inventado la predestinación al Infierno, ha imaginado las ideas platónicas, la quimera, la esfinge, los anormales números transfinitos (donde la parte no es menos copiosa que el todo), las máscaras, los espejos..." (16).

Después, el tema se introduce en las ficciones como ocurre en "There Are More Things" de *El libro de arena* (1975), relato en el que el protagonista-narrador da como su rasgo más notorio la curiosidad, curiosidad que va a empujarlo a experiencias peligrosas como "a explorar los números transfinitos" o "a emprender la atroz aventura" que marca el desarrollo del cuento (70). Por fin, en "Alguien sueña" de *Los conjurados* (1985), Alguien "Ha soñado los números transfinitos, a los que no se llega contando" (44).

Tanto Floyd Merrell como N. Katherine Hayles, los autores de los dos estudios más completos sobre el tema que ahora nos ocupa, consideran que Borges conocía muy bien las teorías de Cantor,

(Merrell 60-61), (Hayles 142, 161). De acuerdo con nuestro análisis, ese conocimiento no fue directo –Borges nunca cita específicamente un texto de Cantor– sino a través de los comentarios de otros autores. Así, leemos en el primer párrafo de "Nihon", prosa incluida en *La cifra*, de 1981:

> He divisado, desde las páginas de Russell, la doctrina de los conjuntos, la *Mengenlehre*, que postula y explora los vastos números que no alcanzaría un hombre inmortal aunque agotara sus eternidades contando, y cuyas dinastías imaginarias tienen como cifras las letras del alfabeto hebreo. En ese delicado laberinto no me fue dado penetrar. (101)

Estas líneas no sólo confirman que, en general, Borges interpretó la obra de Cantor sobre la base de los comentarios de Russell, sino que también explican por qué en "La perpetua carrera de Aquiles y la tortuga" parece atribuir a Russell la formulación de la teoría de Cantor. En cuanto a la alusión a las "dinastías imaginarias [que] tienen como cifras las letras del alfabeto hebreo", la misma finalmente nos lleva a tratar el tema del Aleph.

La primera mención de su símbolo la encontramos en el artículo sobre Ramón Gómez de la Serna incluido en *Inquisiciones*, de 1925, en el que Borges se pregunta qué signo podría representar en su abreviatura la tarea descomunal ejercitada por este escritor que "ha inventariado el mundo". Su respuesta: "Yo pondría sobre ella el signo Alef, que en la matemática nueva es el señalador del infinito guarismo que abarca los demás o la aristada rosa de los vientos que infatigablemente urge sus dardos a toda lejanía" (I 132-33).

De esta última comparación poética del trazado de la letra hebrea con una rosa de los vientos **(Figura 4)**, pasamos a "El Aleph", el relato que Borges publica en *Sur* en 1945, y que incluye en el volumen del mismo título en 1949.

Siempre dentro del esquema de nuestro estudio, no vamos a analizar el cuento en toda su posible significación sino que nos

Figura 4. Aleph o Alef, primera letra del alfabeto hebreo.

limitaremos a destacar aquellos aspectos que se relacionan en forma más específica con las ideas de Cantor, y cómo éstas y otros argumentos matemáticos se presentan en *Matemáticas e imaginación*.

En el relato, la imagen del extraño objeto que Carlos Argentino Daneri tiene en el sótano de su casa se va completando a medida que avanza el desarrollo de la trama. Así, empieza por ser "uno de los puntos del espacio que contienen todos los puntos" (A 160). Después, "el lugar donde están, sin confundirse, todos los lugares del orbe, vistos desde todos los ángulos" (A 161). Más adelante, "El microcosmo de alquimistas y cabalistas" (A 162) y, al final, su descripción en lo que anota el narrador-personaje dentro de su intento frustrado de aprehenderlo: "Una pequeña esfera tornasolada", el Aleph cuyo diámetro "sería de dos o tres centímetros" pero que contiene "el espacio cósmico... sin disminución de tamaño" (A 164).

En la sección del Capítulo VI titulada "Paradojas, extrañas pero exactas", Kasner y Newman presentan varios ejemplos de problemas que, aunque desafían razonamientos convencionales o percepciones sensoriales supuestamente ciertas, se apoyan sin embargo en sólidas bases matemáticas. Después de referirse a la teoría de los conjuntos de puntos (200), a la noción de dimensionalidad, y de congruencia (202), y a las dificultades para establecer la medida de la superficie de una esfera expuestas en un teorema por el matemático alemán Felix Hausdorff (203-05), explican que Stephen Banach y Alfred Tarski, dos matemáticos polacos, hicieron extensivas "las deducciones del paradójico teorema de Hausdorff al espacio tridimensional, con resultados tan sorprendentes e increíbles que no tienen similar en todas las matemáticas" (205).[8] En seguida, comentan la paradoja de Banach y Tarski que, en principio, supone imaginar "dos cuerpos en el espacio tridimensional: uno muy grande, como el sol; el otro muy pequeño, como un guisante" y recordar que la referencia no es "a las superficies de estos dos objetos esféricos, sino a la *totalidad de las esferas sólidas tanto del sol como del guisante*" (205). Después anotan los distintos pasos de la operación que, teóricamente, puede llevarse a cabo con la división del sol (S), y del guisante (S') en muchísimas partes pequeñas, separadas y distintas, y cuya totalidad será un número finito, y la forma de cortar el sol y el guisante para que cada pequeña porción de uno sea congruente con cada pequeña porción del otro (206). De aquí, pasan a las conclusiones:

> El sol y el guisante pueden ser divididos en un número finito de partes desunidas *de manera que cada parte simple de uno sea congruente con una única parte del otro, y de tal modo que después que cada pequeña porción del guisante ha sido equiparada con una pequeña porción del sol, no quede libre ninguna de éstas.* (206)

Y la conclusión final, más sorprendente al enunciarla en estilo coloquial:

> Hay una manera de dividir una esfera grande como el sol, en partes separadas, de manera que ninguna de dos de sus partes tengan puntos comunes y, sin comprimir ni deformar parte alguna, todo

---

8   Hayles se refiere a la paradoja de Banach y Tarski y la relaciona con el *Axiom of Choice* y la teoría de los conjuntos (158).

el sol puede colocarse cómodamente en el bolsillo del chaleco.
(206)

En realidad, no hacemos justicia a Kasner y Newman cuando, como en este caso, apuramos la transcripción de determinadas conclusiones sin habernos detenido a detallar muchos conceptos y datos matemáticos que ellos discuten en su libro, y que son los que apoyan los planteos del problema o de la paradoja en cuestión. Por otro lado, dada la estrecha correlación de los distintos pasos del razonamiento científico, intentar su seguimiento significaría transcribir en nuestro texto capítulos enteros del de Kasner y Newman. Aquí, el propósito ha sido comentar aquellos fragmentos en donde aparecen ideas o imágenes que tal vez estuvieron presentes en la memoria de Borges al tiempo de escribir sus ficciones.

Por último, en la *Posdata del primero de marzo de 1943* con la que el narrador-personaje de "El Aleph" concluye su historia, éste escribe: "Dos observaciones quiero agregar: una, sobre la naturaleza del Aleph; otra, sobre su nombre" (A 167). Del nombre dice que "es el de la primera letra del alfabeto de la lengua sagrada" (167-68). Y completa la explicación con la referencia a la Cábala, para la que "esa letra significa el En Soph, la ilimitada y pura divinidad; también se dijo que tiene la forma de un hombre que señala el cielo y la tierra, para indicar que el mundo inferior es el espejo y es el mapa del superior" (A 168). Con esto último, el narrador-personaje insiste en la imagen visual de la letra Aleph la que, como un espejo o un mapa, representa el continuo autorreflejo aludido en páginas anteriores: "Vi el Aleph desde todos los puntos, vi en el Aleph la tierra, y en la tierra otra vez el Aleph y en el Aleph la tierra" (A 166).

De la observación del Aleph como la primera letra del alfabeto hebreo, se pasa a interpretar su naturaleza que es la que corresponde al campo de las matemáticas: "Para la *Mengenlehre*, es el símbolo de los números transfinitos, en los que el todo no es mayor que alguna de las partes" (A 168).

Con esta mención de la *Mengenlehre* en el relato de Borges cerramos en parte la línea que partió de la enunciación de las teorías de Cantor y la imagen del Aleph en las páginas de Kasner y Newman. Y si de líneas e imágenes se trata, todavía podemos recordar otras dibujadas en *Matemáticas e imaginación*.

Al comienzo del libro, Kasner y Newman alertan sobre el hecho de que "las matemáticas usan palabras simples para expresar ideas complicadas", como es el caso con el vocablo "simple" (18). Como ejemplo de esta práctica dan la definición de "Curva simple" que "es una curva cerrada que no se cruza a sí misma" (18). Debajo, presentan el dibujo de una curva simple con un gráfico que bien podríamos calificar de laberíntico. (**Figura 5**) Además, este es un laberinto que no tiene ni entrada ni salida, ni principio ni fin.

Casi al final de *Matemáticas e imaginación* encontramos la figura de otra curva, no simple sino ubicada dentro del grupo de "Curvas patológicas", que se describe como "La curva que llena el espacio" (347). Aunque el dibujo (**Figura 6**) muestra una entrada y una salida, la complicación de la línea transmite todo el vértigo de otro laberinto. Si relacionamos estas dos figuras con la frase de "Nihon", cuando Borges declara que la *Mengenlehre*, la teoría de los conjuntos de Cantor, es un "delicado laberinto" en el que no le fue dado penetrar (C 101), podremos apreciar mejor el efecto o el beneficio que Borges, ubicado entonces en el umbral de la redacción de sus ficciones, derivó de la lectura de un libro que, con "extrañas ilustraciones" y claridad en la escritura le permitió acceder a esos "encantos de las matemáticas" en la forma "que hasta un mero hombre de letras puede entender, o imaginar que entiende" (D 165).

Figura 5. Curva simple.

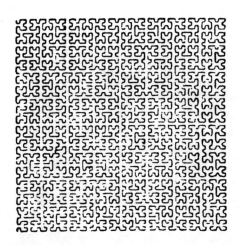

Figura 6. Curva que llena el espacio.

Capítulo IV

JOHN WILLIAM DUNNE
Y LA REGRESIÓN INFINITA

En una entrevista realizada el 15 de junio de 1986 la que con el título de "Bioy Casares habla de un amigo" se publicó en el diario *Clarín* de Buenos Aires, el 19 de ese mes, leemos el comentario de Bioy:

Entonces ayer, después de almorzar, salí a caminar por este barrio para buscar en los quioscos un libro de Dunne llamado *Un experimento con el tiempo*, libro muy importante en nuestras vidas ya que nos conmovió a ambos, nos hizo soñar, pensar, escribir. Un muchacho me habla para decirme que ese era un día muy especial. Lo repitió con insistencia, y entonces le pregunté por qué. "Porque hoy en Ginebra murió Borges" (Sifrim 3)[1]

De la cita anterior se derivan dos hechos significativos para nuestro estudio. El primero es el que indica que el volumen de la "Biblioteca personal" que la editorial Hyspamérica venía publicando desde 1985 a razón de uno por semana y que apareció en la fecha de la muerte de Borges fue *Un experimento con el tiempo*. El segundo establece el valor que, según Bioy, tanto él como Borges asignaban al libro de Dunne. En "Libros y amistad", artículo publi-

---

[1] En *Descanso de caminantes* (Buenos Aires: Sudamericana, 2001), texto que reúne los diarios íntimos del autor, en la entrada para el "Sábado, 14 de junio de 1986", Bioy Casares anota en términos semejantes a los de la entrevista las circunstancias del día de la muerte de Borges con la mención de la búsqueda del libro de Dunne.

cado inicialmente en francés en el número 973 de *L'Herne* dedicado a Borges, y que pasará a ser el último de los que integran *La otra aventura*, Bioy Casares explica que en la base de esa amistad iniciada a principios de la década de 1930 estaba "una compartida pasión por los libros" (142), y en la larga lista de aquéllos que tardes y noches ocupaban sus charlas anota en forma específica "los libros de J.W. Dunne sobre el tiempo y los sueños" (153). En otras páginas del mismo texto, Bioy recuerda que, en 1939, junto con Silvina Ocampo, ambos planearon un cuento que finalmente nunca redactarían pero del que escribieron algunos párrafos "en la ajada sobrecubierta y en las páginas en blanco de un ejemplar de *An Experiment with Time*" (145-46).[2]

Por esos mismos años, las menciones de las ideas de Dunne son frecuentes en varios textos de Borges como los que anotamos a continuación:

–"*I Have Been Here Before*, de J.B. Priestley", reseña en *El Hogar*, 3 de diciembre de 1937. (TC 191-92)

–"J.W. Dunne y la eternidad", reseña en *El Hogar*, 18 de noviembre de 1938. (TC 283-84)

–"El tiempo y J.W. Dunne", en *Sur*, septiembre de 1940, artículo incluido finalmente en *Otras inquisiciones* (31-35).

–"Gerald Heard, *Pain, Sex and Time*, en *Sur*, mayo de 1941, que aparece luego en la edición de 1957 de *Discusión* (166-69).

En las páginas siguientes vamos a analizar estos escritos de Borges y a comentar las características de las obras de Dunne, especialmente las referidas a *Un experimento con el tiempo*. Pero antes, conviene reunir alguna información acerca del autor que ahora nos ocupa.

Enciclopedias y diccionarios biográficos coinciden en el detalle de los datos generales: John William Dunne nació en Irlanda en

---

2   En el primer capítulo de *Bioy Casares y el alegre trabajo de la inteligencia* dedicamos una sección a analizar las posibles relaciones entre las ideas de Dunne y la narrativa de Bioy (16-28).

1875 y murió en Inglaterra en 1949. Combatió en la guerra de los Boers y sirvió como instructor de armas en los comienzos de la Primera Guerra Mundial. Fundamentalmente, su carrera militar se centró en sus trabajos como ingeniero aeronáutico entre los que se destaca el de haber diseñado el primer aeroplano militar británico en 1906-1907.

La lista de sus publicaciones se inicia en 1924 con *Sunshine and the Dry-fly*, una guía sobre la pesca con señuelos, y ella también incluye dos libros para niños, *The Jumping Lions of Borneo* (1937) y *An Experiment with St. George* (1939). Pero la parte sustancial de su obra la constituyen los cuatro volúmenes en los que Dunne expone sus ideas sobre el tiempo y desarrolla la teoría del Serialismo: *An Experiment with Time* (1927); *The Serial Universe* (1934); *The New Immortality* (1938) y *Nothing Dies* (1940).

La cualidad heterogénea de sus actividades e intereses: militar, ingeniero, constructor de aviones, aficionado a la pesca, autor de textos de literatura infantil como así también de aquéllos de filosofía en los que defiende la realidad de los sueños premonitorios y la concepción de una posible inmortalidad, todo esto, a los ojos de muchos lo haría sospechoso de una actitud superficial o, peor aún, de una disposición proclive a lo extravagante y esotérico. Sin embargo, y aunque con frecuencia su método de investigación filosófica junto con las sorprendentes conclusiones a las que arriba en su práctica lo hicieron blanco de críticas y objeciones, los defensores de Dunne lo muestran dotado de una personalidad seria, del todo ajeno a sensacionalismos, y cuidadoso en la forma en que conduce sus lucubraciones.

Así, en la "Introducción" a *Un experimento con el tiempo*, Brian Inglis indica que la impresión principal que le produjo la lectura del libro de Dunne "fue la de una total fidelidad a los hechos" (12), y que la advertencia inicial de que éste no era un libro acerca del "ocultismo", ni de lo que se conoce como "psicoanálisis" (13) había disipado dudas y recelos al respecto.

Por su parte, en el capítulo que dedica a "Dunne and Serialism" en *Man and Time*, J.B. Priestley afirma que nadie más alejado que Dunne de cualquier insinuación del tipo de vidente o excéntrico y, por el contrario, lo alaba por su integridad intelectual, y por la valentía de su postura como escritor y pensador que iguala a la que había exhibido como hombre de acción (244).[3] No sabemos si Borges leyó *An Experiment with Time* por la fecha de su primera edición en 1927. Dada la enorme popularidad del libro que justificó una segunda edición en 1929, y una tercera en 1934 (Inglis 14), es probable que lo haya hecho por esos años, especialmente atraído además por la referencia desde el título al tema del tiempo el que, junto con el del infinito, estuvo siempre en el centro de sus cavilaciones metafísicas. Como indicamos más arriba, la primera mención explícita de las proposiciones de Dunne figura en la reseña sobre una obra de Priestley que Borges escribe para *El Hogar* en diciembre de 1937.

Un año antes, el 27 de noviembre de 1936, Borges había publicado la primera de las ocho reseñas en *El Hogar* en las que comenta libros de H.G. Wells lo que sobre esta base estadística pone al escritor inglés a la cabeza del grupo de sus autores favoritos. Bajo el título de "*Things to Come*, de H.G. Wells", Borges anota en el primer párrafo: "El autor de *El hombre invisible*, de *La isla del doctor Moreau*, de *Los primeros hombres en la Luna* y de *La máquina del tiempo* (he mencionado sus mejores novelas, que no son por cierto las últimas) ha publicado en un volumen de ciento cuarenta páginas el texto minucioso de su reciente film *Lo que vendrá*" (TC 53).

---

3   "he was as far removed from any suggestion of the seer, the sage, the crank and crackpot, as it is possible to imagine". "He was a man of intellectual integrity, and as courageous as a thinker and writer as he had been as a man of action" (Priestley, *Man and Time* 244).

Efectivamente, en 1935 Wells publicó *Things to Come*, el guión o argumento de la película que se proyectó en los cines del mundo de habla hispana con el título de *Lo que vendrá*. Pero lo que importa destacar es que para escribir la historia cinematográfica Wells utilizó el material de su libro *The Shape of Things to Come*, de 1933. Los críticos comentan el interés de Wells por el tema de los sueños y la frecuencia con que los incluye en sus escritos (Reed 8-10). También, su curiosidad por la forma en que, en *An Experiment with Time*, Dunne usaba los sueños para investigar el tiempo ("Wells was intrigued by J.W. Dunne's use of dreams to investigate time in *An Experiment with Time*" Reed 246).

Todo esto se confirma al leer la Introducción con la que bajo el título de "The Dream Book of Dr. Philip Raven" Wells inicia *The Shape of Things to Come*. En ella se dice que el texto de la novela está compuesto sobre la base de los apuntes en los que el Dr. Philip Raven transcribió los sucesos referidos en un libro que se le presentaba en sus sueños. Lo más importante para nuestro estudio son los párrafos de esta Introducción en los que Wells se refiere a Dunne. Lo recuerda primero como inventor de aeroplanos para pasar en seguida a valorar la forma sutil en que Dunne relaciona el tiempo, el espacio y la conciencia. Por fin, dice que la lectura de *An Experiment with Time* en 1927 le resultó tan atractiva y estimulante que lo movió a escribir algunos artículos sobre el libro, los que se difundieron en la prensa internacional (Wells, *Shape of Things* 7).[4]

Si tenemos en cuenta el interés de Borges por los escritos de Wells es fácil conjeturar que debe haber leído esos artículos de 1927 en los que Wells alaba la originalidad de *An Experiment with Time* y, sin duda, *The Shape of Things to Come* de 1933 en donde,

----

4   "That book was published in 1927, and I found it so attractive and stimulating that I wrote about it in one or two articles that were syndicated very extensively throughout the world. It was so excitingly fresh" (Wells, *The Shape of Things to Come* 7).

como anotamos, se repite el elogio de las tesis de Dunne. De aquí, resulta posible suponer que Borges conocía las obras de Dunne antes de 1937, cuando lo menciona por primera vez.

Lo que sí sabemos con seguridad es que en 1940 Borges ya había leído los cuatro libros que constituyen el núcleo de las reflexiones filosóficas de Dunne. En "J.W. Dunne y la eternidad", de 1938, reseña el tercero, *The New Immortality*, y dice: "J.W. Dunne... ha publicado en Londres una divulgación o resumen de su doctrina. Se titula *La nueva inmortalidad* y consta de unas ciento cuarenta páginas. De los tres libros de Dunne, éste me parece el más claro y el menos convincente" (TC 283). Y en seguida habla de los anteriores, es decir de *An Experiment with Time*, y *The Serial Universe*, cuando explica que en ellos "la profusión de diagramas, de ecuaciones y de cursivas nos ayudaba a suponer que asistíamos a un proceso dialéctico riguroso" (TC 283). Por su parte, en "El tiempo y J.W. Dunne", de 1940, aclara que para redactar ese artículo, lo "estimula el examen del último libro de Dunne –*Nothing Dies* (1940, Faber and Faber)– que repite o resume los argumentos de los tres anteriores" (OI 31).

Como vimos, casi medio siglo después de estas fechas Borges va a elegir *Un experimento con el tiempo* como uno de los volúmenes que integren su "Biblioteca personal", esa "biblioteca de preferencias" (BP iii). En este punto conviene indicar que para comentar este libro de Dunne de aquí en adelante vamos a servirnos de esta edición de la "Biblioteca personal".

El texto de *Un experimento con el tiempo* está dividido en cinco Partes que contienen 26 capítulos. En la primera, titulada "Definiciones", el autor expone la conveniencia de establecer un acuerdo con el lector acerca del significado de ciertas palabras según se las utiliza en el libro (30), lo que cumple explicando el sentido de varias de ellas (31-54).

La segunda Parte, "El enigma", es la más "personal" del libro en tanto Dunne relata en ella diversas experiencias de sueños que de alguna forma anticipaban sucesos posteriores. Estos van desde el trivial de observar la hora que marcan las manecillas de un reloj (55-58) hasta el más dramático de soñarse en una isla que estaba en peligro inminente de sufrir la erupción de un volcán para a los pocos días leer en los periódicos la noticia de la catastrófica erupción volcánica de la isla de Martinica en 1902 (60-64). Estos y otros incidentes oníricos lo llevan a concluir que aunque en cuanto sueños no había nada inusual en ellos, lo que pasaba "era que simplemente estaban *desplazados en el tiempo*" (69) o, en otros términos, demostraban una "aberración cronológica" (72).

Al iniciar la tercera Parte, "El experimento", Dunne manifiesta su preocupación de que hubiera en él algo anormal, una alteración en su trato con la realidad que, en ocasiones, lo llevaba a percibir "grandes bloques de experiencias personales que, de no estar desplazadas de su posición correcta en el tiempo, resultarían normales" (75). Sin embargo, lo alienta la posibilidad de que a través de "estos conocimientos adquiridos de manera tan curiosa... fuera capaz de descubrir ciertas peculiaridades en la estructura del tiempo que hasta el momento habían permanecido inadvertidas" (75). Al darse a esta tarea confiesa que, inicialmente, no lo ayudó la idea del tiempo como cuarta dimensión. o algunas de las reflexiones de Bergson, y después de recordar otros sueños que contenían imágenes de experiencias futuras se pregunta si "acaso cabía la posibilidad de que tales fenómenos no fueran anormales sino más bien *normales*", si era posible que "los sueños de todo el mundo estuvieran compuestos de imágenes de experiencias pasadas e imágenes de experiencias futuras" (80). Es entonces cuando para responder a estas cuestiones decide llevar a cabo el "experimento" del título.

Indica que para facilitar el análisis de las imágenes oníricas, éstas deberán ser descriptas con lujo de detalles (85). Y dado que tendemos a olvidar los sueños rápidamente, aconseja tener un cuaderno y un lápiz bajo la almohada para poder escribir el sueño antes de que éste comience a desvanecerse en la memoria (90).

De inmediato, Dunne anota un número considerable de ejemplos no sólo de sus propios sueños sino también de los de otras personas que aceptaron participar en el experimento. En principio, destaca aquellos sueños que anticipan una experiencia diurna, pero más adelante va a detenerse en los que son primero consecuencia o efecto de una experiencia diurna previa pero que van a completarse en cierto sentido en una experiencia diurna posterior al sueño (100-19). Los contenidos de esos sueños son heterogéneos: tinta que se derrama de una estilográfica, un portón y un sendero cerca de una estación de tren, la huida a través del altillo de una casa, dos hombres y un perro que están al acecho, la mujer alemana vestida de negro y blanco, y sospechosa de ser una espía, el barco salvavidas con una red encima, la escalera con peldaños cuadrados, y muchos otros rasgos significativos para cada escena onírica. Al comienzo de la enumeración, Dunne confiesa: "Personalmente, esta caza de imágenes constituyó para mí una actividad fascinante e incluso llena de estímulos" (100-01).

Si el "experimento" produce esta impresión en el autor, en los lectores –nosotros o, en su momento, Borges o Bioy– el efecto que causa la relación de los sueños es el de allegarse a lo que bien podría ser el esbozo o núcleo de un cuento breve.

Ya cerca del final de esta tercera Parte, Dunne va a agregar una variante en su experimento con el tiempo que consiste no ya en observar en los sueños anticipos de futuras vivencias sino de ver si esas pre-imágenes aparecen de igual forma en la vigilia (119). En un párrafo, explica el procedimiento a seguir:

> Una breve consideración del asunto sugería que el modo más simple de preparar un experimento en estado de vigilia podía ser tomar un libro que uno tuviese la intención de leer en los próximos minutos, pensar fijamente en el título, de modo de comenzar con una idea que tuviese vínculos asociativos con cualquier cosa que

apareciese en la futura lectura, y después esperar que apareciesen
de modo espontáneo imágenes en la mente, por simple asociación.
(119-20)

Para conducir este experimento Dunne va a la biblioteca de su
club en Londres donde empieza a elegir libros que resulten útiles
para su propósito. Aunque no tan claros como los que aportaban
los sueños premonitorios, los resultados de la búsqueda en estado
de vigilia de imágenes que anticiparan futuros eventos fueron posi-
tivos. No vamos a detenernos aquí en el comentario de las páginas
en las que Dunne describe esta etapa de su investigación (119-24),
pero sí corresponde destacar algo significativo. Entre los seis libros
que Dunne utiliza en su experimento, figuran los siguientes: *Book
of the Sword* de R.F. Burton, *Riceyman Steps* de Arnold Bennett, y
La hija del rey del país de los Elfos de Lord Dunsany.

A lo que nos referimos ahora es a que si entre los muchos volúmenes de la biblioteca Dunne eligió para leerlos los que contenían
textos de Burton, Bennett y Dunsany, en el caso de Borges estos
tres autores forman parte del grupo de los que con frecuencia están
presentes en sus lecturas y comentarios.

R.F. Burton es el capitán Burton, traductor de las 1001 noches,
sobre el que Borges escribe un artículo en el número 31 de la
Revista multicolor de los sábados del 10 de marzo de 1934, artículo que va a integrar el más extenso que aparece en *Historia de la
eternidad* con el título de "Los traductores de las 1001 noches". Al
enumerar algunas de las obras de Burton, Borges anota "*El Libro
de la Espada* (primer volumen) 1884" (HE 129). Más importante
aún es el texto que con el título de "Una leyenda arábiga" Borges
publica en *El Hogar* el 16 de junio de 1939. En las primeras líneas
leemos: "De las notas que Burton agregó a su famosa traducción
del libro *Las mil y una noches*, traslado esta curiosa leyenda. Se
titula: HISTORIA DE LOS DOS REYES Y LOS DOS LABERIN-
TOS" (TC 329). El texto que sigue y que es la traducción del que

estaba en las notas de Burton es exactamente el mismo que Borges ubica a continuación de "Abenjacán el Bojarí, muerto en su laberinto" de *El Aleph*, con la nota al pie de página en la que "aclara": "Esta es la historia que el rector divulgó desde el púlpito" (A 135). Acerca de Arnold Bennett baste recordar que es uno de los autores que Borges seleccionó para que formara parte de su "Biblioteca personal". En el "Prólogo" del volumen, Borges califica a *Riceyman Steps* como una obra maestra, "de lectura intensa y conmovedora" (BP 62).

Por fin, acerca de Lord Dunsany Borges escribe en *El Hogar* una "Biografía sintética" el 30 de abril de 1937 (TC 124-25), y una reseña sobre "*Patches of Sunlight*" el 2 de septiembre de 1938 (TC 265-66). Además, *El país del Yann* de Lord Dunsany es uno de los libros que Borges eligió para la colección de *La biblioteca de Babel* (BB 41-44).

En el capítulo anterior comentamos que cuando en *Matemáticas e imaginación* Kasner y Newman coincidían con Borges en la apreciación de determinado texto –en ese caso se trataba de *Men of Mathematics*, de E.T. Bell– esa coincidencia afirmaba aún más el interés y el gusto de Borges por la obra de esos autores. La misma conclusión puede aplicarse ahora frente al hecho de que los autores de varios libros que Dunne toma de la biblioteca para leerlos como parte de su experimento son los mismos que Borges prefiere y frecuenta en muchas de sus lecturas.

Al comienzo de la cuarta Parte de *Un experimento con el tiempo* titulada "Duración temporal y flujo temporal" Dunne agrega otros dos autores a esta lista de aquéllos que interesan a Borges cuando comenta las ideas de C. Howard Hinton en *What is the Fourth Dimension?* (135-42), y las que H.G. Wells expone por boca de uno de los personajes de *La máquina del tiempo*, "con una claridad y concisión que rara vez, si cabe, ha sido superada" (142-44).

Si la mención de estos autores resultaba un aliciente para que Borges o cualquier otro lector familiarizado con ellos continuara con la lectura de *Un experimento con el tiempo*, éste era el momento de ofrecerlo dado que el texto de esta cuarta Parte y, más aún, el de la quinta bajo el título de "Tiempo serial" se torna de difícil comprensión con los diagramas y postulados matemáticos que lo integran. En la "Introducción a la tercera edición" Dunne había anotado: "El lector en general encontrará que el libro no requiere de él ningún conocimiento previo de ciencias, matemáticas, filosofía o psicología. Es bastante más fácil de comprender que, digamos, las reglas del *bridge*" (24). Pero, como dice un crítico, pocos serían los lectores que coincidirían con esta afirmación (Inglis 18).

Por otra parte, es en estas secciones del libro donde sobre la base de lo analizado en el experimento con los sueños Dunne expone los conceptos básicos de sus teorías, los que trataremos de enumerar ahora en forma sintética. En la medida de lo posible, para esta tarea nos serviremos de la transcripción de las líneas o párrafos del libro que resultan pertinentes en relación con las ideas generales de Dunne y, en especial, en cuanto pueden referirse a la obra y a los comentarios de Borges. Así, en el Capítulo XX hallamos una primera imagen del tiempo serial:

> Ahora bien, hemos visto que si el tiempo pasa o crece o se acumula, o se gasta, o hace cualquier cosa excepto permanecer rígido y sin cambios delante de un observador fijo en el tiempo, tiene que haber otro tiempo que temporalice esa actividad del primer tiempo o a lo largo de él, y otro tiempo que temporalice ese segundo tiempo, y así siguiendo en una serie aparentemente infinita. (158)

En "El tiempo y J.W. Dunne", Borges interpreta "el procedimiento creado por Dunne para la obtención inmediata de un número infinito de tiempos" (OI 33). Explica que éste parte de la base de que "ya existe el porvenir, con sus vicisitudes y pormenores", y en seguida enuncia su interpretación de la teoría que Dunne deriva de esos postulados:

> Hacia el porvenir preexistente (o desde el porvenir preexistente, como Bradley prefiere) fluye el río absoluto del tiempo cósmico, o los ríos mortales de nuestras vidas. Esa traslación, ese fluir, exige como todos los movimientos un tiempo determinado; tendremos pues, un tiempo segundo para que se traslade el primero; un tercero para que se traslade el segundo, y así hasta lo infinito. (OI 33-34)

Continuando con la lectura de *Un experimento con el tiempo* hallamos que Dunne determina conceptos como el de "campo de presentación fijo en relación con el observador" (162); "observación condensada en ese foco móvil llamado 'atención'" (162); "tiempo empleado" (163); "extensión (duración) en el tiempo" (164); "observador tridimensional" (169), y otros que aparecen mezclados con figuras y diagramas que, en ocasiones, sirven para ilustrarlos.

En el Capítulo XXII que corresponde a la quinta Parte del libro, Dunne define las características de un observador *autoconsciente*, que es aquel que tiene presente "que algo, que él denomina 'el sí mismo', está observando. Dicho en otras palabras: se dice que el 'yo' y sus observaciones son, a su vez, observadas por la persona autoconsciente" (187). De aquí, el razonamiento deriva a la serie infinita de observadores cuando explica que el observador autoconsciente debe ver su condición objetiva "como algo que *le* pertenece. Debe poder decir: este es *mi* 'yo'. Y esto significa que debe ser consciente de que existe un *'yo' que es dueño del yo antes considerado*. El reconocimiento de este segundo 'yo' supone, por similares razones, el conocimiento de un tercer 'yo', y así *ad infinitum*" (187).

Si volvemos a "El tiempo y J.W. Dunne" comprobamos que Borges sintetiza y simplifica el enunciado anterior cuando anota que Dunne "razona que un sujeto consciente no sólo es consciente de lo que observa, sino de un sujeto A que observa y, por lo tanto, de otro sujeto B que es consciente de A y, por lo tanto, de otro sujeto C consciente de B..." (OI 32).

Dunne continúa su razonamiento para ubicar al observador serial no en el espacio sino en el tiempo: "Resulta difícil que concibamos un observador serial en cualquiera de las tres dimensiones del espacio solamente, pero el análisis llevado a cabo en el último capítulo nos ha demostrado que puede, y efectivamente es así, existir cómodamente en las muchas dimensiones del tiempo" (187). Esta proposición se completa al apoyarla en la referencia a una de las figuras con las que Dunne ilustra sus reflexiones en un párrafo complicado por la mención de los distintos elementos y términos que operan en ella (187).

De nuevo, Borges resume en pocas líneas el párrafo, largo y complejo: "No sin misterio [Dunne] agrega que esos innumerables sujetos íntimos no caben en las tres dimensiones del espacio pero sí en las no menos innumerables dimensiones del tiempo" (OI 32).

En los textos de Dunne que transcribimos seguidos por los comentarios de Borges aparecen dos temas fundamentales en el pensamiento y en la imaginación de ambos autores: el del tiempo serial que deriva al infinito, y el del observador autoconsciente serial que también deriva al infinito. Para calibrar su importancia conviene recordar el primer párrafo de "El tiempo y J.W. Dunne" en el que Borges explica las razones que lo movieron a escribir ese ensayo. Así, leemos:

En el número 63 de *Sur* (diciembre de 1939) publiqué una prehistoria, una primera historia rudimental, de la regresión infinita. No todas las omisiones de ese bosquejo eran involuntarias: deliberadamente excluí la mención de J.W. Dunne, que ha derivado del interminable *regressus* una doctrina suficientemente asombrosa del sujeto y del tiempo. La discusión (la mera exposición) de su tesis hubiera rebasado los límites de esa nota. Su complejidad requería un artículo independiente: que ahora ensayaré. (OI 31)

En la cita anterior hay dos conceptos que requieren un comentario: "regresión infinita", e "interminable *regressus*" (para este último la frase completa en latín es "*regressus in infinitum*"). Estos conceptos, en general equivalentes, están en el centro de las reflexiones de Borges en este y otros de sus textos y, desde el título, también en el centro de nuestro estudio en este capítulo. En *The Mystery to a Solution: Poe, Borges, and the Analytic Detective Story*, John T. Irwin titula la primera parte del segundo capítulo "Borges and the Paradox of Self-Inclusion; Infinite Progression/Regression" (13), y en las líneas con que inicia el capítulo señala que la paradoja de auto-inclusión analítica, de auto-conciencia absoluta que está en la base de los relatos policiales de Poe es uno de los temas que se repiten en la obra de Borges.[5] Interesa destacar que Irwin se refiere a la "regresión infinita" y también a la "progresión infinita", términos que en su acepción literal significan "retroceso", "acción de volver hacia atrás" para regresión; y "progreso", "acción de ir hacia adelante" para progresión. Lógicamente, según el contexto en que aparezcan estos términos su significado puede hacerse más preciso o más diverso. Por ejemplo, en matemáticas se habla de una "progresión aritmética" y de una "progresión geométrica", conceptos que Irwin va a comentar cuando transcribe y explica lo que Borges anotó en una página de "Avatares de la tortuga" (Irwin 13-15). El texto de Borges dice así:

En el *Parménides* –cuyo carácter cenoniano es irrecusable– Platón discurre un argumento muy parecido para demostrar que el uno es realmente muchos. Si el uno existe, participa del ser; por consiguiente, hay dos partes en él, que son el ser y el uno, pero cada una de esas partes es una y es, de modo que encierra otras dos, que encierran también otras dos: infinitamente. Russell (*Introduction*

---

5   "The paradox of analytic self-inclusion, of absolute self-consciousness, that lies at the heart of Poe's detective stories is one of Borges's recurring themes" (Irwin 13).

to Mathematical Philosophy, 1919, pág. 138) sustituye a la progresión geométrica de Platón una progresión aritmética. Si el uno existe, el uno participa del ser; pero como son diferentes el ser y el uno, existe el dos; pero como son diferentes el ser y el dos, existe el tres, etc. Chuang Tzu (Waley: *Three Ways of Thought in Ancien China*, pág. 25) recurre al mismo interminable *regressus* contra los monistas que declaraban que las Diez Mil Cosas (el Universo) son una sola. Por lo pronto –arguye– la unidad cósmica y la declaración de esa unidad ya son dos cosas: esas dos y la declaración de su dualidad ya son tres; esas tres y la declaración de su trinidad ya son cuatro... (D 132)

La considerable extensión de esta cita se justifica por lo que podemos inferir de su texto. Primero, Borges interpreta correctamente los conceptos de progresión geométrica y progresión aritmética. Segundo, cita con precisión (título, fecha de edición y número de página) el párrafo de Bertrand Russell que le resulta apropiado para ilustrar sus reflexiones. Tercero, en el número 71 de *Sur*, de agosto de 1940, publica una nota sobre el libro de Arthur Waley, *Three Ways of Thought in Ancien China* en la que repite la mención del razonamiento de Platón y de Chuang Tzu, y agrega los de la primera y segunda paradoja de Zenón, y el de Hui Tzu, quien razonó "que una vara, de la que cortan la mitad cada día, es interminable" (BS 236). Esta última referencia, con algunos vocablos diferentes, ya estaba en una nota al pie de página en "Avatares de la tortuga": "el sofista chino Hui Tzu razonó que un bastón al que cercenan la mitad cada día, es interminable" (D 130).

Estas tres conclusiones reafirman lo que venimos comentando en nuestro estudio en cuanto a cuáles eran las ideas que poblaban la mente de Borges por esos años de la década de 1930 y cuáles eran las lecturas y los autores que las sustentaban. Aquí están Zenón de Elea, Platón, los filósofos chinos, Bertrand Russell, todos relacionados con su permanente preocupación por dilucidar el concepto de infinito.

Ahora, si queremos ordenar los razonamientos que Borges anota dividiéndolos en los que son ejemplos de regresión infinita y los que lo son de progresión infinita tendríamos que la primera paradoja de Zenón, la de la dicotomía y la de la vara o el bastón de Hui Tzu muestran una regresión infinita mientras que la segunda paradoja de Zenón, la de Aquiles y la tortuga, junto con el argumento de Platón, el de Russell y el de Chuang Tzu presentan una progresión infinita. Lo curioso es que cuando Borges engloba bajo un solo término a todos esos razonamientos, sean ejemplos de regresión o de progresión, el que utiliza es el de "interminable *regressus*". Según anotamos, en las primeras líneas de "El tiempo y J.W. Dunne" Borges declaraba que "Avatares de la tortuga" (el artículo en el número 63 de *Sur*, de diciembre de 1939) constituyó su intento de redactar "una prehistoria, una primera historia rudimental, de la regresión infinita" (OI 31). Pero en la larga lista de ejemplos de ese tipo de argumento mezcla los que ilustran formas de regresión con los que corresponden a una progresión infinita, empezando con la primera y la segunda paradoja de Zenón que, respectivamente, así lo hacen.

No vamos a detenernos a analizar y clasificar esa serie de ejemplos. Sólo nos interesa ahora transcribir unas líneas que Borges anota al final de la enumeración cuando dice que "el vertiginoso *regressus in infinitum* es acaso aplicable a todos los temas" (D 135). De nuevo, Borges utiliza el término "regreso al infinito" equiparable a "regresión infinita" para abarcar todos los ejemplos antedichos e incluso para extender su aplicación a temas de estética o de gnoseología (D 135-36). Si bien Borges se mueve aquí sin dificultad entre las referencias a principios matemáticos o ideas filosóficas creemos que lo que más le atrae en el tema de la regresión infinita no es lo abstracto sino la imagen visual concreta que el término propicia. Para apoyar esta suposición podemos recurrir al ensayo "Cuando la ficción vive en la ficción" que Borges publica en *El Hogar* el 2 de junio de 1939, y que inicia con el siguiente comentario:

> Debo mi primera noción del problema del infinito a una gran lata de bizcochos que dio misterio y vértigo a mi niñez. En el costado de ese objeto anormal había una escena japonesa; no recuerdo los niños o los guerreros que la formaban pero sí que en un ángulo de esa imagen la misma lata de bizcochos reaparecía con la misma figura y en ella la misma figura, y así (a lo menos, en potencia) infinitamente... (TC 325)

Que este artificio de ilustración publicitaria era bastante común lo confirma un texto que Eduardo González Lanuza publica en *La Nación* (11 de julio 1982) con el título de "Cuando el continente cabe en el contenido". Con las fechas de 1900 a 1982 que enmarcan su vida, González Lanuza es casi exactamente contemporáneo de Borges, y será su compañero en los trabajos de fundación de la revista mural *Prisma*, de *Proa* y, en su momento, en las fervorosas actividades ultraístas y martinfierristas.[6]

El tema del artículo es el de la relación entre continente y contenido pero no la habitual en la que el contenido cabe en el continente sino la extraña e inversa que anuncia el título, cuando es el continente el que cabe en el contenido.

Como Borges, González Lanuza inicia sus reflexiones con el recuerdo de una experiencia de la infancia que fue la de observar no una caja de galletitas sino una vulgar botella de agua. Dice así:

> Lo indudable es que [la tal botella] tenía una etiqueta en la que aparecía una mujer, acaso con vestido de pasiega, sosteniendo en sus manos otra botella idéntica, incluso con su correspondiente etiqueta en la que, ya muy empequeñecida, otra mujer –que era la

---

6 En el capítulo dedicado a Xul Solar nos referiremos con más detalle al grupo de artistas y escritores reunidos en la publicación del periódico *Martín Fierro*.

misma y con idéntico atuendo– nos mostraba a su vez una persis-
tente aunque minúscula botellita con su consabida y ya casi
microscópica etiqueta, en la que mi intuición infantil no necesitaba
mayores precisiones gráficas para descontar la presencia de la per-
sistente pasiega –o lo que fuere– con su inseparable botellita
munida de la infaltable etiqueta en la que, etc., etc., etc., se prolon-
gaba sin límites, en inagotable perspectiva "hacia dentro", aquella
serie de continentes y contenidos. Aunque por entonces estuviera
bien lejos de conocer su inquietante nombre, fue la primera vez
que sentí el escalofrío prolongado hasta hoy cada vez que me
encuentro frente a la insoslayable presencia del Infinito.

Así, vemos cómo los dos poetas recuerdan ese primer acercamiento a la concepción del infinito que les llegó en la infancia gracias a la imagen de una serie de figuras presentes en un par de objetos cotidianos.

Continuando con su ensayo, Borges anota lo siguiente:

> Catorce o quince años después, hacia 1921, descubrí en una de las
> obras de Russell una invención análoga de Josiah Royce. Este
> supone un mapa de Inglaterra, dibujado en una porción del suelo
> de Inglaterra: ese mapa –a fuer de puntual– debe contener un mapa
> del mapa, que debe contener un mapa del mapa del mapa, y así
> hasta lo infinito... (TC 325)

En efecto, en el capítulo de *Introduction to Mathematical Philosophy* en el que trata el tema de los números cardinales infinitos,
Bertrand Russell determina el concepto de clase "refleja" o "reflexiva" como aquella que es similar a una parte menor de sí misma.[7]
Y, en seguida, menciona el mapa de Royce como un ejemplo notable de esa cualidad de "reflexión". La descripción del mapa de
Royce que anota Russell es mucho más detallada y precisa en sen-

---

7   "A 'reflexive' class is one which is similar to a proper part of itself. (A "pro-
     per part" is a part short of the whole.)" (Russell, *Introduction* 80).

tido matemático que la que ofrece Borges. Russell dice que el mapa que propone Royce, si es exacto, debe presentar una perfecta correspondencia uno a uno con el original, es decir que ese mapa, que es una parte, está en relación uno a uno con el todo, y debe contener el mismo número de puntos que el todo. Después, sí se refiere al mapa, del mapa del mapa, *ad infinitum* que había mencionado Borges.

En la primera parte (A) de "Nueva refutación del tiempo" que había publicado como un artículo en 1944, Borges cita una frase que, indica, proviene del segundo tomo de *The World and the Individual* de Josiah Royce (OI 245). El libro contiene en el primer tomo la Primera serie, y en el segundo, la Segunda serie de las conferencias que el filósofo norteamericano pronunció en la Universidad de Aberdeen en 1899 y 1900. En ellas Royce presenta sus reflexiones metafísicas centradas en la teoría del ser. El primer tomo concluye con un Apéndice titulado "Supplementary Essay: The One, the Many, and the Infinite" que cubre más de cien páginas en las que Royce discute algunas de las ideas que acerca de los temas mencionados en el título eran sustentadas por el filósofo británico F.H. Bradley (Royce, *The World*: First Series 473-588).

Avanzando en su ensayo, Royce se refiere a la operación repetitiva del pensamiento ("Recurrent Operation of Thought" 495-97), y a procesos sin fin con la mención de las infinitas series matemáticas (497-502). En esta línea, y en la sección que dedica a ilustrar un sistema de auto-representación ("First Illustration of a Self-Representative System"), ofrece el ejemplo del mapa de Inglaterra dibujado en una porción del suelo de Inglaterra el que, hasta el mínimo detalle, debe estar en perfecta correspondencia con todo lo que existe en la superficie de Inglaterra. A esto sigue el figurar la serie del mapa dentro del mapa, dentro del mapa, al infinito. Estas reflexiones ocupan cinco páginas del texto de Royce pero cuando en "Magias parciales del 'Quijote'" de 1949 Borges cita en forma específica "el primer volumen de la obra *The World and the Indivi-*

dual (1899)" (OI 68) en el que Royce propone el trazado del mapa, las cinco páginas quedan reducidas a unas pocas líneas:

> Imaginemos que una porción del suelo de Inglaterra ha sido nivelada perfectamente y que en ella traza un cartógrafo un mapa de Inglaterra. La obra es perfecta; no hay detalle del suelo de Inglaterra, por diminuto que sea, que no esté registrado en el mapa; todo tiene ahí su correspondencia. Ese mapa, en tal caso, debe contener un mapa del mapa, que debe contener un mapa del mapa del mapa, y así hasta lo infinito. (OI 68)

La forma en que Borges se refiere al tema del mapa de Royce nos da la pauta del proceso de selección que aplica a sus lecturas. En el ensayo de *El Hogar* de 1939, anota el comentario de Bertrand Russell sobre el texto de Royce pero lo aligera de las líneas que incluyen principios matemáticos. Diez años después, cuando escribe "Magias parciales del 'Quijote'", está leyendo directamente el libro de Royce pero de nuevo se desentiende de las más extensas disquisiciones filosóficas para sólo quedarse con las imágenes de un *regressus in infinitum* que lo atrae e inquieta al mismo tiempo.

Al final de su explicación del mapa de Royce, Bertrand Russell dice que aunque el tema es interesante es mejor abandonar estas ilustraciones pintorescas de la idea de la "reflexión" y pasar a otros ejemplos que mejor la definan (*Introduction* 80). Por cierto, Borges no coincide con la sugerencia de Russell. Y esto nos lleva de vuelta a la obra de J.W. Dunne, ahora no a *Un experimento con el tiempo* sino a *The Serial Universe* y a *Nothing Dies*. En el "Prólogo" a la edición de Hyspamérica de *Un experimento con el tiempo*, Borges califica a los dos últimos con pocas palabras. De *The Serial Universe* dice que es "el más técnico", y de *Nothing Dies*, que es "una mera divulgación popular" (BP 123). A esto podemos agregar que *The Serial Universe* no sólo es el más técnico sino también el más complejo y de difícil lectura. En cuanto a

Nothing Dies, una Nota al comienzo del texto confirma la opinión de Borges, cuando explica que ese breve y simple bosquejo de la famosa teoría sobre el "Tiempo" del autor ha sido escrito para aquéllos que básicamente quieren saber de qué se trata, sin matemáticas (7).[8]

Por el momento, nos vamos a limitar al comentario del Capítulo II de *The Serial Universe* titulado "Artist and Picture" (29-37) que, resumido pero manteniendo los conceptos fundamentales y las ilustraciones, constituirá el Capítulo II, "The Boundaries of Knowledge", de *Nothing Dies* (24-30).

En principio, en estos textos Dunne se apoya en argumentos anteriores como el que indica que un observador que es parte del universo no puede observarlo como si estuviera afuera de ese universo y, más importante, en su definición de observador autoconsciente, tal como la había propuesto en *Un experimento con el tiempo*. Sobre estas bases va a dramatizar una escena en la que aparece un artista que decide pintar un cuadro completo del universo. Con este intento, dibuja en la tela la representación del paisaje como lo observa, cuadro que en la figura que Dunne presenta en su libro se identifica como X1. (**Figura 1**)

Pero el artista autoconsciente advierte que hay algo incompleto: falta él incluido en el paisaje. Produce entonces la segunda figura (X2), que presenta el paisaje al fondo y, en primer plano, al artista frente a la tela donde pinta el paisaje. (**Figura 2**)

Pero de nuevo, el artista descubre que falta él como el que está pintando el cuadro que lo contiene en el acto de pintar el paisaje. Para representar esta extensión, trabaja la tela X3 (**Figura 3**). Por supuesto, el artista autoconsciente no quedará satisfecho con la tela X3, y el proceso seguirá así en un *regressus in infinitum*.

---

[8]   "This very brief and simple outline of the author's famous 'Time' theory has been written, by special request, for those who wish to know merely, without mathematics, *'what it is all about'*." (Dunne, *Nothing Dies* 7).

Figura 1.

Figura 2.

A continuación, Dunne se sirve de esto que llama la parábola de la pintura regresiva para plantear algunas de las ideas centrales en su sistema como la del universo serial y las conclusiones de su teoría del Serialismo (*The Serial Universe* 32-35).

En verdad, aunque Dunne califica a las pinturas que ejecuta el artista como "regresivas" ("The regressive picture of our symbol..." *The Serial Universe* 33), la forma en que éstas se suce-

Figura 3.

den con el agregado en cada una de ellas de otro pintor y otro cuadro mostraría más una serie progresiva que una regresiva. Tal vez
lo que ocurre es que tanto en la palabra "regresión" como en el
vocablo en latín "*regressus*" lo que se enfatiza es el valor del pre-
fijo/preposición inseparable "re", no en su significado de "movimiento hacia atrás" sino en el de "repetición". Si se trata de una
"repetición al infinito", ésta puede ser indistintamente progresiva o
regresiva. Como señalamos en páginas anteriores, ésta parece ser

la significación que Borges asigna al término cuando en "Avatares de la tortuga", su "primera historia rudimental, de la regresión infinita" (OI 31) incluye ejemplos que anota como de "progresión aritmética" o de "progresión geométrica" (D 132).

En "Cuando la ficción vive en la ficción", después de evocar la impresión de vértigo que le produjo la repetición al infinito de la figura en la lata de bizcochos, y el efecto similar que obró en él la representación del mapa de Royce, Borges menciona *Las meninas*, el cuadro en el que Velázquez se incluye en el lienzo en la actitud de pintar un cuadro, y anota: "Al procedimiento pictórico de insertar un cuadro en un cuadro, corresponde en las letras el de interpolar una ficción en otra ficción"[9] (TC 325). Luego, como ejemplos de esto último se refiere a "una novela breve" incluida en *El Quijote*, a la fábula de Amor y de Psiquis en *El asno de oro* de Apuleyo, a la representación dentro de la representación en *Hamlet*, a un artificio similar en una comedia de Corneille, al sueño dentro de otros sueños en *Der Golem*, de Gustav Meyrink, y a los laberintos verbales en *At Swim-Two-Birds* "la novísima obra de Flann O'Brien" (TC 327) que posiblemente fue el texto que, en lo inmediato, lo incitó a escribir "Cuando la ficción vive en la ficción".

Desde el título, sabemos que en "Magias parciales del 'Quijote'" el análisis del recurso de interpolar un texto dentro de otro se centra en la obra de Cervantes. Pero esto no obsta para que Borges recuerde un "artificio análogo al de Cervantes, y aun más asombroso" (OI 67) en el *Ramayana*, poema de Valmiki, para que

---

[9]   Eduardo González Lanuza en el artículo antes mencionado sigue el mismo rumbo con sus ejemplos de esas repeticiones "hacia dentro". Parte de la figura en la etiqueta de la botella de agua y pasa luego a comentar los casos del "cuadro dentro del cuadro" (*Las meninas* de Velázquez, *La familia del rey Carlos IV*, de Goya, y *Los esposos Arnolfini*, de Jan Van Eyck), de "la música dentro de la música" (en la *Pastoral* de Beethoven, y *Petrushka* de Stravinsky) y, finalmente, los ejemplos en la literatura (El *Quijote*, *Hamlet*, los *Seis personajes en busca de autor*, de Pirandello).

vuelva a citar el caso de *Hamlet* y, como vimos, el del mapa de Royce, ejemplo éste de que las "invenciones de la filosofía no son menos fantásticas que las del arte" (OI 68).

En "Magias parciales del 'Quijote'" Borges también repite, palabra por palabra, el largo párrafo que en el ensayo de 1939 había dedicado a *Las mil y una noches*. Entre las interpolaciones efectuadas por los copistas, destaca la de la noche DCII, perturbadora y mágica, de la que dice:

> En esa noche, el rey oye de boca de la reina su propia historia. Oye el principio de la historia, que abarca a todas las demás, y también –de monstruoso modo–, a sí misma. ¿Intuye claramente el lector la vasta posibilidad de esa interpolación, el curioso peligro? Que la reina persista y el inmóvil rey oirá para siempre la trunca historia de *Las mil y una noches*, ahora infinita y circular... (TC 326 y OI 68)

En la entrada para "**Mil y una noches**" que figura en *Borges: Una enciclopedia* de Daniel Balderston, Gastón Gallo y Nicolás Helft, leemos:

> Para Borges, la idea de infinito es consustancial con *Las mil y una noches*. La puesta en abismo, un posible esbozo del infinito al alcance de la percepción humana, es analizada por él en dos ensayos ("Cuando la ficción vive en la ficción", "Magias parciales del 'Quijote'"); en ambos, estos relatos orientales desempeñan un papel central. (228)

Oportunamente se alude aquí a la "puesta en abismo", o "*Mise en abyme*",[10] vocablos técnicos que caracterizan determinadas for-

---

[10] En el "Glosario" al final de su artículo "The Storm in the Eye of the Poem: Baudelaire's 'A une passante'", Ross Chambers anota la explicación de "*Mise en abyme*" que relaciona con "*Embedding*", el término en inglés que designa un procedimiento similar en el análisis del discurso (166).

mas en la estructura del discurso. Un análisis de "Magias parciales del 'Quijote'" según estos términos estaría justificado pero en esta ocasión sería un desvío en la línea central de nuestro estudio. Por otro lado, en el comentario de la obra de Cervantes Borges va mucho más allá de la discusión del texto dentro del texto, o de la representación dentro de la representación. En el párrafo que cierra el ensayo lo que se cuestiona es la base ontológica, la certeza equívoca de nuestra propia realidad:

> ¿Por qué nos inquieta que el mapa esté incluido en el mapa y las mil y una noches en el libro de *Las mil y una noches*? ¿Por qué nos inquieta que Don Quijote sea lector del *Quijote*, y Hamlet, espectador de *Hamlet*? Creo haber dado con la causa: tales inversiones sugieren que si los caracteres de una ficción pueden ser lectores o espectadores, nosotros, sus lectores o espectadores, podemos ser ficticios. (OI 68-69)

Así, los ejemplos literario-filosóficos contenidos en "Magias parciales del 'Quijote'" destacan más su cualidad de repetición auto-inclusiva o auto-representativa que una forma directa de regresión infinita a la que Borges parece haber dado otra vuelta de tuerca ya sea con la historia "infinita y circular" de *Las mil y una noches*, o con los juegos más temibles de los personajes del *Quijote* que leen el *Quijote*, de las criaturas de Cervantes que juzgan a Cervantes, o de nosotros los lectores que quizás somos ficticios.

En "El tiempo y J.W. Dunne", antes de comentar la doctrina que Dunne ha derivado del "interminable *regressus*", Borges anota lo que denomina "previos avatares de las premisas" (OI 31), es decir, otros ejemplos de esa regresión infinita. Para esto, menciona uno de los muchos sistemas filosóficos de la India registrado por Paul Deussen, sistema que "niega que el yo pueda ser objeto inmediato del conocimiento, 'porque si fuera conocible nuestra alma, se requeriría un alma segunda para conocer la primera y una tercera para conocer la segunda'" (OI 31-32). Luego, recuerda al siempre

recordado Schopenhauer quien repitió que " '[e]l sujeto conocedor... no es conocido como tal, porque sería objeto de conocimiento de otro sujeto conocedor' (*Welt als Wille und Vorstellung*,
tomo segundo, capítulo diecinueve)" (OI 32). Y como tercer ejemplo indica que Herbart "había razonado que el yo es inevitable-
mente infinito, pues el hecho de saberse a sí mismo, postula un otro
yo que se sabe también a sí mismo, y ese yo postula a su vez otro
yo" (OI 32). De inmediato, y como conclusión de lo anterior, dice:
"Exornado de anécdotas, de parábolas, de buenas ironías y de diagramas, ese argumento es el que informa los tratados de Dunne"
(OI 32). Este párrafo le sirve a Borges para introducir el comentario de los dos grandes temas en el pensamiento de Dunne a los que
nos referimos en páginas anteriores: el del observador autoconsciente serial que deriva al infinito, y el del tiempo serial que también deriva al infinito. Pero como es habitual en él, después de
enunciar determinada teoría pasa de inmediato a cuestionarla o
corregirla. Así, opina lo siguiente sobre el observador autoconsciente serial: "En cuanto a la conciencia de la conciencia, que
invoca Dunne para instalar en cada individuo una vertiginosa y
nebulosa jerarquía de sujetos, prefiero sospechar que se trata de
estados sucesivos (o imaginarios) del sujeto inicial" (OI 33).

Acerca del tiempo serial, la crítica apunta también a la base de
los postulados de Dunne. Primero dice: "No pretendo saber qué
cosa es el tiempo (ni siquiera si es una "cosa") pero adivino que el
curso del tiempo y el tiempo son un solo misterio y no dos" (OI
34). Luego, califica a Dunne como "una víctima ilustre de esa mala
costumbre intelectual que Bergson denunció: concebir el tiempo
como una cuarta dimensión del espacio" (OI 34). Y más adelante,
reitera el juicio: "Ninguno de los cuatro libros de Dunne deja de
proponer *infinitas dimensiones de tiempo*, pero esas dimensiones
son espaciales" (OI 34). Por último, en el párrafo que sigue la apreciación negativa llega hasta la forma en que Dunne presenta sus
teorías. Primero, formula una pregunta: "¿Qué razones hay para

postular que ya existe el futuro?" (OI 35). Y en la respuesta, la crítica: "Dunne suministra dos: una, los sueños premonitorios; otra, la relativa simplicidad que otorga esa hipótesis a los inextricables diagramas que son típicos de su estilo" (OI 35).

La conclusión de "El tiempo y J.W. Dunne" cubre casi una página y, una vez más, muestra aspectos curiosos en cuanto a la manera en que Borges organiza sus pensamientos y estructura el ensayo.

Por empezar, con mínimas diferencias, todo el texto de esta página es el mismo que Borges escribió en "J.W. Dunne y la eternidad", la reseña publicada en *El Hogar* en noviembre de 1938 (TC 283-84).

Después, comprobamos que la oración inicial en esta parte del ensayo de 1940 figura repetidamente en "Historia de la eternidad", de 1936. En "El tiempo y J.W. Dunne" leemos: "Los teólogos definen la eternidad como la simultánea y lúcida posesión de todos los instantes del tiempo y la declaran uno de los atributos divinos" (OI 35). En "Historia de la eternidad", la sentencia aparece tres veces en latín: "*Aeternitas est merum hodie, est immediata et lucida fruitio rerum infinitarum*" (HE 27, 33 y 43). Y una vez, se la traduce en una paráfrasis limitada: "Los manuales de teología no se demoran con dedicación especial en la eternidad. Se reducen a prevenir que es la intuición contemporánea y total de todas las fracciones del tiempo" (HE 31).

En seguida, se establece la conexión entre las reflexiones de 1936 y el tema del ensayo de 1940: "Dunne, asombrosamente, supone que ya es nuestra la eternidad y que los sueños de cada noche lo corroboran" (OI 35). Y a continuación, Borges sintetiza las ideas de Dunne acerca de los sueños:

> En ellos, según él, confluyen el pasado inmediato y el inmediato porvenir. En la vigilia recorremos a uniforme velocidad el tiempo sucesivo; en el sueño abarcamos una zona que puede ser vastí-

sima. Soñar es coordinar los vistazos de esa contemplación y urdir con ellos una historia, o una serie de historias. Vemos la imagen de una esfinge y la de una botica e inventamos que una botica se convierte en esfinge. Al hombre que mañana conoceremos le ponemos la boca de una cara que nos miró anteanoche... (OI 35)

Si bien el tema de los sueños está presente en todos los libros de Dunne, el último comentario que Borges anota sobre la forma en que en ellos mezclamos imágenes del pasado o del futuro proviene específicamente de *The New Immortality*. La diferencia es que, en su ejemplo, Dunne habla de ver en la vidriera de una tienda un vestido azul y, horas más tarde, de observar a una muchacha que está en una papelería. En los sueños de la noche siguiente, dice, podrá aparecer la muchacha que lleva puesto el vestido azul (*The New Immortality* 81). El ejemplo que da Borges es algo más misterioso cuando en él la botica y la esfinge reemplazan al vestido azul y a la muchacha.

Que Borges recuerde esos párrafos de *The New Immortality* no es extraño dado que, como dijimos, esta última página de "El tiempo y J.W. Dunne" repite casi exactamente lo anotado en "J.W. Dunne y la eternidad" que es la reseña de *La nueva inmortalidad* aparecida en *El Hogar* en noviembre de 1938. Aunque este libro de Dunne aporta poco de nuevo a la exposición de sus teorías, el contenido de algunos de sus capítulos y las circunstancias de su publicación merecen algunos comentarios.

En las últimas líneas de su reseña Borges escribe lo siguiente: "De la mera sucesión de sonidos pasaremos a los acordes; de los meros acordes, a la composición instrumental. (Esa metáfora, robustecida por un acompañamiento de piano, constituye el onceno capítulo de la obra.)" (TC 284).

Estas líneas deben haber sorprendido a muchos lectores de *El Hogar*, pero para aquéllos que consiguieron el libro de Dunne el sentido de ese párrafo quedaba aclarado al leer el Capítulo XI titulado, como el libro, "The New Immortality" (78-89). En la primera página, Dunne explica que la ilustración de su teoría descripta en ese capítulo fue presentada ante diferentes audiencias en 1936 y 1937, transmitida por la B.B.C. de Londres en diciembre de ese último año y, también en 1937, repetida para el elenco que estaba representando la obra de J.B. Priestley, *Time and the Conways*. El capítulo consiste en la exposición del conferenciante quien invita a sus oyentes a imaginarse frente a algo semejante a un film que contiene todas las impresiones sensoriales percibidas a lo largo de la vida. En esa escena va a aparecer el "observador 1", y el "tiempo 1" según los determina la teoría de Dunne, y se va a explicar lo que ocurre con ellos en el sueño –o en la muerte–.

En un momento de la disertación, y para figurar la serie de fenómenos sensoriales y de estados cerebrales en el "tiempo 1", se recurre al teclado de un piano que en el extremo izquierdo representa el comienzo de la vida, y en el derecho, el fin. En ese teclado un pianista va a ejecutar distintos fragmentos musicales (de Mendelssohn, Beethoven, Wagner) con los correspondientes pentagramas que se mezclan en el texto con las palabras del conferenciante y, de alguna manera, significan lo que experimenta el observador, y el soñador.

En *Man and Time*, Priestley recuerda cuando, por propia iniciativa, Dunne fue a exponer esta ilustración de sus ideas frente al elenco de *Time and the Conways*, y comenta que aunque no parecía que los actores habían entendido lo que les decía, nunca actuaron mejor que después de escucharlo (244).

En la Introducción de *Man and Time* Priestley dice que el libro es un ensayo personal, subjetivo, sobre el Tiempo, de alguien como él, obsesionado con el Tiempo (12). Por esto no es extraño que dedique todo un capítulo (10 "Dunne and Serialism" 244-61) a quien considera como la figura más importante en la campaña contra la idea convencional del Tiempo (244). Muchos años antes, en la Introducción a *Two Time Plays*, la edición de 1937 de *I Have*

Been Here Before y *Time and the Conways*, Priestley ya reconocía a Dunne como un "audaz pionero en la exploración del Tiempo" ("bold pioneer of Time exploration") y expresaba su deseo de que sus ideas se divulgaran y fueran consideradas debidamente (ix-x). Si el tema del Tiempo era una constante en el pensamiento de Priestley, no es extraño que el mismo esté igualmente presente en su producción dramática y, en menor medida, en su narrativa. En *Man and Time*, Priestley se refiere a esta característica de su obra y explica que en *Dangerous Corner* jugó con la idea de un tiempo dividido o bifurcado, en *I Have Been Here Before* utilizó la teoría de la recurrencia de P.D. Ouspensky, un autor también citado por Borges[11] y en *Time and the Conways* usó parte de la teoría de Dunne (134).

En *El Hogar*, Borges reseña tres obras de Priestley: *Time and the Conways*, en octubre de 1937 (TC 180-81), *I Have Been Here Before*, en diciembre de 1937 (TC 191-92) y la novela *The Doomsday Men*, en septiembre de 1938 (TC 268-69). Y, como otros críticos,[12] advierte la relación entre las ideas de Dunne y los textos de

---

11   En "El tiempo y J.W. Dunne" Borges observa que Dunne, "como Ouspensky en el *Tertium Organum* postula que ya existe el porvenir, con sus vicisitudes y pormenores" (OI 33). En "La cuarta dimensión", el artículo publicado en la *Revista multicolor de los sábados* en 1934 Borges menciona a Ouspensky (30) y lo mismo hace en su reseña de "Gerald Heard: *Pain, Sex and Time* (Cassell)" que apareció en el Número 80 de *Sur* en mayo de 1941, referencia que figura en la misma página en que también habla de Dunne (OI 169). Priestley analiza la obra de P.D. Ouspensky (1878-1947) en el Capítulo 11, "Esoteric School", de *Man and Time* (264-70). En esas páginas presenta al escritor ruso como un hombre de personalidad solemne y autoritaria, poseedor de conocimientos en las ciencias y en las matemáticas, y desde muy temprano interesado en el problema del Tiempo. Por su parte, en el Capítulo IV de *Borges y la inteligencia artificial*, Ema Lapidot estudia la relación entre las ideas de Ouspensky y la estructura y los personajes de "La muerte y la brújula" (75-111).

12   Ver, por ejemplo, el artículo de Grover Smith, Jr., "Time Alive: J.W. Dunne and J.B. Priestley". *The South Atlantic Quarterly* 56.2 (1957): 224-33.

Priestley. Al final de su comentario sobre *I Have Been Here Before* aclara que lo que parece ser un error que podría invalidar toda la concepción de la obra se explica en estos términos:

> No hay tal error: la clave de esa imaginaria dificultad es la curiosa tesis de Dunne, que atribuye a cada hombre, en cada instante de su vida, un número infinito de porvenires, todos previsibles y todos reales. Tesis, como se ve, mucho más ardua de aprehender y más prodigiosa que los tres actos de Mr. Priestley. (TC 191-92)

Si las tesis de Dunne son difíciles de aprehender y, en ocasiones, de una enorme complejidad, también es cierto que para muchos lectores el esfuerzo de interpretarlas se justifica cuando entre sus planteos aparece aquél que conlleva el atractivo de afirmar una íntima esperanza. Esto nunca es más evidente que cuando Dunne propone la idea de la vida después de la muerte, cuando dice que, de alguna forma, somos inmortales.

En el Capítulo II, "Artist and Picture" de *The Serial Universe* en el que comentamos las figuras del pintor autoconsciente y sus cuadros regresivos, Dunne anota que todo lo que se diga acerca de la "muerte" o la "inmortalidad" está relacionado con el *tiempo* y no tiene sentido con ninguna otra conexión (36).[13] Dado que según los términos de sus teorías el "sistema-tiempo" es un sistema regresivo, la muerte sólo ocurre en el Tiempo 1 al Observador 1 y no al Observador 2 en el Tiempo 2. A la pregunta de si el reconocer que no tenemos fin es un pensamiento horrible, Dunne contesta que el terror a la inmortalidad está basado en una imperfecta apreciación de lo que entendemos por inmortalidad. No se trata de que nuestra vida cotidiana continúe para siempre. Nuestra inmortalidad existe en un tiempo multidimensional y es de un carácter muy diferente (*The Serial Universe* 36-37).

---

[13] "All talk about 'death' or 'immortality' has reference to *time*, and is meaningless in any other connection" (*The Serial Universe* 36).

Como el título lo indica, los dos libros que Dunne publica en 1938 y 1940, *The New Immortality* y *Nothing Dies*, le sirven para ampliar sus comentarios sobre esa vida que perdura en otras dimensiones del tiempo.

En *Nada muere* explica que entonces podremos comunicarnos con los otros a través de la mente, que seremos como pequeños dioses en nuestro pequeño reino en el que todo ocurrirá de acuerdo con nuestros deseos, pero también advierte que ese paraíso de nuestra invención puede convertirse en un infierno de profunda soledad si no aprendemos a renunciar a nuestro imperio y a atender sin egoísmo a las expectativas de los demás (*Nothing Dies* 89-91).

En su interpretación de estos textos Borges va a reemplazar el tono ético implícito en la imagen de la eternidad que se propone en ellos por un matiz familiar y literario cuando dice:

> Dunne asegura que en la muerte aprenderemos el manejo feliz de la eternidad. Recobraremos todos los instantes de nuestra vida y los combinaremos como nos plazca. Dios y nuestros amigos y Shakespeare colaborarán con nosotros. (OI 35)

Borges ya había anticipado esta reflexión en "J.W. Dunne y la eternidad" (TC 283), y literalmente la va a repetir en el "Prólogo" a la edición de *Un experimento con el tiempo* de su "Biblioteca personal" (BP 123). De modo que la misma se reitera en 1938, 1940 y 1986. Por esto, y aunque en "El tiempo y J.W. Dunne" Borges ha cuestionado los argumentos principales en las teorías de Dunne e, inclusive, la manera en que estos son enunciados, el atractivo de esta última visión de una eternidad accesible es tan grande que justifica el juicio concluyente: "Ante una tesis tan espléndida, cualquier falacia cometida por el autor, resulta baladí" (OI 35).

Pero aunque esta sentencia es definitoria, si nos preguntamos qué es lo que Borges conserva y distingue a lo largo de sus lecturas de los textos de Dunne diríamos que en un principio y en lo inmediato, el título y, después, en relación con su obra, el esquema y la imagen de la regresión infinita.

En *Siete noches*, el volumen que reúne las conferencias que Borges pronunció en el teatro Coliseo de Buenos Aires en 1977, hallamos la mención de Dunne en la referida al tema de "La pesadilla". Primero, acerca de *An Experiment with Time* dice: "No estoy de acuerdo con su teoría pero es tan hermosa que merece ser recordada" (SN 36). Y más adelante, en la misma ocasión: "Dunne es un escritor inglés de este siglo. No conozco título más interesante que el de su libro, *Un experimento con el tiempo*" (SN 37).

En "Las mil y una noches", la tercera conferencia de ese ciclo, alaba el título del libro de relatos orientales, y también el de la obra de Dunne: "Quiero detenerme en el título. Es uno de los más hermosos del mundo, tan hermoso, creo, como aquel otro que cité la otra vez, y tan distinto: *Un experimento con el tiempo* (SN 61).

Por fin, en el "Prólogo" a la edición de *Un experimento con el tiempo* de su "Biblioteca personal", completa la apreciación del título con la referencia al efecto que el mismo produce en el lector:

> Algún historiador de la literatura escribirá algún día la historia de uno de sus géneros más recientes: el título. No recuerdo ninguno tan admirable como el de este volumen. No es meramente ornamental; nos incita a la lectura del texto y el texto, ciertamente, no nos defrauda. Es de carácter discursivo y abre posibilidades magníficas a nuestro concepto del mundo. (BP 123)

Ahora, acerca de la regresión infinita podemos ir primero a la reseña sobre el libro *El hechizado* de Francisco Ayala, que Borges publica en *Sur* en diciembre de 1944, texto en el que se refiere a la enorme cantidad de ejemplos de ese fenómeno, y enumera algunos de sus preferidos:

Hay materiales suficientes para una Antología (o Biblioteca) de la Postergación Infinita. En la primera parte podrían figurar los dialécticos: el eleata Zenón que inventó los problemas de la tortuga, del hipódromo y de la flecha; Aristóteles, que aprovechó un lugar del *Parménides* para enunciar el argumento del tercer hombre; el sofista Hui Tzu, que razonó que un bastón, al que cercenan la mitad cada día, es interminable; Herman Lotze, que negó todo influjo de A sobre B, porque el influjo constituye otro elemento C, que para influir en el segundo, exige otro elemento D, que exige otro elemento E, que exige otro elemento F; Bradley, que negó toda relación entre A y B, porque la relación constituye otro término C, que requiere otros términos D y F para relacionarse con A y con B: James, que negó que pudieran transcurrir catorce minutos, porque antes deben transcurrir siete, y antes tres y medio, y antes, uno y tres cuartos, y antes... (BS 280)

El texto anterior confirma una vez más lo que venimos detallando en este capítulo en cuanto a que el tema de la regresión infinita es una constante atractiva y, al mismo tiempo, perturbadora en el pensamiento de Borges. Juntos, el esquema regresivo despierta su interés y el desenlace al infinito, su recelo. Pero en uno u otro caso, lo que resulta con frecuencia es el hacer de esa postergación, progresión, o regresión inacabable parte de sus ficciones.

Así, en "La Biblioteca de Babel" se dice que alguien propone un método "regresivo" para hallar el libro que sea el compendio perfecto de todos los demás:

Para localizar el libro A, consultar previamente un libro B que indique el sitio de A; para localizar el libro B, consultar previamente un libro C, y así hasta lo infinito... (F 92-93)

Lo mismo puede observarse en la " 'novela regresiva', ramificada *April March*" del protagonista de "Examen de la obra de Herbert Quain", sobre la que el narrador comenta que "alguien ha percibido en sus páginas un eco de las doctrinas de Dunne" (F 79). La insistencia en el tema se afirma cuando Borges incluye una nota al pie de página con un ejemplo de regresión biológica-antropológica que desemboca no en el infinito sino en la nada, quizás la forma más temible de infinito:

> Un interlocutor del *Político*, de Platón, ya había descrito una regresión parecida: la de los Hijos de la Tierra o Autóctonos que, sometidos al influjo de una rotación inversa del cosmos, pasaron de la vejez a la madurez, de la madurez a la niñez, de la niñez a la desaparición y la nada. (F 79)

Cuando la regresión se asienta en un objeto puede hacer de éste algo monstruoso como lo que ocurre con "El libro de arena", así llamado "porque ni el libro ni la arena tienen ni principio ni fin" (LA 172). La regresión es "hacia dentro", y vano es el intento del protagonista-narrador por hallar la primera hoja:

> Apoyé la mano izquierda sobre la portada y abrí con el dedo pulgar casi pegado al índice. Todo fue inútil: siempre se interponían varias hojas entre la portada y la mano. Era como si brotaran del libro. (LA 172)

La misma frustración lo aqueja al tratar de llegar al final del libro, y es entonces cuando el vendedor de Biblias que se lo ha canjeado por una suya, le explica:

> El número de páginas de este libro es exactamente infinito. Ninguna es la primera; ninguna; la última. No sé por qué están numeradas de ese modo arbitrario. Acaso para dar a entender que los términos de una serie infinita admiten cualquier número. (LA 172)

Esta alusión al infinito aritmético podría equipararse con la referencia al infinito geométrico con que comienza la narración de "El libro de arena", esquema que el narrador descarta para organizar su relato:

La línea consta de un número infinito de puntos; el plano, de un
número infinito de líneas; el volumen, de un número infinito de
planos; el hipervolumen, de un número infinito de volúmenes...
No, decididamente no es éste, *more geometrico*, el mejor modo de
iniciar mi relato. (LA 169)

En los ejemplos anteriores la regresión infinita aparece suple-
mentaria o marginal dentro de la extensión de la trama, pero en
"Un sueño", de *La cifra*, la regresión abarca todo el texto:

> En un desierto lugar del Irán hay una no muy alta torre de piedra,
> sin puerta ni ventana. En la única habitación (cuyo piso es de tierra
> y que tiene la forma del círculo) hay una mesa de madera y un
> banco. En esa celda circular, un hombre que se parece a mí escribe
> en caracteres que no comprendo un largo poema sobre un hombre
> que en otra celda circular escribe un poema sobre un hombre que
> en otra celda circular... El proceso no tiene fin y nadie podrá leer
> lo que los prisioneros escriben. (C 71)

Podríamos detenernos aquí a comentar la relación que desde el
título de "Un sueño" tiene este texto con el "experimento" y las
ideas de Dunne sobre los sueños, pero preferimos concluir este
capítulo con el análisis de aquél que consideramos el más significativo en cuanto a ilustrar el tema que nos ocupa. Se trata de "Las
ruinas circulares", el cuento que Borges publicó en *Sur* en diciembre de 1940, tres meses después de haber publicado en septiembre
de 1940, y también en *Sur*, "El tiempo y J.W. Dunne".
  Nos animamos a conjeturar que dado a escribir "Las ruinas circulares" Borges rememora lecturas recientes o reiteradas. En el
caso de Dunne, él mismo explica que la razón inmediata de redactar el artículo de 1940 fue "el examen del último libro de Dunne
–*Nothing Dies* (1940, Faber and Faber)–" (OI 31).
  La otra lectura a la que aludimos es la de las páginas que sobre
Heráclito escribe G.H. Lewes en su *Biographical History of Philo-*

sophy (63-70). En este caso no tenemos ninguna declaración de Borges de que así lo hubiera hecho, pero si recordamos que la *Historia biográfica de la filosofía* era una de las obras que más había "releído y abrumado de notas manuscritas" (D 165), y también, el atractivo que Borges siempre encuentra en algunos de los enunciados del filósofo griego, la suposición de que esta lectura estaba presente en su memoria cuando redacta "Las ruinas circulares" no resulta tan aventurada.

Lewes dedica varias páginas de su libro a la biografía y a la filosofía de Heráclito, pero ahora sólo nos interesa citar algunos de los conceptos fundamentales. Primero, que Heráclito concibe que el Fuego es el principio de todas las cosas (68). Segundo, que el mundo no fue creado por uno de los Dioses o por el hombre: fue, es y será, un fuego siempre vivo que en debida proporción se enciende y en debida proporción se extingue (68-69). Y por fin, que el Fuego que por siempre se enciende en llamas, y pasa a humo y cenizas; este incansable, cambiante flujo de cosas que nunca *son*, pero que siempre *están por ser*, esto, proclama Heráclito, es Dios, o el Uno (69).[14]

En "El tiempo circular", publicado inicialmente en *La Nación* en diciembre de 1941 con el título de "Tres formas del eterno regreso",[15] Borges sintetiza en una frase la esencia y, para él, lo más importante de todos los conceptos anteriores cuando habla del "mundo de Heráclito, que es engendrado por el fuego y que cíclicamente devora el fuego" (HE 112).

Si ahora vamos a "Las ruinas circulares" recordamos que cuando el mago desespera en su intento de soñar un hombre,

---

[14]   Todos estos conceptos hasta aquí enumerados los anotamos en traducción libre de como aparecen en las páginas indicadas del libro de Lewes.

[15]   Estos datos los tomamos de la inapreciable información contenida en el libro de Ana María Barrenechea, *La expresión de la irrealidad en la obra de Jorge Luis Borges.*

invoca el poder de una efigie cuya estatua se le aparece en el
sueño:

> Ese múltiple dios le reveló que su nombre terrenal era Fuego, que
> en ese templo circular (y en otros iguales) le habían rendido sacri-
> ficios y culto y que mágicamente animaría al fantasma soñado, de
> suerte que todas las criaturas, excepto el Fuego mismo y el soña-
> dor, lo pensaran un hombre de carne y hueso. Le ordenó que una
> vez instruido en los ritos, lo enviara al otro templo despedazado
> cuyas pirámides persisten aguas abajo, para que alguna voz lo glo-
> rificara en aquel edificio desierto. En el sueño del hombre que
> soñaba, el soñado se despertó. (F 63-64)

En páginas anteriores comentamos las características generales
de *Nothing Dies* y algunos de los temas que Dunne trata en este
libro. Ahora nos vamos a limitar al análisis de unas pocas líneas
contenidas en el Capítulo III titulado "Correct Treatment of a
Regress". Recordemos de paso que en el Capítulo precedente,
"The Boundaries of Knowledge", Dunne ha repetido la regresión
infinita ilustrada en las figuras del artista y sus cuadros. En este
Capítulo va a aclarar las ideas del regreso interminable con la imagen de una cadena de términos que repiten una misma relación.
Esa cadena se conoce como una "serie", de aquí el nombre de la
nueva ciencia, su Serialismo. Y en seguida, en el párrafo que nos
interesa, dice: "Lo que presentamos es una serie de conocedores
cada uno de los cuales conoce a un conocedor inferior y es conocido por uno superior. Así, el último conocedor nunca será descubierto" (31. La traducción es nuestra).[16]

De esta manera, al final de "Las ruinas circulares" se combina-
ría la imagen del dios del Fuego de Heráclito con la "serie" de

---

[16] "What we disclose is a series of knowers each of which is aware of an inferior knower and is known by a superior knower. Thus, the ultimate knower
can never be discovered" (*Nothing Dies* 31).

Dunne en la cadena del mago que forma un hijo a quien envía a oficiar a un templo río abajo, para venir a descubrir al final que también él es criatura soñada por un mago que habita río arriba:

Las ruinas del santuario del dios del fuego fueron destruidas por el fuego. En un alba sin pájaros el mago vio cernirse contra los muros el incendio concéntrico. Por un instante, pensó refugiarse en las aguas, pero luego comprendió que la muerte venía a coronar su vejez y a absolverlo de sus trabajos. Caminó contra los jirones de fuego. Estos no mordieron su carne, éstos lo acariciaron y lo inundaron sin calor y sin combustión. Con alivio, con humillación, con terror, comprendió que él también era una apariencia, que otro estaba soñándolo. (F 66)

Pero si bien el dios del Fuego de Heráclito a través de Lewes junto con las figuras regresivas y las series que repiten las generaciones según Dunne son todas imágenes sugerentes que existen en potencia, queda claro que éstas sólo se realizan cuando Borges las incorpora al universo complejo y trascendente de su escritura.

CAPÍTULO V

MAX EASTMAN: LA RISA Y EL HUMOR

Como en capítulos anteriores, en éste partimos del análisis de los comentarios de Borges sobre determinados libros o autores. Aquí, el texto es el de la reseña sobre *Enjoyment of Laughter* de Max Eastman, publicada en *El Hogar* el 19 de noviembre de 1937 (TC 188-89). El enunciado de la misma se desarrolla en menos de cuatrocientas palabras, brevedad que una vez más evidencia los límites precisos que la diagramación de la sección sobre "Libros y Autores Extranjeros" imponía a su redactor.[1] Pero es esa brevedad o, mejor, lo que inferimos a través de ella, aquello que junto con la fecha de publicación nos decidieron a utilizar esta reseña como base para la investigación que desarrollaremos en las páginas siguientes. Yendo por partes, noviembre de 1937 se ubica muy cerca del final de esa década que consideramos definitoria en la evolución de los ejercicios narrativos de Borges, evolución y técnica que se afirmarán en la década de 1940 en las dos colecciones más importantes de sus relatos, *Ficciones* y *El Aleph*. En cuanto a lo escueto del texto, baste decir por el momento que en párrafos de pocas líneas Borges juzga negativamente importantes teorías sobre el humor, y enuncia lo esencial de la que considera es la correcta.

Acerca de Max Eastman (1883-1969), la opinión de Borges se reduce a evaluarlo únicamente en su condición de autor de *Enjoy-*

---

[1] En los cuatro últimos números en que aparece la columna de Borges en *El Hogar* (de mayo a julio de 1939) la extensión de la misma se reduce de una a media página, con el nuevo título de "Libros Extranjeros" (Sacerio-Garí 174, 188).

ment of Laughter aunque es muy probable que estuviera informado sobre otras actividades y trabajos de este escritor y crítico norteamericano. Decimos esto porque en la última página de *Enjoyment of Laughter* (368) se incluye una Nota sobre Eastman con datos acerca de su vida y obras hasta ese año de 1936 en que se publica el libro (Borges lo reseña un año después de esta primera edición y sólo podemos conjeturar que la demora se debió a que el volumen llegó a sus manos con retraso o, como en cierta forma estamos haciendo nosotros, porque en ese momento le resultó útil para enunciar sus ideas sobre la risa y el humor).

En la Nota leemos que Max Eastman nació en Canandaigua, localidad en la región central del Estado de New York, y que cursó estudios de filosofía y psicología en la Universidad de Columbia. También, que fue editor de *The Masses*, una revista de orientación socialista sobre arte y literatura, y que cuando esta publicación fue clausurada en 1917 por la oposición que pregonaba contra el ingreso de los Estados Unidos en la Primera Guerra Mundial, fundó *The Liberator*, revista que editó hasta 1922. Después, viajó a Rusia donde residió por dos años dedicado al estudio del idioma, y de las teorías marxistas que sustentaban la ideología soviética. Su interés por estos temas se evidencia en libros tales como *Marx and Lenin, the Science of Revolution* (1926), *Since Lenin Died* (1925), *End of Socialism in Russia* (1937), y en sus traducciones de textos importantes de Leon Trotski. Pero en la Nota también se indica que en 1913 Eastman publicó *Enjoyment of Poetry*, el libro que le dio mayor renombre, y el más difundido como comprobamos al consultar la lista general de sus obras en la que se mencionan numerosas ediciones del mismo en 1921, 1939, 1951, 1963, y 1987. En esta lista, Eastman también aparece como autor de varias colecciones de poemas. No sabemos si Borges había leído algunos de ellos, o si conocía el ensayo de Eastman sobre "El goce o deleite de la poesía" (*Enjoyment of Poetry*). Lo cierto es que en la reseña sólo comenta "El goce o deleite de la risa" (*Enjoyment of Laughter*) y lo que dice no es mucho. Sólo dos líneas al comienzo, y dos líneas al final de su texto, las que sirven para enmarcar lo sustancial del mismo. Así, leemos al principio: "Este libro es a ratos un análisis de los procedimientos del humorista, a ratos una antología de chistes: buenos y de los otros" (TC 188). Y, al final: "*Enjoyment of Laughter* ha sido elogiado por P.G. Wodehouse, por Stephen Leacock, por Anita Loos y por Chaplin" (TC 189). Aunque aparentemente no hay nada incorrecto en estas frases, la falta en la que incurre Borges en su apreciación del libro de Eastman es la de omitir una referencia –aunque fuera breve– a los contenidos de un texto de considerable extensión y, sobre todo, a las ideas que Eastman expone en sus páginas, ideas que conforman su teoría sobre la risa y el humor.

Enjoyment of Laughter está dividido en ocho Partes a su vez divididas en varios capítulos excepto la Primera que consta de una sola página en la que Eastman enuncia cuatro leyes que juzga fundamentales para precisar el concepto del humor. La primera es que las cosas sólo pueden ser graciosas si estamos en la disposición de ánimo propicia a divertirnos o a no interpretar todo con absoluta seriedad ("things can be funny only when we are in fun" 3). La segunda es que cuando estamos en esa disposición de ánimo las cosas agradables continúan siendo agradables y las desagradables, excepto las muy extremas, tienden a adquirir una repercusión emocional placentera, y a provocar la risa. La tercera ley es que el estado propicio a divertirnos ("being in fun") es una condición natural en la infancia, condición que los adultos retienen en distintos grados cuando gozan de cosas desagradables que hallan divertidas, lo que constituye la cuarta ley.

En las siguientes Partes que componen el libro, Eastman va a comentar las ideas sintetizadas en estas leyes, y a ilustrarlas con diversos ejemplos de acciones, situaciones, y formas de expresión que provocan la risa o que pueden clasificarse dentro del género humorístico. Así, en la Segunda y Tercera Parte habla del humor y la risa en los seres humanos, niños y adultos, en la Cuarta analiza diversos casos de la experiencia del humor, en la Quinta se refiere a los juegos del lenguaje que lo provocan, en la Sexta a cómo la risa ocurre tanto cuando se exagera como cuando se disminuye el énfasis de lo que se dice o hace, en la Séptima menciona temas que tradicionalmente motivan la risa, y en la Octava y última Parte presenta un diagrama del chiste, y enumera Diez mandamientos de las Artes cómicas. En un Suplemento, anota juicios sobre el humor por parte de humoristas o personajes que a través de la historia expresaron opiniones que, según las interpreta Eastman, corroboran su teoría sobre el humor (343).

Como vimos, en las cuatro líneas que inician y concluyen su reseña Borges ignora todos estos planteos que Eastman presenta detalladamente a lo largo de su texto y sólo los alude en pocas palabras: "análisis de los procedimientos del humorista", y "antología de chistes".

En cambio, si vamos a las primeras líneas de esos párrafos en los que, según anticipamos, Borges adhiere a una particular interpretación del humor y, pensamos, son los que muestran la razón que en lo inmediato lo movió a reseñar el libro de Eastman, leemos lo siguiente:

> El autor aniquila las muy aniquilables teorías de Bergson y de Freud, pero no menciona la de Schopenhauer (*El mundo como voluntad y representación*, capítulo XIII del primer volumen, VIII del segundo) que es harto más aguda y más verosímil. Muy pocos la recuerdan. Yo sospecho que nuestro tiempo (influido por el mismo Schopenhauer) no le perdona su carácter intelectual. (TC 188)

Sin duda, lo que Borges manifiesta aquí es un rechazo absoluto de las ideas de Bergson y de Freud acerca de la risa y el humor, y la exaltación de las que, por su parte, había propuesto Schopenhauer. Esto es todo, y es mucho. Así, estos serán los conceptos que sirvan de base para el análisis y los comentarios que vamos a desarrollar en este capítulo.

Por empezar, si bien es cierto que Eastman discrepa en varios puntos con las opiniones de Bergson, y dedica tres capítulos de la Séptima Parte a rebatir, a veces en forma virulenta, algunas de las centrales al pensamiento de Freud, es exagerado el tono de exterminio que Borges impone a su frase: "El autor aniquila las muy aniquilables teorías de Bergson y de Freud". Si consideramos que por 1937, fecha de la redacción de la reseña, tanto Freud como Bergson sobresalían en el panorama intelectual de la época, se hace aún más notable el desenfado con que así los enfrenta el entonces no muy conocido escritor argentino.

Es sabido que Bergson, quien además había ganado el Premio Nobel de Literatura diez años antes, ejercía enorme influencia en las corrientes del pensamiento europeo e hispanoamericano. El mismo Borges mencionó alguna vez que, junto con William James, Bergson era el autor preferido de su padre (SN 146). Por su parte, las referencias a las ideas y trabajos del filósofo francés prueban la familiaridad de Borges con la mayoría de sus obras.

En el Capítulo 3, al analizar "La perpetua carrera de Aquiles y la tortuga", el artículo publicado en 1929, vimos que cuando Borges presenta la forma en que Bergson intenta refutar la célebre paradoja no sólo se vale de la versión al español del *Ensayo sobre los datos inmediatos de la conciencia* sino que la está cotejando con el original en francés. Asimismo, el 30 de septiembre de 1933, Borges publica en la *Revista multicolor de los sábados* una reseña sobre *Las dos fuentes de la moral y de la religión*, texto de Bergson aparecido el año anterior. En el comienzo, Borges califica al libro de Bergson como "el fruto más sazonado de su larga carrera de filósofo" (BRM 190), y en las páginas que siguen demuestra una lectura cuidadosa de ese texto, y un conocimiento general de algunas de las ideas centrales en el pensamiento del autor reseñado.

Las menciones de Bergson siguen apareciendo en la obra de Borges especialmente en relación con el tema del tiempo (OI 34, OI 235, BO 85), y con el concepto bergsoniano del *élan vital*, el ímpetu vital, en su posible correspondencia con la Sed (*Trishna*) en la doctrina budista (OCC 749, SN 92). Inclusive, Bergson está en boca del apesadumbrado protagonista-narrador de "El Zahir" cuando éste califica al dinero representado en esa moneda que lo obsesiona, como "tiempo imprevisible, tiempo de Bergson, no duro tiempo del Islam o del Pórtico" (A 107).

Si bien las citas del filósofo francés son relativamente frecuentes en la obra de Borges, no compartimos la opinión de aquellos críticos que suponen que su influencia en el pensamiento del escritor argentino es mayor de la que se deriva de las simples menciones del nombre o de las ideas.[2] Además, aquí nos hallamos ante una crítica demoledora de la teoría del humor que Bergson había enunciado en 1900, en *La risa: Ensayo sobre la significación de lo cómico*. Por esto, para interpretar mejor la evaluación de este texto conviene ahora sintetizar los puntos principales enunciados en sus páginas.

En el primer capítulo de *La risa* Bergson se detiene en tres observaciones que entiende son fundamentales para la consideración del tema: 1.- "Fuera de lo que es propiamente *humano*, no hay nada cómico" (12). 2.- "No hay mayor enemigo de la risa que la emoción" (13). "Lo cómico, para producir todo su efecto, exige como una anestesia momentánea del corazón. Se dirige a la inteligencia pura" (14). 3.- "Nuestra risa es siempre la risa de un grupo" (14). "La risa debe tener una significación social" (15).

En seguida, y apoyándose en el ejemplo de la risa que provoca en los transeúntes ver a un hombre que va corriendo y, de pronto, tropieza y cae, Bergson determina que lo que causa la

---

2   Ver el artículo de Edna A. Sawnor, "Borges y Bergson", *Cuadernos Americanos* 185. 6 (1972): 247-54.

risa en este caso es observar "un efecto de rigidez o de velocidad adquirida" (16).

El análisis de lo cómico de las formas y lo cómico de los movimientos le sirve para precisar mejor su tesis de que lo cómico se deriva "de lo mecánico calcado sobre lo vivo" (49). En el segundo capítulo de su ensayo Bergson analiza lo cómico de situación y lo cómico verbal, y en el tercero, lo cómico de los caracteres. Como conclusión importante en cuanto al valor social de la risa, anota lo siguiente:

> Lo cómico es aquel aspecto de la persona que le hace asemejarse a una cosa, ese aspecto de los acontecimientos humanos que imita con una singular rigidez el mecanismo puro y simple, el automatismo, el movimiento sin la vida. Expresa, pues, lo cómico cierta imperfección individual o colectiva que exige una corrección inmediata. Y esta corrección es la risa. La risa es, pues, cierto gesto social que subraya y reprime una distracción especial de los hombres y de los hechos. (70)

En *Enjoyment of Laughter*, Eastman critica varios de los enunciados de Bergson sobre la significación de lo cómico. Así, da ejemplos que supone contradicen la observación del filósofo francés de que no nos reímos de las "cosas", o de los animales(68), u objeta la idea de que lo cómico se dirige a la inteligencia pura y debe alejarse de la emoción o de los sentimientos (291,294). Y en una frase que puede haber alentado a Borges a proferir su juicio belicoso, Eastman incluye a Bergson en el grupo de filósofos poco observadores e incapaces de darse al juego diversivo, a quienes quiere expulsar cuanto antes de su texto.[3]

En 1905, cinco años después del estudio de Bergson aparece el de Freud, *El chiste y su relación con lo inconsciente*, con la enun-

---

3   "to usher out of our textbook at the very beginning, and with gentle firmness, those unplayful and unobservant philosophers... . "(30).

ciación de las teorías sobre lo cómico y el humor que, como vimos, Borges rechaza de plano.

La referencia a Freud en la reseña sobre el libro de Eastman no es sólo negativa sino que, además, figura como una de las contadas ocasiones en que Borges menciona al fundador del psicoanálisis. En la otra cita que encontramos, ahora en "Examen de la obra de Herbert Quain", de *Ficciones*, el nombre de Freud se relaciona en tono paródico con la "comedia heroica en dos actos *The secret mirror*" (F 81), uno en la lista de textos extravagantes que integran la "obra" aludida en el título del cuento:

> Cuando *The secret mirror* se estrenó, la crítica pronunció los nombres de Freud y de Julián Green. La mención del primero me parece del todo injustificada. La fama divulgó que *The secret mirror* era una comedia freudiana; esa interpretación propicia (y falaz) determinó su éxito. (F 82)

No vamos a detenernos aquí a considerar el significado o las razones del evidente desinterés de Borges por los trabajos de Freud. Pero, como hicimos con el libro de Bergson, sí importa intentar una síntesis general del contenido de *El chiste y su relación con lo inconsciente* para conocer aquellos enunciados en los que supuestamente Borges se apoya para afirmar su juicio negativo.

El texto de Freud se divide en tres Partes: analítica, sintética, y teórica, integradas en total por siete capítulos.

En el Capítulo 2, "La técnica del chiste", Freud clasifica a los chistes en verbales, los que en general se apoyan en el juego de palabras (14-39), e intelectuales, los que lo hacen en el juego con ideas (47-76), mientras que en el Capítulo 3, "Las tendencias del chiste", los divide de acuerdo con el propósito que los anima en chistes inocentes y chistes tendenciosos (77-102).

Desde el título del Capítulo 4, "El mecanismo del placer y la psicogénesis del chiste", Freud se refiere a uno de los puntos centrales en su teoría que es el de explicar por qué el chiste causa placer. Sobre la base del análisis de los distintos tipos de chistes, y de la razón de enunciarlos, indica que el placer proviene del ahorro del gasto psíquico que habría que ejercer para satisfacer el propósito de un chiste tendencioso, o del ahorro del gasto de coerción que el chiste libera (103-23). En la línea de que economizar el gasto de actividad psíquica produce placer, Freud anota: "Parece generalmente aceptado el hecho de que el reencuentro de lo conocido produce placer" (106), recuerda que Aristóteles veía "en la alegría del reconocimiento la base del goce artístico" (107), y relaciona estos conceptos con el efecto de placer que se deriva de la presencia de ciertos recursos en el lenguaje poético. Dice: "Se acepta asimismo que la rima, la aliteración, el estribillo y otras formas de la repetición de sonidos verbales análogos, en la poesía, utilizan la misma fuente de placer, o sea el reencuentro de lo conocido" (107).

Después de esta breve incursión en el terreno literario, Freud continúa su ensayo y, en los capítulos siguientes, pasa a considerar "Los motivos del chiste. El chiste como fenómeno social" (123-40) y la "Relación del chiste con los sueños y lo inconsciente" (141-61).

Por fin, en el séptimo y último capítulo, "El chiste y las especies de lo cómico" (161-215), Freud va a extender la interpretación del placer que produce el chiste en cuanto significa una economía o ahorro de actividad psíquica a la economía que, según esos términos, ocurre en el caso de la comicidad, y en el del humor. Así, concluye su estudio con lo que, en cierta medida, sería suponer la virtud de la indolencia en el ejercicio de nuestra actividad psíquica dado que en los casos en que podemos economizarla conseguimos un efecto placentero:

El placer del chiste nos pareció surgir del *gasto , e coerción aho-*
rrado; el de la comicidad de *gasto de representación (de carga)*
ahorrado, y el del humor, de *gasto de sentimiento ahorrado*. (215)

Si bien se puede disentir con algunos de los postulados que
Freud presenta en su texto, no hay duda de que llega a ellos a través de cuidadosas reflexiones que apoya en el análisis de casos
pertinentes, reflexiones que organiza en forma coherente para arribar a su conclusión. Pero todo esto no es óbice para que en *Enjoyment of Laughter* Max Eastman arremeta contra conceptos centrales en las teorías de Freud con comentarios no siempre justos como
ocurre cuando menciona los enunciados de Freud en forma confusa o incompleta (260), o cuando califica a sus trabajos de abstru-
sos (60). En ocasiones, sus críticas se cargan de animosidad, por
ejemplo al decir que la propuesta freudiana de que lo cómico consiste en eludir a un censor es una idea decimonónica, constreñida
por la histeria, nacida en el hospital, y engendrada en la clínica.[4] O
cuando, con sarcasmo, afirma que lo que la teoría de Freud nece-
sita, ante todo, es curarse del hábito alemán de explicar el universo
cada vez que sólo se está explicando un hecho particular.[5]

Si bien, y como en el caso de Bergson, lo negativo de las críticas de Eastman sobre Freud pueden haber estimulado a Borges a
igualarlas en un mismo tono de rechazo, pensamos que lo más
importante no está en esta coincidencia de juicios ("El autor aniquila las muy aniquilables teorías de Bergson y de Freud") sino en
el hecho de que Borges delata el error de Eastman cuando éste "no
menciona la de Schopenhauer (*El mundo como voluntad y repre-*

---

4   "Freud's nineteenth-century-sired, hysteria-damed, hospital-born and clinic-
     bred idea that the comic *consist of* eluding a censor" (Eastman 269).
5   "What Freud's theory first needs is to be cured of the German habit of explai-
     ning the entire universe every time you explain a fact" (Eastman 253).

sentación, capítulo XIII del primer volumen, VIII del segundo) que es harto más aguda y más verosímil" (TC 188).

Esta no es la primera o la única vez en que Borges manifiesta su desagrado cuando observa la falta de referencias a Schopenhauer en aquellos textos que debían haberlo incluido. Un año antes, y también en las páginas de *El Hogar*, acusa "[la] omisión desdeñosa de Schopenhauer, cuyo nombre no figura una sola vez" en *Guide to Philosophy*, de C.E.M. Joad, el libro que está reseñando (TC 67). Y años después, en el N° 104 de *Sur* de mayo de 1943, expresa la misma queja en sus comentarios sobre *A Short History of German Literature* de Gilbert Waterhouse: "La tradicional exclusión de Schopenhauer y de Fritz Mauthner me indigna, pero no me sorprende ya" (D 170).

Si autores y críticos omiten mencionar a Schopenhauer, Borges se ubica en el extremo opuesto, con incontables citas y juicios sobre quien sin duda es su filósofo preferido. En entrevistas y notas autobiográficas confirma esa predilección y explica que empezó a leer a Schopenhauer por los años de su adolescencia en Ginebra, y que lo leyó en alemán, lengua que sigue pareciéndole hermosa ("Autobiographical Notes" 48-49).

Asociar a Schopenhauer con la belleza del idioma alemán no es arbitrario dado que aun quienes rechazaban su filosofía no podían menos que admitir el brillo y claridad de su prosa. Borges exalta estos méritos cuando dice: "También fue incomparable como escritor. Otros filósofos –Berkeley, Hume, Henri Bergson, William James– dicen exactamente lo que se proponen decir, pero les falta la pasión, la virtud persuasiva de Schopenhauer" (TC 294).

Borges se declara "lector apasionado de Schopenhauer" (OI 133), pasión que lo acompañará toda su vida. Así, en "El cielo azul, es cielo y es azul", artículo que publica en la revista *Cosmópolis*, de Madrid, en agosto de 1922, Borges evidencia el provecho de esas lecturas tempranas de la obra del filósofo alemán cuando lo cita para explicar los principios fundamentales del idealismo, dado que Schopenhauer fue "el meditador que con más feliz perspicacia y más plausibles abundancias de ingenios, ha promulgado esta doctrina" (TR 155-56). Después, y ya en el otro extremo de sus años, Borges vuelve a Schopenhauer en "1982", esa página de *Los conjurados* "que no acaba de ser poema" (LC 93).

Entre estas fechas, las referencias a las ideas de Schopenhauer se repiten no sólo en los ensayos sino también en las ficciones e, inclusive, en la poesía. En lugar de darnos a una enumeración escueta de textos y número de página donde aparecen esas citas, preferimos realizar el seguimiento de una imagen que surge en los ensayos y va a plasmarse en relatos y poemas a la que denominamos, en principio, el gato de Schopenhauer.

La imagen aparece inicialmente en "Historia de la eternidad", de 1936, cuando Borges reflexiona acerca de los arquetipos platónicos que en la tesis del filósofo griego implican la siguiente formulación: "Los individuos y las cosas existen en cuanto participan de la especie que los incluye, que es su realidad permanente" (HE 20). Para ilustrar y aclarar esta sentencia Borges recuerda la figura del ruiseñor en los versos de Keats[6] y luego, la razón que aporta "el apasionado y lúcido Schopenhauer" cuando habla de "la pura actualidad corporal en que viven los animales, su desconocimiento de la muerte y de los recuerdos" (HE 21). Y en seguida, traduce el párrafo de Schopenhauer:

> Quien me oiga asegurar que el gato gris que ahora juega en el patio, es aquel mismo que brincaba y que traveseaba hace quinientos años, pensará de mí lo que quiera, pero locura más extraña es imaginar que fundamentalmente es otro. (HE 21)

---

6   En "El ruiseñor de Keats", artículo publicado en *La Nación* en diciembre de 1951, Borges extiende las reflexiones sobre la "Oda al ruiseñor" de Keats y sobre el párrafo correspondiente en la obra de Schopenhauer (OI 165-69).

En efecto, en el Capítulo XLI del Segundo volumen de *El mundo como voluntad y representación*, Schopenhauer anota estas reflexiones. El título del Capítulo: "Acerca de la muerte y su relación con lo indestructible de nuestra naturaleza interior" ("On Death and Its Relation to the Indestructibility of Our Inner Nature")[7] resume el tema general expuesto en sus páginas. En la primera, indica que el animal vive sin ningún conocimiento real de la muerte y que, por lo tanto, goza como individuo de la absoluta indestructibilidad e inmortalidad de la especie desde el momento que es consciente de sí mismo sólo en cuanto no tiene fin (2: 463). Más adelante (2: 482), escribe el pasaje sobre el gato que es el mismo a través de los siglos, pasaje que, como vimos, Borges traslada en "Historia de la eternidad". Esta relación entre la muerte del hombre y la referida inmortalidad del animal va a introducirse subrepticia o abiertamente en varios relatos de Borges. Así, leemos en el párrafo final de "El proveedor de iniquidades Monk Eastman" de *Historia universal de la infamia*, de 1935:

> El veinticinco de diciembre de 1920 el cuerpo de Monk Eastman amaneció en una de las calles centrales de Nueva York. Había recibido cinco balazos. Desconocedor feliz de la muerte, un gato de lo más ordinario le rondaba con cierta perplejidad. (270)

En "Deutsches Requiem" (*Sur*, febrero de 1946), el protagonista, quien desde las primeras páginas declara que ha sido condenado a morir, recuerda la ocasión cuando, años antes, se recuperaba de una herida de bala: "Yo estaba en el sedentario hospital, tratando de perderme y de olvidarme en los libros de Schopen-

---

[7]   Para todas las citas y comentarios sobre *El mundo como voluntad y representación* nos servimos de *The World as Will and Representation*, la versión al inglés traducida del alemán por E.F.J. Payne, edición en dos volúmenes. New York: Dover, 1966.

hauer. Símbolo de mi vano destino, dormía en el reborde de la ventana un gato enorme y fofo" (A 84).

Una escena semejante va a vivir Juan Dahlmann, el protagonista de "El Sur" (*La Nación*, febrero de 1953) cuando, dueño de unos minutos libres antes de subir al tren que lo acercará a la fatalidad de su destino, decide ir a tomar una taza de café:

> En el *hall* de la estación advirtió que faltaban treinta minutos. Recordó bruscamente que en un café de la calle Brasil (a pocos metros de la casa de Yrigoyen) había un enorme gato que se dejaba acariciar por la gente, como una divinidad desdeñosa. Entró. Ahí estaba el gato, dormido. Pidió una taza de café, la endulzó lentamente, la probó (ese placer le había sido vedado en la clínica) y pensó, mientras alisaba el negro pelaje, que aquel contacto era ilusorio y que estaban como separados por un cristal, porque el hombre vive en el tiempo, en la sucesión, y el mágico animal, en la actualidad, en la eternidad del instante. (F 190)

Por fin, los tercetos con que concluye "A un gato", el poema incluido en *El oro de los tigres*, de 1972, expresan la misma imagen: "Tu lomo condesciende a la morosa/ Caricia de mi mano. Has admitido,/ Desde esa eternidad que ya es olvido,/ El amor de la mano recelosa./ En otro tiempo estás. Eres el dueño/ De un ámbito cerrado como un sueño. (OP 405).

En todos estos casos, Borges deja que las ideas de Schopenhauer presentes en su mente se deslicen en sus textos, pero a veces, como ocurre en el caso de la reseña sobre *Enjoyment of Laughter*, es claro que está verificando la cita con el libro que tiene a la vista cuando indica el volumen y los capítulos de su referencia: "(*El mundo como voluntad y representación*, capítulo XIII del primer volumen, VIII del segundo)" (TC 188). Y esta información es significativa porque expone la estructura básica que Schopenhauer impuso a su texto con el primer volumen publicado en 1819, y el segundo en 1844. En el Prefacio a la edición de 1844, Schopenhauer explica el carácter suplementario de los dos volúmenes en cuanto a que el primero es fruto de la energía juvenil que le permitió acceder a las ideas fundamentales de su sistema mientras que el segundo resulta de largos años de meditación sobre esas ideas, en el período de madurez de vida y doctrina (*World as Will* 1: xxii-xxiii).

Si tomamos como ejemplo los dos capítulos en los que Schopenhauer desarrolla su interpretación de lo cómico vemos que, efectivamente, el VIII del segundo volumen (1844) satisface las características de suplementar el texto del XIII del primero (1819).

Pero antes de referirnos a estos capítulos y a la síntesis de los mismos que Borges anota en la reseña sobre el libro de Eastman, conviene recordar algunas de las ideas fundamentales de su sistema que Schopenhauer venía desarrollando en páginas anteriores.

La frase que inicia el primer volumen es aquella que alguna vez Borges calificó como la "declaración que lo hace acreedor a la imperecedera perplejidad de todos los hombres" (OI 238): "El mundo es mi representación" ("The world is my representation" *World as Will* 1: 3). De aquí parte para determinar la división entre sujeto y objeto, y afirmar que todo lo que existe para ser conocido, la totalidad del mundo, es únicamente objeto en relación al sujeto, percepción del que percibe, en una palabra, representación.[8]

En seguida, pasa a diferenciar las representaciones intuitivas o percibidas de las abstractas o conceptos y con respecto a las primeras explica su naturaleza intelectual dado que sólo con el tránsito del entendimiento del efecto a la causa el mundo aparece como percepción (*World as Will* 1: 6-12).

El Capítulo VII del segundo volumen se titula "Sobre la relación entre el conocimiento por percepción y el conocimiento abs-

---

8   "everything that exists for knowledge, and hence the whole of this world, is only object in relation to the subject, perception of the perceiver, in a word, representation" (*World as Will* 1: 3).

tracto" ("On the Relation of Knowledge of Perception to Abstract Knowledge" *World as Will* 2: 71-90) y en sus páginas Schopenhauer reafirma la distinción entre la forma de representación primaria que es la percepción, y la forma de representación secundaria que es el concepto. De las dos formas de representación la que exalta es la percepción que, dice, es no sólo la fuente de todo conocimiento sino en sí misma el conocimiento por excelencia. Pero aunque toda la verdad y la sabiduría reposa en la percepción, infortunadamente ésta no puede retenerse o comunicarse. Solamente el conocimiento abstracto, secundario, el concepto, es comunicable.

Llegado a este punto de sus reflexiones, Schopenhauer va a detenerse a analizar el fenómeno de la risa y a exponer su teoría de lo cómico en los capítulos que Borges anota en la reseña. En ambos, comienza por repetir la división contrastante entre el conocimiento por percepción y el conocimiento abstracto, y advierte que el objeto percibido (o la percepción del objeto) y el concepto abstracto que lo refleja no siempre se corresponden. Así, observa que un fenómeno que resulta de esta discordancia, y que es peculiar de la naturaleza humana, es la risa (*World as Will* 1: 58-59). Según esto, determina que el origen de lo cómico es siempre la paradójica e inesperada inclusión de un objeto bajo un concepto que, en otros sentidos, le es heterogéneo. Así, el fenómeno de la risa significa siempre la abrupta aprehensión de una incongruencia entre el concepto y el objeto real pensado a través de él, y por lo tanto entre lo que es abstracto y lo que es perceptivo (*World as Will* 2: 91).[9]

---

9   "the origin of the ludicrous is always the paradoxical, and thus unexpected, subsumption of an object under a concept that is in other respects heterogeneous to it. Accordingly, the phenomenon of laughter always signifies the sudden apprehension of an incongruity between such a concept and the real object thought through it, and hence between what is abstract and what is perceptive (*World as Will* 2: 91).

Si volvemos ahora a la reseña sobre *Enjoyment of Laughter* es notable la forma en que, en pocas líneas, Borges sintetiza la esencia de las definiciones de Schopenhauer:

> Schopenhauer reduce todas las situaciones risibles a la paradojal e inesperada inclusión de un objeto a una categoría que le es ajena y a nuestra brusca percepción de esa incongruencia entre lo conceptual y lo real. (TC 188)

En el resto del Capítulo XIII del primer volumen Schopenhauer se dedica a determinar las formas de lo cómico que divide en rasgos de ingenio, y disparate o desatino, y aclara que mientras el ingenio debe manifestarse en palabras, el disparate usualmente aparece en acciones. Entre las formas de ingenio ubica el juego de palabras y el equívoco, y como ejemplo de disparate menciona la pedantería (*World as Will* 1: 59-61).

En cuanto al Capítulo VIII del segundo volumen de 1844, lo que en gran medida extiende el texto (11 páginas frente a las escasas 3 páginas del capítulo del volumen de 1819) es la ilustración de las distintas formas de lo cómico (juego de palabras, equívocos, ironía, parodia, disparate). Un comentario importante es el que formula acerca de la condición placentera de la risa. Para Schopenhauer, esta captación de la incongruencia entre lo concebido y lo percibido nos da placer porque muestra el triunfo del conocimiento por percepción sobre el conceptual. A diferencia del conocimiento conceptual, la percepción, que es la forma original del conocimiento, no exige esfuerzo ni se opone a la satisfacción de nuestros deseos inmediatos como con frecuencia lo hace la facultad racional (*World as Will* 2: 98). En este sentido, pensamos que tal vez podrían relacionarse estas ideas de Schopenhauer con las que Freud formula en términos de economía de esfuerzo psíquico en la explicación del placer del chiste, de lo cómico, y del humor.

Hasta aquí, y sobre la base de la reseña de 1937 sobre el libro de Max Eastman sabemos que por esos años los autores que Borges tenía presentes en relación con el tema de la risa y el humor eran Bergson, Freud, y Schopenhauer. Pero hay alguien que Borges no menciona en la reseña y quien tuvo una enorme importancia, no sólo en su interpretación y práctica del humor sino, y por sobre todo, en la orientación de sus reflexiones y en su acercamiento a la metafísica. Nos referimos a Macedonio Fernández.

En algún momento pensamos incluir a Macedonio junto a Max Eastman en el título y en el enfoque de este capítulo, pero considéramos luego que forzar esa simetría hubiera sido amenguar su figura y, supuestamente, reducir toda la significación de sus ideas sólo a aquellas relacionadas con lo cómico.

Para valorar la importancia de Macedonio, en gran medida el "raro" por antonomasia, basta escuchar a Borges en su reiterada evocación de ese hombre extraño y admirable. Así, entre los primeros recuerdos está el de ver a Macedonio –una pequeña silueta, con un sombrero hongo negro– esperándolos cuando en 1921 desembarcaban en el puerto de Buenos Aires después de la primera estadía de la familia en Europa. Y a la imagen agrega el comentario de que el mayor acontecimiento de ese regreso al país fue conocer y trabar amistad con Macedonio Fernández ("Autobiographical Notes" 64). Prueba de la profunda impresión que, desde el comienzo, Macedonio causa en el joven Borges es el artículo que éste publica en diciembre de ese año de 1921, en la revista *Cosmópolis*, de Madrid, titulado "La lírica argentina contemporánea" en el que presenta una selección de poemas seguidos de sus notas sobre los autores de cada uno de ellos. El primero es "Al hijo de un amigo", de Macedonio Fernández, de quien dice: "Quizás el único genial que habla en esta Antología", "Ejercitado en el silencio", "Hombre que prefiere desparramar su alma en la conversación a definirse en las cuartillas" (TR 133).

Muchos años después Borges vuelve a mostrar su habilidad
para señalar los rasgos característicos de Macedonio en unas líneas
de la semblanza que publica en *La Nación* a propósito de cele-
brarse en 1974 el centenario de su nacimiento. Dice: "Era un abogado argentino, un tenue y suave señor gris, que vivía en el barrio
de Balvanera y que se había entregado, único en su siglo tal vez, a
la curiosa ocupación de pensar" ("Macedonio Fernández").

En 1961 se publica *Macedonio Fernández*, una antología de las
obras del escritor seleccionadas por Borges quien, en el "Prólogo"
que encabeza el volumen, reitera la caracterización a través de sus
recuerdos:

En el decurso de una vida ya larga he conversado con personas
famosas; ninguna me impresionó como él, o siquiera de un modo
análogo. Trataba de ocultar, no de exhibir, su inteligencia extraordinaria; hablaba como al margen del diálogo y, sin embargo, era su
centro. Prefería el tono de modesta consulta, a la afirmación
magistral. Jamás pontificaba; su elocuencia era de pocas palabras
y hasta de frases truncas. (P 52)

Y ya casi al final de esa introducción, expresa el deseo de volver a gozar de aquella presencia enriquecedora: "Yo anhelaría
recobrar de algún modo al que fue Macedonio, esa felicidad de
saber que en una casa de Morón o del Once había un hombre
mágico cuya sola existencia despreocupada era más importante
que nuestras venturas o desventuras personales" (P 60).

Borges también recuerda que las reuniones del grupo de amigos
con Macedonio se hacían el sábado a la noche, y que la charla y el
intercambio de ideas continuaba hasta la madrugada ("Autobiographical Notes" 64-66). Aunque estos comentarios son anecdóticos,
la información resulta relevante para el tema que ahora nos ocupa
porque es posible suponer que en esas charlas Macedonio haya
introducido algunas de las ideas que venía anotando alrededor de
1940, y que va a publicar en 1944 con el título de "Para una teoría

de la humorística" (*Teorías* 8, 259-308). Conociendo el sistema de Macedonio –o la falta de sistema– en cuanto a no preocuparse por publicar sus escritos y, la mayoría de las veces, ni siquiera cuidadoso en conservar lo que escribía, sus notas de 1940 sobre el tema del humor seguramente derivan de pensamientos meditados y expresados tiempo atrás, tal vez contemporáneos de los que Borges anota en la reseña de 1937. Esta posible coincidencia probará su significación al comentar las páginas de "Para una teoría de la humorística".

Cuando en la antología de 1961 Borges prologa y selecciona los textos de Macedonio, los organiza en cuatro secciones que se corresponden con los distintos aspectos de la obra del autor, y que son Humorismo, Metafísica, Poesía, y Páginas fantásticas (*Macedonio Fernández* 153-54). Interesa observar que, en el ordenamiento, ubica los textos de Humorismo delante de los de Metafísica lo que, como veremos, está plenamente justificado ya que Macedonio proponía y ejercitaba un tránsito hacia la liberación "de la dogmática abrumadora de una ley universal de racionalidad" a través de su Humorismo Conceptual el que, al proponer el Absurdo, lograba un "efecto conciencial" (*Teorías* 302, 303). Así, en "Para una teoría de la humorística" Macedonio expone algunos de los postulados de ese idealismo absoluto que fundamenta toda su obra.[10] En la primera página anticipa explicaciones generales sobre la risa, lo cómico, y el chiste. Advierte que muchas personas experimentan placer emocional cada vez que toman conocimiento de un acto, situación, aptitud o condición de placer o felicidad en los otros, y que cuando ese placer por simpatía es motivado por algo imprevisto, o que contradice la expectativa de infortunio, ese

---

10 Para este tema, ver "Fernández, Macedonio", artículo de Nélida Salvador en *Enciclopedia de la literatura argentina*. Ed. Pedro Orgambide y Roberto Yahni. Buenos Aires: Sudamericana, 1970. 229-34. También, el de Ana María Barrenechea, "Macedonio Fernández y su humorismo de la nada" en *Textos latinoamericanos*. Caracas: Monte Avila, 1978. 105-23.

placer va acompañado de *risa*. Cuando esto ocurre en hechos reales se le llama *cómico*, y cuando la situación se provoca por signos verbales para crear en el oyente un hecho psicológico de creencia en lo absurdo, tendríamos un *chiste* (*Teorías* 259).

En los párrafos siguientes Macedonio reafirma su fidelidad a la filosofía idealista cuando declara que el arte es para él "perfección de no realismo" (*Teorías* 260). Pero lo que más interesa desde el punto de vista de nuestra investigación, y lo que cubre la mayor parte de "Para una teoría de la humorística" es el análisis que realiza de los estudios sobre el tema en los que observa el error fundamental de ignorar "el elemento o condición específica de lo cómico: que el suceso sea feliz o de algún modo aluda a felicidad" (*Teorías* 262).

Si bien entre los autores de esos estudios menciona al pasar a Kant, Schopenhauer, Lipps, y algunos otros, la casi totalidad de sus comentarios van a centrarse en la teoría que Bergson expone en *La risa*, y en la de Freud en *El chiste y su relación con lo inconsciente*. En ambos casos, su crítica es detallada y demuestra una lectura atenta y reflexiva. Macedonio sigue de cerca el texto original, transcribe párrafos y oraciones y, a través de la interpretación del juicio, la anécdota o el chiste va sentando las bases para su propia teoría.

Por ejemplo, en la de Bergson rechaza el "definir lo cómico por un género de equivocación" (*Teorías* 262), cuando el filósofo francés se refiere a "lo mecánico calcado sobre lo viviente", o a "una reacción automática e inadaptada". Macedonio corrige aceptando la "equivocación, pero que no haga daño... y que implique la intención de prudencia y de acierto para un bienestar propio o ajeno" (*Teorías* 262). Con los mismos argumentos, y aunque sin mencionar a los autores, reprueba la teoría de que lo cómico se funda en el sentimiento de superioridad (Freud), o en el deseo de humillación (Bergson) (*Teorías* 263).

Y con completo dominio de sus lecturas, en una ocasión Macedonio prueba el juego textual entre los distintos teóricos del humor. Se trata de su comentario sobre la interpretación que hace Bergson del "enigma propuesto por Pascal en un pasaje de sus *Pensamientos*: 'Dos caras, ninguna de las cuales hace reír por sí sola, juntas mueven a risa por su parecido'" (*La risa* 33). Bergson explica esta risa como resultado de la repetición la que, dentro de su esquema general, sería lo mecánico funcionando tras lo vivo. Por su parte, Freud analiza la cita de Pascal-Bergson, y califica el caso como uno de placer cómico derivado del ahorro del gasto de comprensión que hubiera requerido observar dos caras distintas (*El chiste* 189). Macedonio discrepa con la interpretación de Bergson –y por reflejo, con la de Freud– cuando dice que aquí no hay comicidad sino alegría, alegría que se debe en este caso a "la revelación de la riqueza de posibilidades del acontecer" (*Teorías* 266), en cuanto "se repite una combinación muy compleja como es un rostro" (*Teorías* 267).

En el centro de su teoría de la humorística Macedonio establece la distinción entre Humorismo Realista en el que "el *suceso* ocurre, sea en la realidad, sea en el carácter del personaje" (*Teorías* 296), y el Humorismo Conceptual en el que "la comicidad reside en la expectativa defraudada y en un aserto, primando definitivamente, de un imposible intelectivo" (*Teorías* 297). Ya al final de su exposición, reafirma el placer que está en la base de lo cómico, sea en una u otra de sus formas: "La gran fuente de placer de lo cómico es la hedonística fundándose en espectáculo ingenuo (comicidad realista), o la vivencia de un imposible mental (comicidad conceptual)" (*Teorías* 307).

El deslinde entre Humorismo Realista y Humorismo Conceptual opera en la misma forma en el chiste realista y el chiste conceptual, de los que Macedonio va a ofrecer varios ejemplos. Como chiste realista anota el siguiente:

–¿Habla usted francés?
–Yes, Sir.
–¿Pero usted me contesta en inglés?
–¿Ah, en inglés? ¿Así que también hablo en inglés? (*Teorías* 293).

O el que toma del tratado de Bergson, "el de la dama invitada por el astrónomo Cassini que llegando tarde para ver un eclipse se excusa: 'M. de Cassini tendrá la amabilidad de volver a empezar de nuevo'" (*Teorías* 295-96).

En el otro grupo, el de chistes conceptuales o de absurdo, incluye los siguientes: "Eran tantos los que faltaban que si falta uno más no cabe" (*Teorías* 297). "Era tan precoz que a los ocho años ya tenía un hermano que entendía a Bergson" (*Teorías* 292).

Pero si bien Macedonio reconoce el placer que ofrecen las dos clases de chistes, el realista y el conceptual, únicamente concede trascendencia al último: "Pero sólo hay Belarte de Ilógica o Humorismo en el caso del chiste conceptual, o sea de absurdo mental creído; lo demás es risa de los sucesos, mera comicidad" (*Teorías* 308).

En toda la extensión de "Para una teoría de la humorística" la mención de Schopenhauer sólo ocupa una línea en la que el autor sintetiza la explicación de lo que motiva la risa, según lo había propuesto el filósofo alemán: "La percepción repentina de una incongruencia entre una idea y el objeto real" (*Teorías* 261). Pero esta poquedad de la cita no refleja en absoluto la importancia de Schopenhauer en el pensamiento filosófico de Macedonio Fernández. Borges indicaba que había leído muchas veces la obra de Schopenhauer, ya fuera en alemán o, en traducción, con su padre y Macedonio Fernández ("Autobiographical Notes" 48).

A poco de leer algunas páginas de Macedonio, la relación con la doctrina idealista de Schopenhauer se hace evidente. Así, en el siguiente párrafo tomado de *Papeles de Recienvenido* en el que, a la manera de Schopenhauer, Macedonio expone la existencia del mundo en cuanto objeto de un sujeto que lo percibe:

> El Universo o Realidad y yo nacimos en 1º de junio de 1874 y es sencillo añadir que ambos nacimientos ocurrieron cerca de aquí y en una ciudad de Buenos Aires. Hay un mundo para todo nacer, y el no nacer no tiene nada de personal, es meramente no haber mundo. (*Papeles* 115)

El fragmento anterior inicia la página titulada "Autobiografía" en la sección "A fotografiarse" de *Papeles de Recienvenido*,[11] sección en la que Macedonio, acentuando el tono humorístico, agrega datos sobre su persona:

> "Por el momento no tengo más que cincuenta años, lo que no es mucho, si se tiene en cuenta mi primera fecha" (*Papeles* 118).

> "Soy flaco y más bien feo. En cuanto a mi salud, ni un boticario hijo de médico y casado con partera la tiene peor. Tengo un lote de enfermedades, pero creo que con una me bastará al fin. No las combato porque no sé cuál es la que necesitaré mi último día" (*Papeles* 118).

> "Mi altura no es mala; depende del uso" (*Papeles* 118)

Y, aludiendo al abandono de su profesión de abogado, anota:

> "De la Abogacía me he mudado; estoy recién entrado a la Literatura y como ninguno de la clientela mía judicial se vino conmigo, no tengo el primer lector todavía" (*Papeles* 116).

---

[11]   Con más precisión, "A fotografiarse" inicia "Continuación de la nada", la segunda parte de *Papeles de Recienvenido* a la que, con otra nota risueña, Macedonio subtitula "(Mitad inconfundiblemente 2a.)".

Al leer algunas de las frases de Macedonio pensamos que no hay tanta distancia entre su idea del absurdo que opera en el Humorismo Conceptual y la de incongruencia entre lo conceptual y lo real, motivadora de la risa según Schopenhauer. Así lo observamos en "El accidente de Recienvenido" :

–Me di contra la vereda.
–¿ En defensa propia? –indagó el agente.
–No, en ofensa propia: Yo mismo me he descargado la vereda en la frente. (*Papeles* 15)

Lo mismo en "Carta abierta argentino-uruguaya": "No tengo de uruguayo más que la circunstancia de haber vivido siempre en Buenos Aires, pues empleo no consigo ninguno, aunque desde muchos años lo solicito; y seguiré hasta que sean 25 años. Entonces me jubilaré de pedirlo" (*Papeles* 47).

Igualmente, este absurdo aparece en la primera "carta" de la sección "Correo casero de Recienvenido", dirigida a Borges:

Querido Jorge Luis: Tienes que disculparme no haber ido anoche. Soy tan distraído que iba para allá y en el camino me acuerdo de que me había quedado en casa. Estas distracciones frecuentes son una vergüenza y me olvido de avergonzarme también... Muchas de mis cartas no llegan, porque omito el sobre o las señas o el texto. Esto me trae tan fastidiado que rogaría que se viniera a leer mi correspondencia en casa. (*Papeles* 90)

Volviendo a "Para una teoría de la humorística", en sus páginas advertimos la práctica de un recurso presente en la mayoría de sus textos cuando Macedonio introduce en ellos al lector. No vamos a detenernos aquí a comentar esta característica de la escritura de Macedonio Fernández que muchos interpretan como precursora en el proceso de renovación de la narrativa hispanoamericana. Sólo nos limitaremos a anotar los casos en que la interpelación al lector funciona doblemente, como parte de la teoría, y ejemplo de humor.

Así, en nota al pie de página, Macedonio acusa defectos en la redacción de sus pensamientos, pero se tranquiliza en la seguridad de que su lector será capaz de superarlos: "Las omisiones y languideces son fiadoras de que yo descanso sabiendo con qué lector trabajo: uno de los lectores que por estas abstrusas páginas andarán" (*Teorías* 280).

Más adelante, y también en una nota, cede la palabra al lector: "Reflexiones de un lector, ahora: 'Yo he venido de visita a este libro, no he venido a trabajar. Como de tal autor, esto debe entenderse perfectamente, pero no en cualquier día'" (*Teorías* 300). Pero en seguida, y aquí dentro de su texto, establece el diálogo con el lector: "Desperecémonos, lector: yo también estuve ahora trabajando" (*Teorías* 301).

Y por fin, en las últimas páginas de su ensayo, la advertencia sorpresiva y desoladora para el esforzado lector que hasta allí ha llegado recorriendo esas "abstrusas páginas": "La exposición que precede puede cómodamente saltearse, pues entretanto he logrado una formulación muy compleja y de mayor exactitud que a los entendidos les ahorrará la larga lectura" (*Teorías* 304-05).

Este giro súbito en el curso de la exposición es común en los textos de Macedonio, con relatos en los que la trama se mueve errática cuando no queda trunca, y reflexiones que se desvían constantemente del punto de partida. Pero esto encuadra perfectamente con la forma conversada en que se mueve su pensamiento, y que es la de esas charlas que tanto entusiasmaban a Borges.

Acerca de las charlas, no hay duda de que el tema del humor debe haber figurado en algunas de ellas. Inclusive, y sobre la base de lo que anotaremos a continuación, es posible que Borges y Macedonio hayan comentado el libro de Eastman.

En la reseña sobre *Enjoyment of Laughter* Borges copia uno de los chistes que aparecen en sus páginas:

– ¿No nos hemos visto ya en Cincinnati?
– Yo nunca he estado en Cincinnati.
– Yo tampoco. Deben haber sido otros dos. (TC 189)

Efectivamente, Eastman anota este diálogo con la única diferencia de que la ciudad mencionada no es Cincinnati sino Buffalo
(63). Por su parte, en el final de "Para una teoría de la humorística", Macedonio lo utiliza como ejemplo de situación cómica pero
"acriolla" el nombre: ni Cincinnati ni Buffalo sino Tucumán. Dice:

> Dos caballeros se encuentran y uno observa el rostro y figura del
> otro como reconociéndolo:
> –Caballero, me parece haberlo visto a usted en Tucumán.
> –Nunca estuve allí.
> –Pues yo tampoco. Entonces sería otra persona. (*Teorías* 307).

Que esto pruebe la conexión Eastman-Borges-Macedonio afirmaría el esquema de trabajo con el que estructuramos este capítulo
al partir de la reseña sobre *Enjoyment of Laughter* para determinar
las ideas acerca de la risa y el humor presentes en la mente de Borges por esos años de finales de la década de 1930. En lo que resta
de esa reseña, Borges elige otros enunciados de situaciones risibles
y los analiza para ver si en ellos está presente "esa incongruencia
entre lo conceptual y lo real" señalada por Schopenhauer. El primero lo toma de Mark Twain, y dice:

> "Mi reloj atrasaba, pero lo mandé componer y adelantó de tal
> manera que no tardó en dejar muy atrás a los mejores relojes de la
> ciudad". El proceso, ahí, ha sido éste: En los caballos de carrera y
> en los vapores, la facultad de distanciar a los otros es meritoria;
> seguramente, lo es en los relojes también. (TC 188-89)

Un segundo ejemplo proviene de Laurence Sterne:

"Mi tío era un hombre tan concienzudo que cada vez que necesitaba afeitarse, no vacilaba en ir personalmente a la barbería". También ahí parece cumplirse la ley de Schopenhauer. En efecto, hacer personalmente las cosas puede ser una virtud; la gracia deriva de nuestro asombro al escuchar que el acto ponderado por el embelesado sobrino es un acto del todo intransferible y de lo más común: hacerse afeitar. (TC 189)

Si bien el análisis parece confirmar la teoría de Schopenhauer, como ocurre con frecuencia en sus comentarios sobre distintos argumentos Borges no queda del todo convencido acerca de su validez, y lo expresa así: "Schopenhauer declara que su fórmula es aplicable a todos los chistes. Ignoro si lo es; también ignoro si es el único hecho que opera en los dos chistes que he analizado" (TC 189).

Esta reserva de Borges para aceptar por completo ideas o propuestas, inclusive aquéllas con las que, en general, coincide, nos lleva a mencionar, y valga la paradoja, uno de los problemas más serios de lo cómico que es el de la confusión taxonómica.

A lo largo de este capítulo anotamos distintos términos: risa, chiste, cómico, humor, rasgo de ingenio, juego de palabras, equívoco, desatino, ironía, vocablos y conceptos que a veces se mezclan o, en algunos casos, se homologan. Y si el deslinde entre ellos puede resultar engorroso en la teoría de determinado autor, la dificultad se multiplica cuando se trata de cotejar su aplicación en teorías y autores diversos. Valga como ejemplo la definición de "parodia". Bergson la estudia como una forma de transposición –de lo solemne a lo familiar– dentro de la comicidad creada por los medios expresivos (*La risa* 94-95). Freud considera a la parodia la forma de lo cómico que degrada lo sublime, serio, o elevado (*El chiste* 180-81), y Schopenhauer la asimila a una forma de ironía que es también rasgo de ingenio (*World as Will* 2: 95-96).

En su erudito estudio sobre *La parodia en la nueva novela hispanoamericana 1960-1985,* Elzbieta Sklodowska dedica un capítulo a dilucidar el concepto de parodia, y declara que no es posible asumir "una univocidad semántica de la palabra 'parodia' ni proponer sus definiciones transhistóricas" (5).

Alguna vez, enfrentado con la imposibilidad de definir el humor, Borges recurre a imágenes y comparaciones líricas para explicar la esencia del problema:

> Como todo lo elemental, como el sabor del vino, como el color que se llama negro, como el amor o como el miedo, el humorismo no se deja diluir en definiciones; Chesterton opinaba que buscar una definición del humor es una prueba manifiesta de que no lo sentimos. ("Un cuento de Eduardo Wilde" 1-2)

La cita final de Chesterton invita a inquirir en qué forma Borges sentía el humor, qué lo impulsaba a exhibirlo, y de qué manera lo expresaba.

De todo lo enunciado en páginas anteriores sabemos que en la explicación teórica de la risa Borges adhería a la propuesta por Schopenhauer cuando éste afirmaba que todas las situaciones risibles resultan de "la paradojal e inesperada inclusión de un objeto a una categoría que le es ajena y a nuestra brusca percepción de esa incongruencia entre lo conceptual y lo real" (TC 188).

Por otro lado, como experiencia de una interpretación de la humorística que se iba ejemplificando al ritmo de la conversación no hay más que mencionar los encuentros con Macedonio Fernández, las muchas horas de escucharlo razonar ese Humorismo Conceptual que rechazaba la ley de racionalidad al proponer el Absurdo o "imposible mental".

En su aplicación o en sus derivaciones estos dos conceptos, la incongruencia según Schopenhauer, y el absurdo según Macedonio, son los que parecen resonar con más fuerza en el pensamiento y en los escritos de Borges.

De acuerdo con esto, y aunque sin intentar un estudio detallado del tema de Borges y el humor, podemos considerar algunos casos que lo ejemplifican.

Ante todo, es posible referirse al humor de Borges, o al humor en la obra de Borges. A propósito de lo primero, de la presencia del humor en las acciones o en los dichos de Borges sólo contamos con el testimonio de aquéllos que, en su condición de espectadores u oyentes, pueden atestiguarlo. En "Borges y el humor", artículo publicado en *La Nación* en 1999, Isidoro Blaisten se refiere a una anécdota que toma del libro de María Esther Vázquez, *Borges, sus días y su tiempo*, con la escena en la que Borges está dictando su clase en la Facultad de Filosofía y Letras de la Universidad de Buenos Aires cuando un muchacho irrumpe en el aula y le dice que debe irse porque una asamblea estudiantil ha decidido que, desde ese momento, se suspendan todas las clases. Después de un agitado cambio de opiniones, el estudiante amenaza: "–Vamos a cortar la luz" y la respuesta de Borges: "–Yo he tomado la precaución de ser ciego. Corte la luz nomás". Blaisten analiza el mecanismo de la construcción de la frase "Yo he tomado la precaución de ser ciego" y, correctamente, advierte en ella la "forma de distorsionar las convenciones del pensamiento". Por nuestra parte, podemos ver con claridad la incongruencia que delataba Schopenhauer al observar que en una categoría (en este caso, "tomar la precaución", que significa hacer algo para prevenir un mal) se incluye lo que no pertenece a ella o que es su opuesto (aquí, "ser ciego", que es un mal, algo que se trata de evitar).

En otra circunstancia, podríamos comentar que en la réplica de Borges, junto con su expresión de incongruencia o, dentro de ella, también se advierte esa serena aceptación de la ceguera tantas veces aludida en versos y charlas memorables.[12] Pero, obviamente, esto nos desviaría del tema que ahora nos ocupa.

---

[12]   Por empezar, bastaría referirse a las estrofas del "Poema de los dones" (OP 113-14), o a la conferencia sobre "La ceguera" (SN 143-60). En esta última

En cuanto a los rasgos de humor en la obra de Borges, vamos a limitarnos a mencionar algunos ejemplos de aquéllos que caben dentro de los términos de la definición o descripción propuesta en la teoría de los autores comentados anteriormente. Cuando Schopenhauer divide las formas de lo cómico en rasgos de ingenio y disparate o desatino entre los casos de estos últimos ubica la pedantería. Explica que el pedante tiene poca confianza en su capacidad o entendimiento y por esto se adhiere rígidamente a conceptos generales, reglas, máximas, expresiones o palabras alejadas de la esencia de la materia a la que aluden, y es esa incongruencia entre el concepto y la realidad la que produce el efecto cómico (*World as Will* 1: 60).

Por su parte, Bergson comenta lo que podríamos considerar como expresión de pedantería cuando habla de un orador en el que el gesto rivaliza con la palabra cuando se repite igual y periódicamente, desconectado de los cambios que ésta manifiesta. Ante esto, interpreta que lo cómico surge de observar el automatismo o lo mecánico instalado en la vida (*La risa* 32). Macedonio se refiere a esta página de Bergson pero, de acuerdo con su teoría, agrega que lo cómico se apoya en "la felicidad de descubrir a un mistificador" y en la de "contemplar a quien sin vocación ni sinceridad encuentra un modo más o menos inofensivo de ganarse la vida, aunque prive la de desenmascarar a un farsante y quedar prevenido contra él" (*Teorías* 266).

Si pensamos en alguien que represente la figura del pedante, ninguno más extremo en el desborde de su caracterización que Gervasio Montenegro, el "prologuista"-"personaje" de varias de las obras en colaboración de Borges y Bioy Casares quien, a veces, compite por el título con H. Bustos Domecq, "autor" y, en ocasio-

---

hallamos otro ejemplo de velado humor en la incongruencia cuando Borges califica a la suya de "modesta ceguera personal", y explica: "Modesta, en primer término, porque es ceguera total de un ojo, parcial del otro" (SN 143).

nes, también "prologuista" de las mismas.[13] Pero aquí decidimos limitar nuestro análisis a las obras en las que Borges es el único autor, en parte sobre la base de sus comentarios cuando explica que con Bioy crearon un tercer personaje, Bustos Domecq, que sólo existe cuando los dos están conversando. Y opina que los escritos de Bustos Domecq no se parecen a lo que él o Bioy escriben por separado.[14]

En los textos de Borges, quien se lleva los laureles como pedante es Carlos Argentino Daneri, el antagonista del "narrador Borges" de "El Aleph".

La figuración caricaturesca de Daneri culmina cuando éste se exalta en la alabanza de una estrofa de su poema *La Tierra*, que lee "con sonora satisfacción":

He visto, como el griego, las urbes de los hombres,
Los trabajos, los días de varia luz, el hambre;
No corrijo los hechos, no falseo los nombres,
Pero el *voyage* que narro, es ... *autour de ma chambre*. (A 154)

Y si lo ridículo de estos versos provoca la risa, más lo hace el desenfreno absurdo de Daneri en su auto-elogio:

El primer verso granjea el aplauso del catedrático, del académico, del helenista, cuando no de los eruditos a la violeta, sector considerable de la opinión; el segundo pasa de Homero a Hesíodo (todo un implícito homenaje, en el frontis del flamante edificio, al padre de la poesía didáctica)... Nada diré de la rima rara ni de la ilustración que me permite ¡Sin pedantismo! acumular en cuatro versos tres alusiones eruditas que abarcan treinta siglos de apretada literatura: la primera a la *Odisea*, la segunda a los *Trabajos y días*, la

---

13   En *Bioy Casares y el alegre trabajo de la inteligencia* consideramos el tema del humor en las obras en colaboración de Bioy y Borges (162-70, 197-220).
14   En *Diálogo con Borges* de Victoria Ocampo (Buenos Aires: *Sur*, 1969): 72.

tercera a la bagatela inmortal que nos deparan los ocios de la pluma del saboyano. (A 154-55)

La imagen del pedante se completa en otros comentarios del "narrador Borges" sobre el poema en el que Daneri "se proponía versificar toda la redondez del planeta" (A 156). Especialmente, cuando anota la mezcla incongruente que resulta de este intento:

> en 1941 ya había despachado unas hectáreas del estado de Queensland, más de un kilómetro del curso del Ob, un gasómetro al norte de Veracruz, las principales casas de comercio de la parroquia de la Concepción, la quinta de Mariana Cambaceres de Alvear en la calle Once de Setiembre, en Belgrano, y un establecimiento de baños turcos no lejos del acreditado acuario de Brighton. (A 156)

Una versión amenguada de Carlos Argentino Daneri es la que presenta el narrador innominado de "Guayaquil", de *El informe de Brodie*. La trama del relato gira en torno del enfrentamiento de los dos personajes, el narrador y el doctor Eduardo Zimerman que, en su condición de especialistas en Historia Americana, compiten por ir a examinar una supuesta carta en la que Bolívar comenta su entrevista en Guayaquil con el general San Martín.

El narrador se declara profesor en la Universidad y miembro de la Academia Nacional de la Historia y, desde el comienzo de la entrevista con su rival, da muestras de afectación en el lenguaje y en los gestos. Dice:

> Vivo, según es fama, en la calle Chile. Daban exactamente las seis cuando sonó el timbre. Yo mismo, con sencillez republicana, le abrí la puerta y lo conduje a mi escritorio particular. (IB 114-15)

Más adelante, menciona a los antepasados para afirmar su linaje guerrero: "Espero morir en esta casa, en la que he nacido. Aquí trajo mi bisabuelo esa espada, que anduvo por América" (IB 117).

Pero cuando insiste en recordar el pasado heroico de su familia, y
precisa los nombres de esos luchadores, surge la sospecha de que
en la voz de su personaje Borges está insinuando una auto-parodia
de la exaltación y culto del valor de sus mayores, tema presente en
muchas de sus páginas. Así, el narrador vuelve a recordar "esas
viejas cosas gloriosas": "Hay en el escritorio un retrato oval de mi
bisabuelo, que militó en las guerras de la Independencia, y unas
vitrinas con espadas, medallas y banderas" (IB 116). Y cuando
Zimerman confunde el nombre del héroe: "Combate de Junín. 6 de
agosto de 1824. Carga de caballería de Juárez", el narrador replica
de inmediato: "–De Suárez –corregí" (IB 116). Para entender la
relación autobiográfica, basta mencionar los versos que Borges
dedica a su bisabuelo materno en "Página para recordar al coronel
Suárez, vencedor en Junín", de El otro, el mismo (OP 186-87).[15]
    Por otro lado, es interesante observar que como ejemplo de
parodia Schopenhauer había elegido la estrofa del Orlando furioso
en la que Ariosto canta la grandeza épica de los caballeros antiguos, estrofa que se degrada cuando es puesta en boca de dos paya-
sos en una comedia de Carlo Gozzi (World as Will 2: 95).
    Aunque ya no de auto-parodia, en "Guayaquil" siguen apare-
ciendo rasgos autobiográficos. Así, cuando el narrador dice: "El
primer libro en alemán que leí fue la novela El Golem de Meyrink"
(IB 121). Y, al final, cuando ambos, el narrador y Zimerman se
confiesan discípulos de Schopenhauer. Antes de irse, Zimerman se

---

15   En 1969, un año antes de la publicación de El informe de Brodie, Julio Cor-
      tázar había incluido en Ultimo round las líneas de "Los Cortázar" en las que,
      con humor desenfrenado, lamenta la falta de un abolengo ilustre: "Qué fami-
      lia, hermano./ Ni un abuelo comodoro, ni una carga/ deca/ balle/ ría,/ nada, ni
      un cura ilustre, un chorro,/ nadie en los nombres de las calles,/ nadie en las
      estampillas,/ minga de rango,/ minga de abolengo./ nadie por quien ponerse
      melancólico/ en las estancias de los otros,/ nadie que esté parado en mi ape-
      llido/ y exija de la estirpe/ la pudorosa relación: "Aquel Cortázar,/ amigo de
      Las Heras..."/ Ma qué Las Heras,/ no tuvimos a nadie, ni siquiera/ en Las
      Heras (la Penitenciaría/ que ya tampoco existe, me contaron)./ (2: 49).

detiene ante los tomos de Schopenhauer en la biblioteca del narrador y, forzando en su beneficio las ideas del filósofo, dice: "–Nuestro maestro, nuestro común maestro, conjeturaba que ningún acto es involuntario. Si usted se queda en esta casa, en esta airosa casa patricia, es porque íntimamente quiere quedarse. Acato y agradezco su voluntad" (IB 123).

Interpretando la parodia en su sentido más amplio de imitación burlesca de algo serio o elevado –interpretación en la que, en general, coinciden Bergson, Freud, y Schopenhauer– en los textos de Borges podemos mencionar la parodia de una autobiografía que aparece en "Pierre Menard, autor del Quijote". La encargada de escribirla va a ser la condesa de Bagnoregio, personaje ridículo a quien se describe en la primera página del relato como "uno de los espíritus más finos del principado de Mónaco (y ahora de Pittsburgh, Pennsylvania, después de su reciente boda con el filántropo internacional Simón Krautzsch, tan calumniado ¡ay! por las víctimas de sus desinteresadas maniobras)" (F 45-46). Y en la lista de "la obra *visible* de Menard" se incluye la referencia al "victorioso volumen" que constituye la "autobiografía" de la condesa, y que se describe así:

> el "victorioso volumen"... que anualmente publica esta dama para rectificar los inevitables falseos del periodismo y presentar "al mundo y a Italia" una auténtica efigie de su persona, tan expuesta (en razón misma de su belleza y de su actuación) a interpretaciones erróneas o apresuradas. (F 48)

Más breve, en "La Biblioteca de Babel" leemos lo que sería la parodia de las a veces largas y tortuosas investigaciones lingüísticas: "Antes de un siglo pudo establecerse el idioma: un dialecto samoyedo-lituano del guaraní, con inflexiones de árabe clásico" (F 89).

Como vimos en el caso de la condesa de Bagnoregio, Borges carga las tintas de lo ridículo en la caracterización de los personajes femeninos, especialmente en las mujeres con veleidades literarias. Así, junto a la de Bagnoregio y su "victorioso volumen" desfilan la baronesa de Bacourt con sus "*vendredis* inolvidables", y sus "páginas áureas" (F 45, 49), Madame Henri Bachelier y su "hospitalario, o ávido álbum" (F 48), y Teodelina Villar, de "El Zahir", sometida no a las reglas de la literatura sino a los dictados de la moda (A 103-05).[16]

Si bien en los ejemplos anteriores los rasgos de humor se exageran hasta lo grotesco, esto no es lo habitual en la obra de Borges. Por el contrario, lo que predomina en ella es un tipo de humor solapado que se desliza en insinuaciones burlescas o velada ironía, y el que, más que en una escena, aparece en la brevedad de una frase o en el uso equívoco de una palabra.

Y aquí, un paréntesis para advertir que cuando en las líneas de más arriba mencionamos la ironía, volvemos a enfrentar el problema taxonómico de definir los términos relacionados con la risa y el humor, problema que tal vez surge por la ambigüedad esencial implícita en ese fenómeno propio del ser humano.

En los diccionarios, la ironía se define como la figura retórica que consiste en dar a entender lo contrario de lo que se dice, o en expresar, dentro de un enunciado formal serio, un contenido burlesco. Bergson piensa que la ironía se manifiesta al "enunciar lo que debiera ser, fingiendo creer que así es en realidad" (*La risa* 97), y Schopenhauer anota que la ironía resulta cuando, con delibe-

---

16 En *Humor in Borges*, René de Costa comenta al pasar el juego de palabras en los nombres de algunos de estos personajes (51). En su totalidad, el libro acierta al enfatizar la importancia de lo incongruente como razón y centro del humor (128-29). Para la caracterización de los personajes femeninos y, en general, para el análisis de los procedimientos del humor, consultar también el capítulo correspondiente en *Borges: El estilo de la eternidad*, de Rosa Pellicer.

rada intención, algo real y perceptible se pone bajo el concepto de su opuesto o, en otra síntesis, cuando el chiste se esconde detrás de la seriedad (*World as Will* 2: 95, 99).

Por nuestra parte, y sin ánimo de adherir a una u otra definición, lo que observamos en todas ellas es la referencia a algo contradictorio o incongruente que, suponemos, puede hallarse en los ejemplos que anotamos a continuación:

"Un buen esclavo les costaba mil dólares y no duraba mucho. Algunos cometían la ingratitud de enfermarse y morir" (HUI 247).

"El hombre de Corrientes y Esmeralda adivina la misma profesión en las madres de todos" (HE 174).

"Cometer un soneto, emitir artículos" (HE 176).

"A pesar de sus canas, se codeó con rameras y con poetas, y hasta con gente peor" (HUI 279)

"Mardrus no deja nunca de maravillarse de la pobreza de 'color oriental' de las *1001 Noches*. Con una persistencia no indigna de Cecil B. de Mille, prodiga los visires, los besos, las palmeras y las lunas" (HE 146).

"el inversamente paradójico doctor Rojas (cuya historia de la literatura argentina es más extensa que la literatura argentina)" (D 170).

"De las historias breves de la literatura alemana... la más evitable y penosa [es] la del doctor Max Koch, invalidada por supersticiones patrióticas y temerariamente inferida al idioma español por una editorial catalana" (D 172).

"Deploro haber prestado a una dama, irreversiblemente, el primero que publicó" (F 78).

La lista podría continuarse pero dado que nuestro propósito no fue nunca el de realizar un recuento de las manifestaciones del humor en los textos de Borges sino el de observar, partiendo de la reseña sobre el libro de Max Eastman, qué obras y autores relacionados con el tema estaban presentes en su pensamiento por esos años de la década de 1930, aquí decidimos no alargarla. En cambio, optamos por mencionar otros ejemplos que condicen perfectamente con esta última intención.

Al tiempo de explicar el mecanismo que opera en el disparate o desatino, Schopenhauer supone una escena en la que alguien dice que le agrada caminar solo, a lo que otro de los presentes responde: "A usted le gusta caminar solo; a mí también; entonces podemos salir a caminar juntos" (*World as Will* 2: 96. La traducción es nuestra).

Si de aquí vamos a "Ulrica", el relato incluido en *El libro de arena*, leemos:

> Ulrica me invitó a su mesa. Me dijo que le gustaba salir a caminar sola. Recordé una broma de Schopenhauer y contesté:
> –A mí también. Podemos salir juntos los dos. (LA 27)

Y si lo que predomina en la mente de Borges desde la reseña de 1937 hasta esta última cita de 1975 es la explicación de Schopenhauer que ve en la risa el resultado de observar la incongruencia de incluir un objeto en una categoría que le es ajena, nada mejor para provocarla en sus escritos que organizar (o desorganizar) enumeraciones arbitrarias en su ordenamiento.

En una escena de "El otro", el "Borges de 1918" le dice al "Borges de 1969" que está escribiendo un libro que cantará "la fraternidad de todos los hombres" (LA 16). En la réplica, el Borges mayor anota:

> Me quedé pensando y le pregunté si verdaderamente se sentía hermano de todos. Por ejemplo, de todos los empresarios de pompas

fúnebres, de todos los carteros, de todos los buzos, de todos los que viven en la acera de los números pares, de todos los afónicos, etcétera. (LA 16)

Siempre en *El libro de arena*, hallamos otra enumeración incongruente en "El Congreso" cuando los organizadores de ese "Congreso del Mundo que representaría a todos los hombres de todas las naciones" (43) enfrentan un problema de índole filosófica:

> Planear una asamblea que representara a todos los hombres era como fijar el número exacto de los arquetipos platónicos, enigma que ha atareado durante siglos la perplejidad de los pensadores. Sugirió que, sin ir más lejos, don Alejandro Glencoe podía representar a los hacendados, pero también a los grandes precursores y también a los hombres de barba roja y a los que están sentados en un sillón. (LA 44)

Y por fin, la enumeración más hilarante y, al mismo tiempo, más problemática, la de la enciclopedia china que ya comentamos en el Capítulo 1, y que figura en "El idioma analítico de John Wilkins":

> En sus remotas páginas está escrito que los animales se dividen en (a) pertenecientes al Emperador, (b) embalsamados, (c) amaestrados, (d) lechones, (e) sirenas, (f) fabulosos, (g) perros sueltos, (h) incluidos en esta clasificación, (i) que se agitan como locos, (j) innumerables, (k) dibujados con un pincel finísimo de pelo de camello, (l) etcétera, (m) que acaban de romper el jarrón, (n) que de lejos parecen moscas. (OI 142)

Siguiendo a Schopenhauer, y determinando que el concepto es "animales", es clara la incongruencia de incluir bajo ese concepto no sólo a los que, aunque forzados y risibles en su descripción todavía se relacionan de alguna manera con éste –(a), (b), (c), (d), (f), (g), (i), (j), (k), (m), (n)– sino a aquellos términos que alteran por la base cualquier posibilidad de relación lógica: (e) sirenas, (h) incluidos en esta clasificación, y culminando el disloque: (l) etcétera.

Así, como anotaba Foucault, lo *incongruente* provoca la risa, y lo *heteróclito*, el recelo.

Capítulo VI

XUL SOLAR: LOS JUEGOS DEL LENGUAJE Y DEL AJEDREZ

El primero en la serie de trabajos en colaboración en los que se empeñaron Borges y Bioy Casares fue el de la revista que, con el título de *Destiempo*, apareció en 1936. Además de referirse a esa empresa editorial, en sus notas de auto-cronología Bioy indica que en ese mismo año de 1936 conoció a Manuel Peyrou, a Carlos Mastronardi, y a Xul Solar (Martino 253).

En distintas oportunidades Bioy va a comentar el propósito que los animaba al publicar *Destiempo* ("Libros y amistad" *La otra aventura* 142-43) y, con resignado humor, recuerda la existencia efímera de la revista con sólo tres números en octubre, noviembre y diciembre de 1936. También, dice que para los materiales incluidos en ellos contaron con la colaboración desinteresada de varios amigos entre los que cita específicamente a "Alfonso Reyes, Henríquez Ureña, Macedonio Fernández, Mastronardi, Xul Solar, Peyrou" (Vázquez, "La sonrisa de la felicidad").

Si bien años después Bioy podrá considerar a muchos de ellos como sus amigos, en 1936 la relación intelectual y amistosa estaba establecida no con él –que recién acababa de conocer a algunos– sino con Borges. Por esa fecha, Bioy era un muchacho de 22 años quien con su entusiasmo juvenil y su sensibilidad artística pudo contribuir en forma positiva en las tareas de editar la revista, pero sin duda el encargado de solicitar las colaboraciones e imponer el tono general de la publicación debe haber sido Borges. Según esto, qué observamos en las páginas de *Destiempo* que resulte relevante para nuestro estudio. Ante todo, en el primer número, de octubre de 1936, aparecen dos viñetas dibujadas por Xul Solar (Gradowczyk 156). Más importante aún, en la página 4 del segundo número se incluye "Visión sobrel trilíneo", artículo firmado por Xul Solar quien en seguida, y con el texto en negrilla, indica: (**esto está en criol, o neocriollo, futur lenguo del Contenente**). Debajo de estas líneas, Xul agrega una "Glosa" en la que explica algunas de las características de su creación idiomática. A ella nos vamos a referir más adelante, pero por ahora, y para dar una idea de la sorpresa que todo esto debe haber provocado a más de un lector, copiamos unas líneas de "Visión sobrel trilíneo": "mirö yuso transueli, hi so ai gran trozos disrompios de otro tal pampo en umbro solo, pero preferö sube, i upa flotö hasta kentrö ha otro lis'pampo con crepusc'o jaldo".

Por otra parte, al llegar a esa página 4 del N° 2 de *Destiempo* el lector ya debía estar prevenido acerca del carácter inusual de algunos de los artículos de la revista dado que en la primera página se había enfrentado con "Metafísica: No va sin Prólogo", colaboración de Macedonio Fernández en la que desde las primeras líneas se advierten los rasgos característicos de su estilo, con la propuesta que bordea el absurdo y los enunciados que desembocan en el humor. Esto resulta evidente desde el párrafo inicial de este "prólogo" para un supuesto segundo libro de su Metafísica:

> Con lo que yo ignoraba, lo que entendía a medias y lo que expliqué confusamente al escribir mi primer tomo de Metafísica, en el que di entera solución al Misterio, hay para llenar hoy 300 páginas en las que, gracias a contar con tales imperfecciones de aquello primero, gozo privilegiada oportunidad de brillar y abundar como pocos entre los autores de segundo libro para un mismo tema.

Más abajo, absurdo y humor se complementan y agudizan cuando Macedonio decide que el título de ese su segundo tomo será el de "Psicología del caballo de estatua ecuestre".

Sin agregar más citas, lo que observamos aquí es que en noviembre de 1936, puesto a seleccionar los materiales para *Destiempo*, Borges elige trabajos tan poco convencionales como estos de Macedonio Fernández y de Xul Solar, esos sus "amigos esenciales" como alguna vez los calificó ("Los amigos" 4). Y acerca de ellos, si según vimos en el Capítulo anterior Borges exaltaba la figura de Macedonio, tanto o más lo hará en el caso de Xul Solar. En "Recuerdos de mi amigo Xul Solar", lo evoca así:

> Me parece estar viendo a ese hombre alto, rubio y evidentemente feliz. Creo que uno puede simular muchas cosas, pero nadie puede simular la felicidad. En Xul Solar se sentía la felicidad: la felicidad del trabajo y, sobre todo, de la continua invención.

En el mismo texto, Borges enfatiza esa última cualidad al afirmar: "Xul vivía recreando el universo", y culmina la semblanza del amigo cuando lo califica como un hombre de genio. Dice: "Se ha abusado de la palabra genio, pero en este caso creo que es indudable".

Si bien la valoración de Xul Solar se apoya fundamentalmente en su obra pictórica, su labor creadora no se limitó a sus dibujos y pinturas sino que derivó hacia otros caminos impulsado por lo que un crítico denominó su "personalidad polifacética" que lo muestra como "filólogo, astrólogo, frecuentador de arcanos, inventor" (Pellegrini 25).

Esta variedad de intereses y de realizaciones complicará nuestra tarea si como hicimos con los "raros" de capítulos anteriores tratamos de presentar ahora una imagen integrada de Xul Solar, hombre y artista. Por otro lado, y aunque nos centraremos especialmente en los dos temas anunciados desde el título –la creación de lenguajes, y la de un juego de ajedrez– resultará evidente que esas distintas facetas a las que aludió el crítico de alguna manera van a relacionarse en un todo coherente. Además, al considerar su temperamento y sus actitudes hay que evaluar con cuidado aquello que el mismo Borges reconocía al decir que "a Xul se lo veía como a un hombre voluntariosamente extravagante" (Alifano 41).

Así, en su vida y en sus trabajos Xul Solar va a presentar mezclados rasgos de imaginación y extrañeza, de humor y pensamiento trascendental. Por ejemplo, cuando adopta la forma abreviada de su nombre. Nacido en 1887, el verdadero y completo era Oscar Alejandro Agustín Schulz Solari. El apellido paterno, "Schulz", lo convierte en "Xul", inversión de la palabra latina "lux", y el materno, "Solari", lo abrevia a "Solar". Con esto tenemos que Xul Solar sería "Luz Solar" lo que apunta tangencialmente a la astrología, motivo frecuente en sus esquemas pictóricos, y central en la base de sus reflexiones.[1]

En abril de 1912 el joven Schulz Solari parte para Europa con destino a Hong Kong pero debe desembarcar en Londres desde donde se dirige a Turín. Esto marca el comienzo de su estadía de doce años en el continente con varias visitas a París, Turín, y Londres, algunas a Roma y Marsella, y residencias más prolongadas en Florencia, Milán, Munich, y Zoagli, villorrio próximo a Génova donde estaban su madre y su tía Clorinda, oriundas de esa región de Italia, y quienes habían viajado desde Argentina para acompañarlo.

Para apreciar la importancia de los años europeos en la evolución del pensamiento y del arte de Xul Solar basta recordar que ese lapso entre 1912 y 1924 es el de una intensa actividad en los principales movimientos de vanguardia, futurismo, expresionismo, cubismo, dadaísmo, e incluso el surrealismo con el primer "Manifiesto" en 1924.[2] En cuanto a situaciones específicas o vivencias de

---

1   Mario H. Gradowczyk extiende la interpretación de "lux" = luz en traducción directa del latín a "lux" = "unidad de medida de la intensidad luminosa", con lo que "Schulz Solari deviene así **intensidad del sol**, que es la fuente de luz y energía del cosmos" (*Alejandro Xul Solar* 30).

2   En *Poesía y poética de Vicente Huidobro* comentamos las principales ideas y manifiestos del futurismo y cubismo en relación con la obra del escritor chileno.

probada relevancia que Xul experimenta en Europa hay que mencionar en primer término el temprano acercamiento a las obras y a la estética del grupo expresionista y, en otro nivel, el encuentro y amistad con Emilio Pettoruti.

A poco de llegar, y tal vez confirmando una de las vueltas de un destino propicio, Xul adquiere un ejemplar de *Der Blaue Reiter (El Jinete Azul)*, el álbum-almanaque artístico publicado en Munich en mayo de 1912 por Franz Marc y Vasili Kandinsky quienes, un año antes, se habían organizado bajo el mismo nombre de *Der Blaue Reiter* en el núcleo de lo que la crítica identifica como el segundo grupo expresionista –el primero era *Die Brücke (El Puente)*, constituido en Dresde alrededor de 1903-1905, y disuelto en 1913– (de Torre 1:194-97). En una carta a su familia fechada en noviembre de 1912, Xul comenta su impresión acerca de esos "cuadros sin naturaleza, líneas y colores solamente", e incluye un dibujo de lo que recuerda de una de las obras reproducidas en el libro, posiblemente de Kandinsky (Gradowczyk 29).

En 1912, Kandinsky también publica *De lo espiritual en el arte* (*Uber das Geistige in der Kunst*), texto clave en la exposición de sus ideas y representativo del pensamiento y la intención que animaba a los expresionistas.

En las primeras páginas de "Expressionism, Abstraction, and the Search for Utopia in Germany" ("Expresionismo, abstracción, y la búsqueda de la utopía en Alemania") Rose-Carol Washton Long analiza los orígenes y los distintos factores que coadyuvaron en el desarrollo del arte expresionista. Así, observa que en los años que precedieron a la Primera Guerra Mundial surge en los medios intelectuales y artísticos una fuerte reacción contra el materialismo e industrialismo imperantes en la sociedad alemana. Las opciones para contrarrestar estas tendencias son diversas. Algunos proponen una salida al socialismo o anarquismo, otros se orientan hacia distintas doctrinas religiosas –budismo, hinduismo– o buscan respuestas por la vía de las tradiciones esotéricas. En general, los artistas coinciden en el intento de hacer que sus obras sean instrumentos que transformen el clima ético de esa sociedad.

Como lo indica desde el título de su estudio, Long va a referirse a la relación del expresionismo con el arte abstracto y, particularmente en el caso de Kandinsky, a la importancia que ciertos tratados místicos y ocultistas –por ejemplo, los de Rudolf Steiner– tuvieron en la formación de la ideología del movimiento (201-17). Y es fácil suponer que, desde un principio, esta última característica debe haber atraído la atención de Xul Solar. En el proceso de la evolución de su técnica pictórica, Mario H. Gradowczyk reconoce una primera época simbolista-expresionista desde los trabajos iniciales hasta 1922, fecha en que observa que Xul se "afirma en sus pinturas expresionistas-plasticistas, en las cuales un motivo central de carácter expresionista está rodeado por un conjunto de formas geométricas que lo encuadran" (*Alejandro Xul Solar* 233).

En su excelente estudio, Gradowczyk detalla distintos aspectos de la obra de Xul con comentarios sobre las pinturas de ciudades y arquitecturas las que, con variaciones, aparecen a lo largo de su producción artística. Asimismo, se refiere a las que denomina pinturas de ensueños, a las de la serie de países imaginarios, al grupo de visiones y al de países místicos, a las de la época de las casas del Delta y, en los últimos años, a la serie de Grafías y retratos-textos.

El libro de Gradowczyk es de lectura imprescindible para allegarse a una visión total y esclarecedora de las circunstancias de la vida, y del carácter peculiar de la creación artística de Xul Solar. Por nuestra parte, y de acuerdo al propósito central de este Capítulo, nos detendremos ahora en aquello que hace a la relación de Xul Solar con Borges dentro del encuadre general del expresionismo.

En una conferencia de 1968, Borges expresa su juicio sobre esa escuela de vanguardia y determina la ubicación de Xul Solar con respecto a ella. Dice: "Es verdad que el nombre de Xul ha sido vinculado al más intenso y el más vasto de los movimientos de renovación de aquella época, me refiero al expresionismo alemán, mejor dicho judeo-alemán. Pero creo que en el caso de Xul, no hubo imitación. Creo que en el caso de Xul hubo algo más importante, hubo una esencial afinidad" ("Conferencia" 13).

A diferencia de su opinión sobre el ultraísmo del que va a renegar muy pronto, Borges siempre mantuvo el juicio elogioso acerca del expresionismo. Tal vez, parte del aprecio que Borges manifiesta por esta escuela de vanguardia se debe a su temprano acercamiento a las obras de sus poetas, y a la época de su juventud en que esto ocurre.

Conviene recordar que la primera estadía de Borges en Europa, de 1914 a 1921, coincide con varios de los años en los que Xul Solar reside en el continente, de 1912 a 1924. Aunque Borges era doce años menor que Xul su captación del ambiente que predominaba en Europa durante la Guerra del 14 y los años de la posguerra no debe haber sido muy diferente al que experimentó éste. Más importante aún, mientras que Borges inició el aprendizaje del idioma alemán hacia 1916, durante sus años de estudiante en Ginebra, Xul había heredado el conocimiento de esa lengua por la vía de su padre, Emilio Schulz Riga. Y si como comentamos alguna vez, el dominio del alemán le permitió a Borges leer en el idioma original y en forma inmediata las obras de varios de sus autores favoritos, lo mismo cuenta en el caso de Xul Solar. Un buen ejemplo resulta de comprobar que en la lista de los libros de su biblioteca figura *Punkt und Linie zu Fläche*[3] (*Punto y línea al plano*), texto publicado por Kandinsky en 1926 en el que el autor trata el tema de la dematerialización del plano pictórico.

Entre los primeros artículos de crítica literaria escritos por Borges, tres se refieren a las obras de poetas expresionistas, obras que traduce del alemán al castellano.

---

[3]   Información suministrada, con su habitual gentileza, por Martha L. Rastelli de Caprotti, Curadora del Museo Xul Solar.

El 1° de agosto de 1920, en la revista *Grecia*, de Madrid, aparece "Lírica expresionista: Síntesis" con una Nota que precede a dos poemas de Kurt Heynicke, y uno de Wilhelm Klemm. En la Nota, Borges se refiere al expresionismo como "el movimiento literario dramático pictórico y escultórico que, irradiando de Alemania y de Austria... se pluraliza hoy en tierras escandinavas y en Zurich" (TR 52). Indica luego que como consecuencia del trauma brutal de la Guerra del 14, "El expresionismo tomó ese carácter dostoievskiano, utópico, místico y maximalista a la vez que aún tiene" (TR 52).

El segundo artículo, "Antología expresionista", es de octubre de 1920, y se publica en *Cervantes*, otra revista madrileña. De mayor extensión que el anterior, Borges traduce y comenta textos de nueve poetas relacionados con esa escuela. El siguiente, "Lírica expresionista: Wilhelm Klemm", sale en el último número de *Grecia*, del 1° de noviembre de 1920.[4]

En diciembre de 1923, el mismo año en el que Borges publica su primer poemario, *Fervor de Buenos Aires*, aparece en *Inicial*, una revista de la ciudad porteña, la primera versión de "Acerca del expresionismo" texto que con algunos cambios va a ser incluido en *Inquisiciones*, de 1925. En este último, después de transcribir poemas de Vagts, Hahn, y Klemm, declara: "(Soy yo el culpable de la españolización de los versos.)" (I 161). Y en el comentario que los precede resume en uno de los párrafos lo que interpreta son los rasgos salientes de esa escuela: "Vehemencia en el ademán y en la hondura, abundancia de imágenes y una suposición de universal hermandad: he aquí el expresionismo" (I 157).

Para la historia de las revistas *Grecia* y *Cervantes* ver el estudio de Gloria Videla, *El ultraísmo* (39-53). En este mismo texto, también puede consultarse la sección "Ultra y el expresionismo" (99-101). Siempre para el tema de Borges y el expresionismo, es importante el apartado, "La dimensión expresionista", que Vicente Cervera Salinas incluye en su libro *La poesía de Jorge Luis Borges: Historia de una eternidad* (42-55).

Si a la simultaneidad de vivencias experimentadas por Borges y Xul Solar en relación al expresionismo unimos el hecho de que las características que Borges distingue en ese movimiento –intensidad, recurso a la vía mística o esotérica, propósito utópico de alcanzar un mundo armónico y solidario– son características presentes en el pensamiento y en los trabajos de Xul Solar, no hay duda de que el expresionismo fue un campo propicio para la coincidencia entre los dos amigos.

Xul y Borges no se encontraron en Europa, pero en 1916 Xul sí va a conocer en Florencia a Emilio Pettoruti (1892-1971) quien, años después y a través de un tránsito por las técnicas del cubismo, va a consagrarse como un maestro de la pintura abstracta.

En su libro de memorias, *Un pintor ante el espejo*, Pettoruti recuerda varios momentos y episodios vividos con Xul durante esos años de compañerismo y amistad en el Viejo continente. Acerca del primer encuentro dice que estaba un día en un café ubicado en una esquina de la Piazza del Duomo cuando vio venir hacia él, resueltamente y a grandes zancadas, a "un joven alto con una valija muy pequeñita pendiéndole de la mano" (100). A su pregunta de cómo lo había identificado entre tanta gente, Xul responde "de lo más tranquilo que habiéndolo guiado sus pasos, *yo* no podía ser otro" (100). En la misma página, y ahora con mirada de pintor, Pettoruti lo describe: "Sobre el cuerpo altísimo una cabeza bien modelada con un par de ojos llenos de inteligencia y de bonhomía" (100).

En tren de evocar a Xul Solar –lo vimos en el caso de Borges, y ahora con Pettoruti– se menciona siempre el detalle de su altura. Y nos preguntamos si ésta, junto con su proverbial actitud amistosa ("Quien haya conocido a Xul sabe cómo se hacía querer", dice Pettoruti (102)) contribuía en parte al ascendiente que parece ejercía sobre muchos de los que lo rodeaban. Lo cierto es que observando fotografías de la época en las que aparece un número considerable de personas como la del agasajo que los martinfierristas

ofrecieron a Jules Supervielle o la del homenaje que el mismo
grupo brindó a Ricardo Güiraldes (Gradowczyk 234-35) es fácil
identificar a Xul Solar dado que su figura sobresale por arriba de
las de los otros asistentes al agasajo.

En una de las páginas hilarantes de *Papeles de Recienvenido*,
Macedonio Fernández comenta que cuando envía alguno de sus
escritos a una revista, dado que éstos suyos son malos, por comparación ellos contribuyen a "mejorar" los otros que se publican en el
mismo Número. Esto, según él, mueve a aquellos colaboradores
que enviaron trabajos que les salieron flojos a solicitar al director
de la revista que los demore para publicarlos cuando puedan ir
acompañados por uno de los suyos. Y, en seguida, sintetiza lo
dicho y agrega otro ejemplo de esa táctica de mejoramiento por
comparación. Dice:

> Yo concurro así al mérito literario de otro con mis artículos, mejo-
> rativos, por vecindad, de todo otro, así como Xul Solar, el
> Supremo Hacedor de Bajitos, aminora la exagerada estatura de sus
> prójimos y es buscado por los que necesitan no parecer tan altos.
> (*Papeles* 92)

Si esta evocación de Xul es ligera y risueña, en la que figura
páginas más adelante en el mismo libro Macedonio se exalta en un
elogio dicho en su estilo tan peculiar:

> Xul no hubiera de morir; no es reemplazable ni repetible; es el más
> grácil ¡Buenos Días!, el llegado más leve, el ido que más retuvié-
> ramos, la persona-carácter que menos nos necesita y a muchos nos
> falta varias veces al día. (*Papeles* 164)

Con un tono diferente, Pettoruti también presenta la imagen de
Xul apoyada en sus anécdotas y actitudes curiosas las que, por otro
lado, corrían paralelas con la seriedad de sus trabajos y reflexiones.
Así, anota sus recuerdos del día que lo conoció:

Me di cuenta de que estaba lleno de preocupaciones, artísticas, lingüísticas, filosóficas, religiosas, esotéricas; todo le interesaba en el mismo grado: las ciencias astronómicas y las submarinas, las técnicas pictóricas y las musicales; nuestra conversación saltaba de un punto a otro. Me pareció un muchacho encantador, con su punta de extravagancia, puro como un niño. (101)

A lo largo de sus memorias, Pettoruti va a confirmar esta primera impresión. Comenta por ejemplo que en medio de una reunión en el estudio de un artista con "gente de todas las razas y de todas las religiones, de inteligencia y de preparación seria o snob... Xul se sentía en la gloria; tan pronto hablaba con alguien de los signos del Zodíaco, como con otro de las momias egipcias" (102). Más adelante, y ya afirmada la amistad, recuerda: "Xul, como de costumbre, a la manera de un juglar que tira y recoge en el aire simultáneamente varios objetos, sometía a mis puntos de vista unas cuantas preocupaciones flamantes: la del cuarto de tono en el piano y la del idioma universal" (114). O, hablando de los días que pasó con la familia de Xul, en Zoagli, escribe: "Como siempre, la atención convergía sobre Xul y sus peregrinos hábitos; ahora estaba con el hinduismo, la sinología, preocupado por la acupuntura y otras ciencias médicas asiáticas" (134).

Aunque estos comentarios de Pettoruti nos ayudan a apreciar los rasgos del temperamento y la personalidad de Xul Solar, dada su condición de artista son tal vez más importantes los juicios que Pettoruti emite acerca de las obras pictóricas de su amigo. Así, cuando indica que en una exposición de acuarelas y óleos de Xul "había obras de belleza incomparable como su *San Francisco* y su *Anunciación*" (135).

Acerca de la relación entre las pinturas de Xul Solar y las de Paul Klee, tema considerado por algunos críticos,[5] interesa leer la

---

5   Ver el artículo de Carlos Areán, "Xul Solar, surrealista argentino". *Cuadernos hispanoamericanos* 524 (1994): 71-82. También, la nota de Aldo Galli, "Estética compartida". *La Nación* 7 de febrero 1999. Sec. 6: 4.

opinión de Pettoruti: "En una librería de Munich vi una exposición de obras de Klee, que no me maravillaron, conociendo la obra de Xul; estando ambos en la misma dirección, la de éste me pareció más orgánica" (140).

Por fin, con palabras casi proféticas, la evaluación más amplia sobre el arte de Xul:

> Pienso al respecto que, conforme pase el tiempo, su obra se irá valorizando, cuando se eduque el gusto de los públicos, porque como no es la suya una pintura común, susceptible de ser clasificada en un casillero equis, sino de imágenes puramente suyas, en el aire, como todo él, es difícil de ser penetrada y gustada. (101)

En su relato de esos años europeos, Pettoruti recuerda haber compartido con Xul frecuentes estrecheces económicas que ambos sobrellevaban con animoso espíritu juvenil, pero también el goce de experiencias artísticas enriquecedoras en charlas y trabajos.

En 1924, motivados especialmente por el deseo de volver a ver a la familia y a los amigos, ambos deciden regresar a Argentina y, para hacer el viaje juntos, se reúnen en Hamburgo donde toman el barco que los llevará a destino. Pettoruti escribe sobre la travesía: "Demás está decir que viajé en perfecta soledad, mientras Xul hacía amistades a diestra y siniestra. Apenas en alta mar, ya estaba familiarizado con todos, desde el capitán hasta el último marinero" (172).

El 31 de julio, Emilio Pettoruti y Xul Solar desembarcan en el puerto de Buenos Aires. Como una coincidencia curiosa, es por esos días de julio de 1924 que Jorge Luis Borges también arriba a la ciudad porteña al final de su segundo viaje a Europa que se había prolongado por un año (TR 12).

Si julio de 1924 es por esto importante para los dos pintores y el poeta, más lo es el hecho de que en febrero de ese año se había publicado el primer número de la Segunda época del periódico

Martín Fierro, publicación en la que los tres van a colaborar, y que marcó un capítulo significativo en el panorama intelectual de la sociedad argentina. Con una Primera época limitada al año 1919, la Segunda va a prolongarse desde 1924 hasta noviembre de 1927, y en esos cuatro años las páginas de la revista van a ser con frecuencia el terreno donde se rompan lanzas por el arte y la literatura de vanguardia.

La lista de los fundadores y colaboradores de *Martín Fierro* incluye los nombres de quienes serán figuras importantes en el panorama cultural del país. Primeros entre los representantes de las artes plásticas están Pettoruti y Xul Solar mientras que entre los escritores, junto a Borges se destacan Oliverio Girondo, Ricardo Güiraldes, Eduardo González Lanuza, Leopoldo Marechal, Conrado Nalé Roxlo y Raúl González Tuñón (Prieto 20-21).

La concurrencia de Borges y Xul en las filas de los martinfierristas es relevante en varios sentidos. Ante todo hay que recordar que la mayoría de los integrantes del grupo eran jóvenes artistas abiertos a todo lo nuevo, enemigos de lo tradicional anquilosado, y ansiosos de modificar las pautas que imperaban en el ambiente artístico porteño. Pero aunque a veces su prédica resultaba agresiva, en la mayoría de los casos lo que predominaba era un tono de alegría y humor juvenil.[6] Por ejemplo, en las secciones tituladas

---

6   En "Mi primera conferencia". *La Nación* 1º de julio 1979. Sec. 4: 2, Eduardo González Lanuza recuerda el episodio al que se refiere su artículo cuando, a principios de la década de 1920, los cuatro fundadores de la revista *Prisma* –Borges, Guillermo Juan Borges, Francisco Piñero, y él– fueron a Rosario adonde habían sido invitados a dar una conferencia en la que expusieran las ideas de renovación artística que los animaban. Por descarte –ninguno de los otros tres quería hacerlo– él va a ser el disertante. Así, anota en un párrafo de la risueña evocación: "Borges por aquel entonces se hubiera dejado hacer picadillo antes que decir dos palabras sobre un estrado, en contraste con su futuro destino de orador". Pero lo que mejor ilustra el espíritu lúdicro que predominaba en el grupo son las cuatro fotografías que acompañan al texto, con una en la que aparecen él y Borges simulando una escena de pugilato

"Parnaso satírico" y "Cementerio de *Martín Fierro*", Enrique González Tuñón modifica una estrofa del poema de José Hernández, y anota: "Consérvate en el rincón/ Donde empezó tu existencia:/ Borges que cambia querencia/ Se atrasa en la 'Inquisición'" (Prieto 170). Y Leopoldo Marechal advierte al amigo pintor: "Pettoruti irá al fracaso/ Si se baja del Picasso" (Prieto 171), con lo que alude a la relación de Pettoruti con el cubismo en el juego de palabras "Picasso" y "picazo", caballo de color blanco y negro mezclados en forma irregular.

Por su parte, Borges agradece a los concurrentes al almuerzo para celebrar la publicación de *Luna de enfrente* (1925) con unos versos humorísticos que comienzan así:

> Todos los vigilantes empiezan por el casco.
> Todos los arzobispos acaban por la mitra.
> No hay cabeza en diciembre que no cuelgue de un rancho.
> A mí, Jota Ele Borges, me han puesto una aureolita,
> La aureola es un sombrero que me queda grandísimo
> Y que se gasta mucho. Mejor es abdicarlo.
> L'olvidaré en la percha y saldré calladito
> A ser Jota Luis Borges, guitarrero de ocasos.

La misma impronta risueña se observa en una supuesta carta que aparece en la revista, en la que Xul Solar le explica a Leopoldo Marechal por qué no pudo ir a despedirlo cuando el escritor partía para Europa. En las primeras líneas dice:

> La culpa la tuvo mi heterotraje claro. Su tela (lana gris, seda blanca y criptoalgodón, creo) fue adquirido por otra persona por Génova y algún año después fue confeccionado todo en caco-

---

como práctica para defenderse de los "enemigos" que iban a atacarlos después de la conferencia, y otra en la que ellos dos están descendiendo unas escaleras en medio de "ángeles con salidas de baño", en lo que dice era la "versión rosarina de los Campos Elíseos".

forma, por Milán; (Este es sastrisecreto). Las junturas pa que juntasen bien endountadas de mucho jabón. Este traje me lo peripuse 1 vez.

Y el texto-carta concluye en el mismo tono alegre y juguetón:

Esa trajistoria me pesa me semipesa ya. Sienta Ud. mi simpafifluido. Lo psicoabrazo y nos hemos de frecuenreunir por los sueñipaises por los taqipaises de Fantasia. Suyo Xul SOLAR (Prieto 153-54)

Si sólo juzgáramos a los martinfierristas sobre la base de estos escritos los veríamos como una estudiantina divertida y desprejuiciada. Pero si bien en el grupo existía este espíritu de humor y agudeza, las ideas que animaban a sus miembros iban más allá de esa superficie risueña. Además de la que se obtiene con una lectura más completa de los textos de *Martín Fierro*, una buena imagen de las características de sus escritores y artistas es la que aparece bajo velo de ficción en *Adán Buenosayres*, la gran novela de Leopoldo Marechal. Tras el protagonista del relato, el poeta Adán Buenosayres, está "L.M.", el narrador, y en la combinación de ambos Marechal pone mucho de autobiográfico.

Entre los amigos de Adán Buenosayres es posible descubrir a varios de los compañeros martinfierristas como Borges, Jacobo Fijman, Oliverio Girondo y, oculto bajo el nombre apenas modificado de Schultze, Xul Solar.

En el personaje de Luis Pereda se advierten claras alusiones a Borges. Por ejemplo, en una discusión Adán le dice: "¿Y qué culpa tengo yo si tus profesores de Ginebra te convirtieron en un agnóstico de bolsillo?" (Marechal 264). O en la escena en que Pereda promete: "Cuando salga de aquí te pagaré una ginebra en el almacén rosado de la esquina" (Marechal 577). También, la alusión se advierte en la crítica de que Pereda "ha querido llevar a la literatura sus fervores misticosuburbanos, hasta el punto de inventar una falsa Mitología en la que los malevos porteños adquieren, no sólo proporciones heroicas, sino hasta vagos contornos metafísicos" (Marechal 576-77). Sin embargo, la identificación no es completa y, a ratos, resulta confusa. Más ceñida es la representación de Jacobo Fijman en la figura de Samuel Tesler, pero la que desde el nombre mejor se ajusta es la de Schultze-Xul Solar. La forma en que se describe al astrólogo Schultze, como se lo llama en la novela, coincide en mucho con la que Borges o Pettoruti habían anotado o, si se quiere, con una fotografía de Xul Solar:

> Tenía el astrólogo un cuerpo flaco de casi dos metros de talla, una cabeza de frente anchurosa y cabellos argentados, y un rostro severo que se resentía de cierta palidez terrosa, comparable a la de los bulbos, y se animaba con la luz de unos ojos grises cuyo mirar caía de pronto sobre uno como un puñado de ceniza. (Marechal 407)

La semblanza del personaje ocupa más de una página y pronto se fija en los rasgos de extrañeza que lo caracterizan:

> En cuanto a la sabiduría del astrólogo, el sentir popular andaba igualmente dividido: había quienes lo imaginaban en el grado último de la iniciación védica, y quienes lo suponían flotando en las excelsas regiones del macaneo teosófico, amén de algunos que, demasiado suspicaces, lo reverenciaban como al humorista más luctuoso que hubiese respirado las brisas del Plata. (Marechal 408)

Pero más que en estas descripciones, la significación de Schultze-Xul Solar radica en el papel que desempeña en la trama del relato. La novela se divide en tres partes. La primera comprende el "Prólogo indispensable" firmado por "L.M." y los cinco primeros Libros; el Libro Sexto con el título de "El Cuaderno de Tapas Azules" constituye la segunda parte, y el Séptimo, "Viaje a la oscura ciudad de Cacodelphia", la tercera.

Adán Buenosayres es una obra compleja y trascendente. Como ha observado la crítica, en sus páginas se va desde el tratado teológico hasta el sainete, al tiempo que se incluye la farsa, el poema, y el diálogo filosófico (Maturo 892). Ante esta variedad temática y estilística, conviene repetir que nuestra intención en estos comentarios se limita a observar en qué medida la novela ofrece una visión de los martinfierristas, aquí desde la perspectiva de uno de ellos.

Si aceptamos que las tres partes de *Adán Buenosayres* se desarrollan "en torno al motivo central del viaje" (Coulson 32), viaje iniciático, físico-metafísico, podremos centrarnos en la primera y en la última que son las que mejor ilustran la trayectoria de Adán, Schultze y el resto de sus amigos.

En el Libro Primero, Adán Buenosayres se interroga acerca de su propia identidad (Marechal 28) pero en el Tercero será todo el grupo de esos amigos, guiados inicialmente por Arturo Del Solar, y luego por Schultze quienes emprendan la "Aventura criolli-malevi-fúnebri-putani-arrabalera" (140) que supuestamente les marcará el camino en la búsqueda de la identidad nacional.

Mientras transitan por las afueras de la ciudad metidos en descampados y barriales, mezclan en la charla ángeles y compadritos, literatura criollista y el idioma del Río, la tristeza de Buenos Aires y la noción de la patria inmensa. Después, comienzan las apariciones simbólicas: el Gliptodonte (177-80), el indio (184-85), Santos Vega (186-87) y Juan sin Ropa (187-89), quien se va transformando en el italiano (189), el abuelo español (189-90), el inglés (190), el tío Sam (190), el Judío Errante (190) y el marsellés (190), con clara alusión a los inmigrantes quienes a través de él, que los representaba, vencieron al gaucho Santos en la legendaria payada.

En una última mutación, Juan sin Ropa adquiere características extraordinarias: "Su figura creció hasta lograr una talla de seis metros, cayó su ropaje gaucho; y se mostró entonces la forma varonil más desconcertante que pueda imaginar el ingenio humano"

(191). A esto sigue una descripción detallada de la extraña criatura con rasgos que a ratos recuerdan los de algunas pinturas de Xul Solar.[7] Ante la pregunta de los amigos de "qué nuevo demonio era el que tenían delante", Schultze responde "que se trataba del mismísimo Neocriollo" (191). Como Schultze lo venía anticipando, el nombre designaría al "producto natural de las fuerzas astrológicas que rigen [al] país" (117), el ser "que habitaría la pampa en un futuro lejano" (191). Pero si en principio Neocriollo significa "nuevo criollo" o "futuro argentino", no hay duda de que aquí Marechal alude al tiempo que rinde homenaje a su amigo martinfierrista, Alejandro Xul Solar. Y esto se afirma cuando el Neocriollo pronuncia una "inefable arenga" (192), una especie de escritura automática surrealista, que sólo puede interpretar y traducir el astrólogo Schultze.

En el Libro Séptimo con el que concluye la novela, Schultze será de nuevo el guía que ahora conduce a Adán Buenosayres en el descenso semidantesco a la oscura ciudad de Cacodelphia, "la ciudad atormentada" opuesta a Calidelphia, "la ciudad gloriosa" (405). Y en este viaje, el astrólogo se presenta como el Neogogo (412), el nuevo conductor, opuesto al Paleogogo, el viejo conductor simbolizado en el monstruo gelatinoso que se retuerce en el último círculo del Infierno proyectado por Schultze (644).

---

[7] Norma Carricaburo en "Las innovaciones de Xul Solar en el *Adán Buenosayres*" se refiere a estas semejanzas entre lo que presenta el texto de Marechal y lo que puede observarse en algunas obras de Xul Solar. Aquí, menciona específicamente la acuarela *Ña diáfana*, pintada por Xul Solar en 1923. En "El caso Xul Solar" (35), Beatriz Sarlo también comenta esta relación. Carricaburo considera además otros aspectos de las ideas y la estética de Xul Solar que aparecen reflejados en la novela de Marechal, por ejemplo, el tema de los ángeles, el de las construcciones arquitectónicas y, desde el epíteto asignado a Schultze, el de la astrología.

Al sintetizar lo que a través de las páginas de *Adán Buenosayres* se puede inferir acerca de las intenciones que animaban a los martinfierristas vemos que, en primer término, les preocupaba precisar el concepto de la identidad nacional frente a la presencia masiva del extranjero y, en el plano artístico, imponer una renovación en la lucha contra lo antiguo y caduco.

Si recordamos que, aunque sin precisar el año, Marechal ubica la acción de su novela en la década de 1920, resulta oportuno al respecto transcribir lo que Beatriz Sarlo anota en "El caso Xul Solar", en donde dice:

> En la década del veinte, la vanguardia argentina gira en torno a tres ejes principales. En primer lugar, la nacionalidad y la herencia cultural, cuestiones críticas en un país donde el perfil demográfico estaba siendo profundamente modificado por el flujo de miles de inmigrantes. En segundo lugar, la necesidad de definir una relación con el arte y la literatura occidental; y, en tercer lugar, la búsqueda de nuevos medios formales con los que trazar una línea divisoria respecto del pasado literario y de las estéticas realista y socialista contemporáneas. (34)[8]

Como comenta Sarlo, la razón de la insistencia en el afán de determinar el sentido y los fundamentos de la identidad nacional se explica si se considera la profunda transformación operada en la Argentina por efecto del aluvión inmigratorio de las últimas déca-

---

8   Para este tema, consultar también otro estudio de Beatriz Sarlo, *Jorge Luis Borges: A Writer on the Edge*, especialmente el capítulo "The Adventure of Martín Fierro: The Avant-Garde and *Criollismo*" (95-114). Asimismo, provechosa resulta la lectura de "Borges nacionalista: el criollismo", una de las secciones de *El otro Borges. El primer Borges* de Rafael Olea Franco. Coincidimos con el autor cuando éste interpreta que en el período entre 1923 y 1942, período al que circunscribe su investigación, se definen los elementos básicos del "sistema literario" (19) de Borges. En cuanto al panorama que por esta época presentaban las artes plásticas en la Argentina es informativo el breve artículo de Marcelo Pacheco, "Los años 20 decidieron el siglo".

das del siglo XIX y primeras del XX. La presencia masiva del inmigrante con sus tradiciones y lenguajes diversos problematizaba la confianza del hispano-criollo en cuanto a ser el auténtico representante de la identidad argentina.

Como sabemos, en lo que toca a su ascendencia Xul y Borges difieren marcadamente. Mientras que los padres del pintor eran inmigrantes –el padre nacido en Riga, en el Báltico, la madre en el norte de Italia– los antepasados del poeta afirman un linaje antiguo en el país con los Borges, los Suárez, los Laprida, los Soler, los Cabrera, y otros nombres preclaros en la historia de la República. Pero en cuanto a la interpretación del criollismo, o del denominado criollismo urbano propiciado por los martinfierristas (López Anaya, "Xul Solar y la utopía espiritualista"), ambos lo van a conjugar conciliándolo con lo universal, acercando los términos de lo local con lo cosmopolita. Aquí, de nuevo resulta oportuno citar un comentario de Beatriz Sarlo:

> A lo largo de estas décadas, tanto para Borges como para Xul Solar, criollismo y cosmopolitismo no se oponen en una irresoluble contradicción, sino que su cruce conflictivo ofrece una solución original al problema del perfil cultural de un país marginado, en el que diversas herencias (hispánico-criolla, europeo-occidental) sufren una acelerada mutación debido a la presión ejercida por otras tradiciones. ("El caso Xul Solar" 36)

En las primeras líneas de "El tamaño de mi esperanza" de 1926, Borges declara: "A los criollos les quiero hablar: a los hombres que en esta tierra se sienten vivir y morir, no a los que creen que el sol y la luna están en Europa" (TE 11). Pero al final del ensayo aclara: "No quiero ni progresismo ni criollismo en la acepción corriente de esas palabras... Criollismo, pues, pero un criollismo que sea conversador del mundo y del yo, de Dios y de la muerte" (TE 14).

Algunos críticos ven en las pinturas de Xul Solar de la década del 20 un tránsito semejante en el que la búsqueda y afirmación de la identidad nacional se apoya primero en lo latinoamericano para derivar luego a lo universal. En "Alejandro Xul Solar", un artículo publicado en *Latin American Art*, Daniel E. Nelson, estudia el proceso de esta evolución y, sobre la base de obras representativas, determina sus distintas etapas. Entre 1919 y 1927, Nelson reconoce tres momentos distintivos en la producción pictórica de Xul Solar, esquema de trabajo que vamos a utilizar como punto de partida para la investigación del tema que ahora nos ocupa.

Primero, Nelson indica que en *Troncos*, obra realizada en Europa en 1919, Xul presenta en forma sumamente estilizada símbolos de oposiciones arquetípicas –serpientes subterráneas y un pájaro que vuela hacia el sol o, en delgadas figuras de palo, el hombre y la mujer– y comenta cómo estos símbolos universales le sirven para estructurar un cosmos cultural indiferenciado (28-29).

Luego, Nelson analiza *Nana Watzin*, acuarela que Xul pinta un año antes de regresar a la Argentina y la que, desde el título, anuncia la incorporación de mitos precolombinos, en este caso uno proveniente de la cosmología azteca. A esto se suman en la tela inscripciones en español, portugués, y náhuatl, elementos significativos en la formación del neocriollo. Así, el crítico anota que estas características demuestran que en 1923 Xul tiende a representar un cosmos específicamente latinoamericano (29).

Al final de su estudio, Nelson se refiere a dos pinturas de 1927, *Manifiesto*, y *Otro drago*. En esta última aparece una serie de banderas, motivo muy frecuente en las obras de esta década, y al que, más adelante, vamos a considerar en detalle. La figura central es la de un dragón que surge del océano y asciende hacia el sol y la luna. Sobre su lomo o entre las estrellas flamean las banderas de las naciones latinoamericanas con la argentina, la de mayor tamaño, afirmada en la cabeza del dragón y superpuesta en parte al sol que se transparenta a través de ella. Nelson interpreta esta obra como la declaración de Xul Solar de su identidad cultural que es la del artista argentino de vanguardia que emerge del contexto latinoamericano para proyectarse en el universo (30).

Si nos apoyamos en el estudio de Nelson, y ponemos el énfasis en el tema del criollismo y el sentimiento de lo argentino en la obra de Xul Solar, conviene volver a los últimos años de su estadía en Europa y partir de 1920, fecha en que pinta la acuarela *Mansilla 2936*. El título no tiene nada de esotérico sino que indica la calle y el número de la casa paterna en Buenos Aires. El dibujo muestra a un hombre-pájaro, con la cara de perfil y las alas esquematizadas en planos geométricos, con uno de ellos, el que está en el centro de la figura, con la inscripción "patio". Esta no es la única palabra escrita en el cuadro. A la derecha, y fuera de la figura se lee "puerta", y alrededor del hombre-pájaro, "B.Aires", "Plano", "da casa", "Mansilla", "2936". Es decir que lo que Xul presenta aquí es la planta arquitectónica de la casa de su padre y, al mismo tiempo, su figura alada que vuela hacia ella.

En cuanto al simbolismo del título y del tema de la pintura centrado en el nombre de una calle, podemos recordar que pocos años después Borges va a "fundar" y fundamentar la esencia mítica de su Buenos Aires en las cuatro calles que encierran la manzana de su casa en Palermo: "La manzana pareja que persiste en mi barrio:/ Guatemala, Serrano, Paraguay, Gurruchaga." (OP 90). Y acerca del patio que Xul pinta en el centro del plano de la casa paterna, y en sus entrañas de hombre-pájaro, casi por la misma época, en octubre de 1921,[9] Borges va a exaltar la trascendencia sustancial de esos patios en las casas de Buenos Aires:

---

[9]   "Buenos Aires", texto publicado en el N° 34 de la revista *Cosmópolis*, de Madrid, en octubre de 1921, y luego, con algunos cambios, incluido en . *Inquisiciones*, de 1925.

Siempre campea un patio en el medio, un pobre patio que nunca
tiene surtidor y casi nunca tiene parra o aljibe; pero que está lleno
de ancestralidad y de primitiva eficacia, ya que se encuentra
cimentado en las dos cosas más primordiales que existen: en la tierra y el cielo. (TR 103)

Aquí es bueno recordar que "patria" viene de "padre", "familia", "antepasados" y tal vez, aunque no siempre lo reconozcamos,
el sentimiento de patria empieza por el sentimiento hacia ellos.

Al comentar *Mansilla 2936* dentro del grupo de las pinturas de
Xul Solar que "subrayan su interés por lo argentino", Gradowczyk
ve en ella "una muestra de ternura y amor filial" y "una prueba
irrefutable de su voluntad de regreso" a su país (70). Xul confirma
todo esto cuando en 1922 pinta la acuarela *Añoro patria* en la que
se observa como motivo central un barco con dos o tres remeros y,
en la popa, una bandera argentina. En la proa, avistando el hori-
zonte, aparecen dos figuras masculinas y, debajo de ella, un dra-
goncito que tal vez remolca a la embarcación o fija el rumbo de la
travesía. Por sobre toda la escena brilla el sol ubicuo de las pinturas
de Xul Solar.

De 1923 son dos acuarelas que por el tema y la estructura casi
forman un díptico: *Nana Watzin* y *Tláloc*. Por el estudio de Nelson
sabemos que Nana Watzin es el nombre de una divinidad de la
mitología de los antiguos mexicanos. Y por su parte, Tláloc representa al dios de la lluvia venerado como símbolo de la fertilidad
agrícola en toda el área nahua-azteca. Como dijimos, en estas obras
puede apreciarse que el interés de Xul Solar se extiende entonces
hacia el ámbito de las tradiciones culturales de Latinoamérica.

Por fin, según comentamos en páginas anteriores, Xul y Pettoruti llegan a Buenos Aires en julio de 1924 y casi inmediatamente
se unen al grupo de los martinfierristas.

En sus pinturas de los años que van desde 1925 a 1927, Xul va
a enfatizar especialmente el tema de lo argentino junto a lo latinoa-

mericano y frente a lo universal valiéndose de las banderas que representan a los distintos países.

Fecha patria (1925) da la imagen de una calle con las casas engalanadas con una multitud de banderas argentinas, y algunas españolas en homenaje al país que los argentinos llaman la Madre patria. Pero el simbolismo de las banderas se hace más evidente en cuadros como *País* (1925), *Otro drago* (1927), *Drago* (1927) y *Mundo* (1925). En todos ellos aparece otro motivo constante en la mayoría de las obras de Xul Solar: la serpiente, extendida o dislocada en secciones y, a veces, transformada en un dragón. En las cuatro pinturas, las enseñas latinoamericanas se apoyan o cuelgan del cuerpo de la serpiente-dragón. En *País* y *Otro drago*, la argentina, de mayor tamaño, va a la cabeza del resto, mientras que en *Drago* y *Mundo* se ubica sobre el lomo, cerca de las de Chile, Uruguay, Brasil o Perú. Pero la diferencia entre las dos primeras y estas dos últimas es que en *Drago* y *Mundo* en los bordes de la pintura Xul introduce las banderas de Italia, Francia, Gran Bretaña, España, Estados Unidos, y Portugal, con lo que expande los límites de su proyección que ahora alcanza a otros países del mundo.

Por muchos años, la bandera argentina seguirá apareciendo en las obras de Xul Solar, y así la vemos en *Proyecto fachada para ciudad*, acuarela de 1954, y en *Texto cívico*, de 1960. Pero la frecuencia y la fuerza simbólica de su imagen se concentra en los trabajos de la época martinfierrista.

En 1926, la tapa del N° 6 del Año 2 de la *Revista de América* presenta un dibujo de Xul Solar con el dragón-serpiente que en la cabeza enarbola una bandera de tres bandas horizontales, dos más oscuras que encierran a una blanca. El diseño podría corresponder a la argentina pero también a las banderas de otros países hispanoamericanos como El Salvador, Honduras, o Nicaragua. Y ya en directa relación con Borges, leemos que en julio de 1926, la Editorial Proa publicó *El tamaño de mi esperanza*, edición "ilustrada por Xul Solar, quien diseñó los 'dragoncitos embanderados' que cerraban cada capítulo", según se aclara al final de la edición de 1993 (TE 137). Dos años más tarde, en cinco de los seis dibujos de Xul al final de determinados capítulos de *El idioma de los argentinos* de 1928, aparece la bandera argentina.[10] Deteniéndonos en algunos de ellos podemos observar detalles significativos del espíritu y las intenciones que por entonces animaban tanto a Xul como a Borges.

Así, en la primera viñeta que seleccionamos (**Figura 1**) aparece una suerte de dragón quebrado en tres secciones-caras, dos de frente y una de perfil, de las que salen largas lenguas que, en otra interpretación, serían las patas del dragón. En el lomo, se ven varias figuras dos de las cuales, en actitud belicosa, levantan una espada. De la cabeza de la sección delantera sale una flecha, y en la postrera flamea la bandera de las dos bandas oscuras con el sol en el medio de la blanca.

Todas las obras de Xul Solar están cargadas de complejos simbolismos y esto se observa aun en éstas más elementales. No vamos a intentar aquí una explicación del significado de la flecha, del número tres, o de las líneas circulares o cuadriculadas en las "mejillas" de esas caras. Sí, podemos notar la cualidad diversiva, casi de alegría infantil que predomina en el dibujo. Y más importante, ver en los entusiastas luchadores a aquéllos que como los compañeros martinfierristas bregaban por renovar el arte y la cultura del país, en este caso específico, Borges con el idioma de los

---

10   En "Acontecimientos: Xul-Borges, el color del encuentro", Annick Louis comenta los dibujos con los que Xul Solar ilustró obras de Borges, no sólo los de *El tamaño de mi esperanza* y *El idioma de los argentinos* sino también los que aparecen en *Un modelo para la muerte*, escrito en colaboración con Bioy Casares, y en *Manual de zoología fantástica*, en colaboración con Margarita Guerrero. Siempre dentro del tema de las viñetas, en su libro Gradowczyk reproduce la que Xul dibujó en 1936 para el primer número de *Destiempo* (156), en la que con tres barquitos con banderas en la popa, y la cabeza de una serpiente-dragón que parece guiarlos a través de las aguas, notamos ciertas semejanzas con la pintura *Añoro patria* de 1922, a la que antes nos referimos.

Figura 1. *Viñeta en El idioma de los argentinos.*

argentinos. Recordemos lo que Xul decía al final del artículo publicado en *Martín Fierro* de septiembre-octubre de 1924, a propósito de la reciente y revolucionaria exposición de las obras de Pettoruti: "Honremos a los que pugnan para que el alma de la patria sea más bella. Porque no terminaron aún para nuestra América las guerras de la Independencia. En arte, uno de sus fuertes campeones es el pintor Emilio Pettoruti" (Prieto 104).

La segunda viñeta (**Figura 2**) reitera la imagen de la cara que puede verse triple, de la flecha, de la lengua extendida, y de la bandera argentina que la corona. Así, esta relación entre los dibujos de Xul y los textos de Borges que a primera vista puede juzgarse anecdótica no resulta tal si la ubicamos en su debido contexto que, como venimos comentando, es por esos años el de la discusión sobre el verdadero sentido de la identidad nacional.

En su conferencia de 1927 sobre "El idioma de los argentinos" que incluirá en el libro de ese título al año siguiente, Borges rechaza la suposición de que el lenguaje arrabalero por un lado, o el español castizo por el otro, representen el habla argentina y, en

Figura 2. *Viñeta en El idioma de los argentinos.*

forma más lírica que precisa, declara que el idioma argentino es "el de nuestra pasión, el de nuestra casa, el de la confianza, el de la conversada amistad" (IA 145). La misma preocupación por determinar las cualidades y características del lenguaje de su tierra está presente en "El idioma infinito", un artículo publicado en *Proa* en julio de 1925, y en 1926 en *El tamaño de mi esperanza.* Comienza el texto criticando dos conductas de idioma a las que califica de "tilingas e inhábiles" (TE 39): la de los galicistas y la de los casticistas, y concluye proclamando su convencimiento de que el escritor debe saber que "el idioma apenas si está bosquejado y de que es gloria y deber suyo (nuestro y de todos) el multiplicarlo y variarlo" (43). Fiel a esta propuesta, a lo largo del estudio va a anotar varios recursos para enriquecer el número de sus voces. En las dos últimas líneas con las que termina el artículo, Borges escribe: "Estos apuntes los dedico al gran Xul Solar, ya que en la ideación de ellos no está limpio de culpa" (43). Si consideramos que por la fecha en que escribe estos comentarios –julio de 1925– hace pocos meses que Borges ha conocido a Xul Solar, la significación del elogio se hace más notable.

En tono festivo, Borges vuelve a referirse a su amigo Xul cuando en marzo de 1927 publica en *Martín Fierro* "Itinerario de un vago porteño (Anticipaciones y Ensayos)". El texto, escrito con su primo Guillermo Juan, es una tirada de dísticos satíricos en los que se mencionan calles y lugares de la ciudad. Por ejemplo, "Entre Flores y Floresta/ me adormeció un Zend-Avesta"; "En la calle Santa Fe/ jugamos al Ti-Ta-Te", o "Cerca del Museo Histórico/ fui a comprar un vidrio teórico" (TR 299-300). Pero hay dos versos que nos interesan especialmente y son los que dicen: "Con Xul, en la calle México/ lo reformamos al léxico" (TR 300). Aunque el dístico puede ser un alarde de rimar palabras con "x", cosa difícil en castellano, si recordamos que en la calle México estaba el edificio de la Biblioteca Nacional, estos versos pueden aludir en broma a lo que seriamente insinuaba la dedicatoria de "El idioma infinito", es decir a los trabajos de Xul Solar en relación con el lenguaje. Y ciertamente, en este terreno Xul desplegó esa capacidad de continua invención que era uno de los rasgos salientes de su personalidad.

En una entrevista en agosto de 1951 Xul declara: "Soy creador de una lengua para la América latina: el neo criollo con palabras, sílabas, raíces de las dos lenguas dominantes: el castellano y el portugués" (Pellegrini 27). Y también: "Soy el creador de un idioma universal: la panlengua, sobre las bases numéricas y astrológicas, que contribuirá a que los pueblos se conozcan mejor" (Pellegrini 26-27).

Aunque estas definiciones son claras y, en principio, pueden servir de base para interpretar los dos idiomas mencionados por Xul, no todo resultará tan fácil. Tratándose de quien, como lo describió Borges, practicaba una "continua invención" y "vivía recreando el universo", no hay que confiar en que algo permanezca inalterable, o se mantenga dentro de límites precisos. Y esto se hace evidente en relación al lenguaje.

En primer lugar, y como también lo observó Borges, el pensamiento de Xul se ubicaba siempre un paso adelante de lo que estaba enunciando, de modo que una explicación o una propuesta se modificaban casi al momento de ser formuladas.

Por otro lado, el neocriollo o la panlengua no son creaciones aisladas sino que, como veremos, Xul las integra dentro del esquema general de su pensamiento artístico y filosófico en el que caben las ideas, las teorías, y las creencias más diversas.

En cuanto a la relación entre el lenguaje y la pintura, no sólo va a incluir al neocriollo como leyenda, o dentro del dibujo de muchas de sus obras sino que, pasando por la serie de las "Grafías", en sus últimos años realiza su proyecto más ambicioso al componer las que denomina "pensiformas" (formas-pensamientos), o "grafías plastiútiles".

Borges y Xul coincidían en la crítica a las limitaciones del idioma castellano. En el Museo Xul Solar se conserva un texto autógrafo, fechado en agosto de 1933, en el que bajo el título de "3 males que padece el español" Xul determina cuáles son esos defectos: "I) rimas que se repiten y que deben cortarse, II) dificultad en combinar las palabras, III) palabras largas e incómodas, que hay que cortar y reemplazar con monosílabos del inglés. Un mal menor es que faltan muchísimas palabras para ideas que ya son claras y obtenibles de otras lenguas como el inglés y el alemán" (Gradowczyk 156).

El neocriollo sería así una de las formas de enmendar esos errores, un lenguaje sobre el que Borges anota lo siguiente:

> Era un español enriquecido con las riquezas de otros idiomas. No un idioma absoluto; un idioma con raíces españolas y además con palabras tomadas de otras lenguas. Por ejemplo, [Xul] decía: "Juguete, ¿qué es un juguete? Es un jugo inmundo. Es una palabra despectiva". En cambio él prefería la palabra inglesa "toy", y entonces decía: "se toy-besan", es decir se besan en broma, o "se

toy-quieren". El usaba continuamente palabras de este tipo. ("Recuerdos")

Además de la práctica oral, Xul dejó varios textos escritos en neocriollo. En orden cronológico, podemos mencionar los siguientes:

–20 de enero de 1927: "Despedida de Marechal". *Martín Fierro*, segunda época, Año IV, N° 37.

–28 de mayo de 1927: "Morgenstern, Cristian: Algunos piensos cortos". Traducción del alemán al neocriollo. *Martín Fierro*, segunda época, Año IV, N° 41.

–abril de 1931: "Poema". *Imán*, N° 1. París.

–agosto de 1931: "Apuntes de Neocriollo". *Azul*, Año II, N° 11. Azul, Provincia de Buenos Aires (Esta es la fecha de publicación. Según lo que Xul escribe al iniciar el texto: "11 Diciembre 1925, 12 1/2 h" ésta última sería la fecha de redacción).

–noviembre de 1936: "Visión sobrel trilíneo". *Destiempo*, Año I, N° 2.

A través de la lectura de estos escritos comprobamos una vez más ese rasgo tan característico de Xul al que nos referimos antes, cuando mantiene un ritmo de cambio y, en el caso del lenguaje, ejercita constantes variaciones léxicas y ortográficas.

En páginas anteriores transcribimos unas líneas de "Despedida de Marechal" como ejemplo de la atmósfera alegre y diversiva que imperaba entre los miembros del grupo martinfierrista. Dado el carácter celebratorio con el declarado destinatario del mensaje (Marechal), y lo específico del tema central (el traje), la "Despedida de Marechal" no presenta muchos problemas de interpretación. Pero este no es el caso con "Apuntes de Neocriollo", y "Visión sobrel trilíneo".

Al final de ambos textos Xul escribe una "Glosa" en la que da explicaciones sobre las normas que aplica en la composición del neocriollo. Así, en la de "Apuntes de Neocriollo" anota una lista de veintidós de estas reglas o claves de significado. A continuación, copiamos algunos ejemplos:

> xu = su dellos (shu)
> sür = sobre, super
> man = humano
> bau = edificio, constru'
> dootri = en otra parte
> Bria = mundo almi
> pir = de fuego, de ardor
> repi o 'pi = encima

La "Glosa" de "Visión sobrel trilíneo" es más extensa y más complicada. Xul parece reconocer la dificultad y, al final de ella, agrega entre paréntesis: "(esta glosa, más longa ke sa pretexto, puede mui sirve pa criol-dríl (ejercitarse en criol))".

Tal vez hay algo de cierto en esto de ejercitarse en el neocriollo. En nuestra experiencia, las explicaciones de las "Glosas" no fueron muy útiles, pero después de varias lecturas de los textos, nos resultó más fácil comprenderlos. Ambos presentan al comienzo la imagen de ascender o de ubicarse en el espacio:

> "déitöme nel último trilíneo 'mo en tapíz, i flotö con él. otro tal trilíneo acérkeseme y obsúbölo" ("Visión")
> "Alfín me lançó a un espacio claro... Alfín esfuerzue me ñe desasgo, lo dejo atrás y subientro a región rójiza, nóchiza" ("Apuntes")

Y ambos concluyen con lo que parece ser un retorno:

> "pero esa tum bolha mui atráigeme desdese mundo, i zás fulmicái-
> göme, ra' ensártinmen los varios mis cuerpos asta yus' *este
> mundo, re*" ("Visión")
> "Cho me rehallé nel mundo, teoamue, 'mo en pirnube, per"
> ("Apuntes")

Entre principio y final, lo que percibimos es lo que anuncia el
título de "Visión sobrel trilíneo" en cuanto a que en los dos escritos
Xul representa experiencias visionarias: en "Apuntes", una teñida
de erotismo en las figuras, en "Visión", aquélla en que predomina
la sensación de vuelo y altura. Acerca de esto cabe recordar que
Borges decía que Xul era un visionario a quien había que reconocer en su condición de tal como se aceptaba a los visionarios del
pasado, y agregaba que sus "cuadros correspondían a visiones":

> Me dijo una vez que era un pintor realista, que pintaba lo real. No
> lo real de este mundo, sino del otro. Es decir, que aquellos de sus
> cuadros en los cuales se ven dioses, santos, figuras en estado de
> levitación, constituyen visiones de Xul. ("Recuerdos")

Xul Solar no limita el uso del neocriollo a la práctica oral y a la
redacción de textos aislados sino que, desde muy temprano, va a
integrarlo en la composición de sus cuadros.

Del período entre 1919 y 1923 son varias acuarelas en las que,
intercaladas entre las figuras y planos del dibujo, escribe en un
neocriollo incipiente palabras que se hilvanan en frases breves. En
este grupo se incluyen las de un díptico de 1919, *Subo os alcanzaré
mais ke alas tengo* y *Probémonos las alas también nos*. En ambas,
frase y palabras se separan en sus componentes. Por ejemplo, en la
primera, construido con planos aparece un ser alado con los brazos
extendidos hacia lo alto, movimiento de ascenso que repiten varios
pájaros moldeados para que produzcan esa impresión. El mensaje

verbal comienza en la parte superior con la palabra "su-bo" parcelada en dos líneas. En el ángulo inferior izquierdo se lee en tres líneas "os al-/ canza-/ ré", mientras que en el derecho son cinco las líneas en que se divide el texto: "mais/ ke/ alas/ ten/ go". Características semejantes se observan en dos pinturas de 1922: *Fluctúa navesierpe por la extensión i su cornake*, y *Axende encurvas miflama hasta el sol*, como así también en *Nana Watzin*, fechada en 1923.

En la década siguiente, Xul Solar inicia la serie de "Grafías", con la primera en 1935. Además de ésta, en el libro de Gradowczyk se reproducen en un primer grupo *Pri Grafía*, de 1938, y dos de 1939, *Grafía antica* y *Grafía* (207-09). Son pinturas muy hermosas que presentan una composición vibrante de rectas y curvas, líneas que terminan en un círculo o un gancho, y volúmenes logrados sobre la base de colores que a veces se transparentan y otras dan solidez a extrañas figuras. Gradowczyk interpreta que se trata de "símbolos de carácter estenográfico" (205), y pensamos que tal vez también es posible reconocer aquí y allá las figuras musicales de blancas y corcheas o, tentativamente, comparar estos trazos de Xul Solar con algunos de los que John Wilkins imaginó para su "Real Character", su lenguaje escrito (Ver Figura 2 del Capítulo 1).

Por otra parte, sin duda operan aquí reminiscencias de los ensayos poético-gráfico-pictóricos de Apollinaire con sus *Caligramas* o de las *Palabras en libertad futuristas* de Marinetti,[11] de esas conjunciones de arte y literatura practicadas por los integrantes de las escuelas de vanguardia que fueron sus camaradas en los años en que Xul residió en Europa.

---

[11] Un buen ejemplo se halla en *Après la Marne, Joffre visite le front en auto*, página en la que Marinetti aplica muchas de las propuestas enunciadas en sus manifiestos: valoración de la onomatopeya, uso de los espacios en blanco y de las mayúsculas para indicar el ritmo o poder de las imágenes, formas de revolución tipográfica y analogía de diseño (*Les mots en liberté futuristes* 99-101).

Progresivamente, las líneas de las "Grafías" se van ensanchando para derivar en planos y volúmenes que culminan en las formas o módulos semánticos que componen la imagen de las últimas pinturas de Xul entre 1959 y 1962, "formas-pensamientos" o "grafías plastiútiles" que expresan visualmente una oración o aforismo. Cada forma puede representar una letra, una sílaba, una palabra o parte de ella lo cual dificulta la interpretación del texto pictórico. Para complicar aún más la tarea a esto se agrega que, según explica Gradowczyk, en estas obras de Xul Solar se han identificado seis sistemas básicos de escritura: 1) Geométricas, 2) Bloque ʼde letras, 3) Guardas, 4) Cursivas, 5) Vegetales, 6) Antropomórficas y zoomórficas. La combinación de estas seis clases resulta en nuevas subclases o grafías mixtas (Gradowczyk 215-16). El crítico comenta que, a veces, Xul representaba la misma sentencia o aforismo en una serie de obras en las que utilizaba distintos sistemas de escritura. Y da como ejemplo los cinco cuadros pintados entre 1961 y 1962 que ilustran la misma leyenda, *Xamine todo retene lo bon* ("Examine todo retenga lo bueno") según el sistema de escritura zoomorfa, vegetal, cursiva, geométrica, y de bloque de letras (215-16).

En muchos de estos trabajos, Xul o su esposa Lita (Micaela Cadenas de Schulz Solari) escribieron al pie de la grafía, o atrás del cartón, el texto en neocriollo que ésta simboliza. Pero aun con este auxilio, la tarea de descifrar su significado es enorme. Gradowczyk destaca como primer intento de descodificar las grafías plastiútiles el realizado por Jorge O. García Romero con la ayuda de Lita Xul Solar, en *Alejandro Xul Solar*, Monografía presentada ante la Escuela Superior de Bellas Artes de la Universidad Nacional de La Plata, en agosto de 1972 (216).

De 1960 es una grafía titulada *Texto cívico* en la que, en el ángulo superior izquierdo, aparece (o reaparece) una banderita argentina. Y aunque no contamos con la clave para interpretar el "texto", sí podemos darnos al goce de captar el extraño equilibrio de sus formas y la vívida armonía de sus colores.

Así, hasta este punto en nuestra investigación, nos familiarizamos con frases o textos en neocriollo, y pudimos observar la escritura propuesta en las Grafías plastiútiles. Pero qué sabemos de la panlengua, ese idioma universal que, según Xul, estaba construido sobre "bases numéricas y astrológicas".

Entre los asistentes a la conferencia pronunciada por Borges en la Fundación San Telmo en septiembre de 1980 estaba Lita Xul Solar y, en un momento de la charla, Borges se dirige a ella y le pide que les explique en qué consistía la panlengua. En "Recuerdos de mi amigo Xul Solar", título con el que se publicó el texto de la conferencia, leemos su respuesta: "La Pan-lengua en realidad no es un lenguaje que esté hecho, sino que es la notación del Pan-juego". Y Borges agrega: "Sí, yo recuerdo que el pan-juego fue un juego, un diccionario, un horóscopo, una partitura de música, un poema, es decir: era todo".

Además de la importante colección de pinturas de este artista singular, en las salas del Museo Xul Solar[12] se exhiben otros trabajos que se incluyen en la larga lista de sus inventos: un piano multicolor con un teclado de tres hileras, páginas con las figuras y signos de un nuevo sistema de notación musical, 24 cartas del Tarot extrañamente dibujadas sobre cartulina, las máscaras de los personajes de un teatro de títeres que representan los signos del Zodíaco y, como culminación de todos ellos, un complejo y esotérico juego de ajedrez.

Para la descripción del "Pan-ajedrez o Pan-juego, o Ajedrez criollo" contamos con una copia de dos páginas mecanografiadas

---

[12] El Museo Xul Solar está ubicado en la calle Laprida 1212-14-16 de la ciudad de Buenos Aires. Xul y su familia vivieron en el departamento del primer piso con entrada por Laprida 1214, propiedad que Micaela Cadenas de Schulz Solari donó a la Fundación Pan Klub de la que fue fundadora junto con un grupo de amigos dilectos del artista.

que Xul escribió bajo este título, y con la fotografía que tomamos del juego de ajedrez que figura en la colección del Museo, con el enfoque centrado en la superficie del tablero y varias de las piezas. **(Figura 3)**[13] En principio, podríamos pensar que estos materiales van a darnos una imagen precisa del juego, pero a poco de comenzar la lectura del texto o de tratar de cotejar lo escrito con lo que muestra la foto, comprendemos que esto no es sencillo. Xul comienza su explicación del Pan-ajedrez con estas líneas:

> Un juego de habilidad combinatoria, independiente del azar, para una nuestra civilización más perfecta en lo intelectual, científico y estético, que ha de crear en esta paz, cuyo primer día hábil es hoy.

Las que siguen a este primer párrafo no son más claras aunque especifican elementos importantes en la ideación del autor, quien dice:

> El motivo y la utilidad, digamos también lo único de este nuevo juego, está en que reúne en sí varios medios de expresión completos, es decir, lenguajes, en varios campos que se corresponden sobre una misma base, que es el zodíaco, los planetas y la numeración duodecimal. Esto hace que coincidan la fonética de un idioma construido sobre las dos polaridades, la negativa, la positiva y su término medio neutro, con las notas, acordes y timbres de una música libre y con los elementos lineales básicos de una plástica abstracta, que además son escrituras. También coinciden los escaques, como grados del círculo, con el movimiento diurno y anual del cielo, el tiempo histórico y su drama humano expresado en los astros.

---

13   Agradecemos a Martha L. Rastelli de Caprotti, Curadora, y a Elena M. Lacasa de Povarché, Directora del Museo Xul Solar, Fundación Pan Klub, la autorización para tomar, y reproducir esta fotografía en nuestro estudio.

Figura 3. Tablero y piezas del Pan-ajedrez.

Lo que Xul enfatiza aquí es una serie de correspondencias: la del zodíaco, los planetas y la numeración duodecimal, la de un idioma bipolar con los acordes de una música libre y las líneas de una plástica abstracta y, finalmente, la coincidencia de las casillas del tablero como grados del círculo con el movimiento de los astros y el drama humano del tiempo histórico. Aunque de difícil comprensión, el Pan-juego así descripto, con lo astrológico en su centro, parece representar acabadamente la esencia del pensamiento, y de la práctica artística de Xul Solar.[14]

---

[14] Aquí, resulta oportuno citar el comentario que Juan José Sebreli anota en *Las aventuras de la vanguardia: El arte moderno contra la modernidad*: "A través de su obra, Xul Solar quiso mostrar la concepción esotérica de la unidad del cosmos y la armonía universal, la oculta correspondencia entre el lenguaje, la música, la pintura, los juegos, el teatro, la arquitectura, la matemáti-

Acerca de la numeración duodecimal es interesante leer la reseña de *Duodecimal arithmetic*, un libro de George S. Terry, que Borges publica en *Sur*, en noviembre de 1939. Al final de su comentario, Borges escribe:

> Hace más de doce años que Xul Solar predica (vanamente) el sistema duodecimal de numeración; más de doce años que todos los matemáticos de Buenos Aires le repiten que ya lo conocen, que jamás han oído un dislate igual, que es una utopía, que es una mera practicidad, que es impracticable, que nadie escribe así, etc. Quizá este libro (que no es obra de un mero argentino) anule o atempere su negación. (BS 216)

Si volvemos al texto de Xul veremos cómo en sus explicaciones va derivando del ajedrez a los campos más diversos: el tiempo, la música, las vocales, los números. Así cuando se refiere a los escaques o casillas del tablero:

> Un escaque corresponde a 10 minutos de tiempo en el día, 2 grados y medio de arco (o más o menos un día en el año), una nota musical (grado de la escala), un sonido vocálico simple o compuesto, un número de orden, un producto en la tabla pitagórica de multiplicación, en sistema duodecimal (el más perfecto), etc.

Además de la complejidad de los conceptos y de lo confuso de las descripciones, un factor que hace trabajosa la lectura de estas páginas es que Xul las ha cubierto de correcciones, tachaduras, y agregados escritos a mano. La razón de este aparente descuido la da Borges cuando comenta porqué a él le resultaba difícil entender en qué consistía el Pan-ajedrez cuando Xul trataba de explicárselo. Dice:

---

cas, la vida misma; una vez más, la aspiración romántica de la obra de arte total" (155).

Pero a medida que lo explicaba, comprendía que su pensamiento ya había dejado atrás lo que explicaba, es decir que al explicar iba enriqueciéndolo y por eso creo que nunca llegué a entenderlo, porque él mismo se daba cuenta de que lo que él decía ya era anticuado y agregaba otra cosa. ("Recuerdos")

La simple observación del tablero y las piezas del ajedrez en la **Figura 3** da una idea de la multiplicidad de significados que Xul asigna a cada uno de los elementos del juego al tiempo que extiende las posibilidades de movimientos y variaciones en su desarrollo. El tablero está montado en lo que parece ser una mitad de un maletín o, tal vez, la base de la caja de una máquina de escribir portátil, con la manija y los cierres. Lo más importante es advertir que en lugar de estar dividido en 8 por 8 filas, lo que en el juego tradicional resulta en 64 casillas, éste exhibe 12 filas horizontales por 13 verticales, o sea 156 casillas o escaques (En una fotografía incluida en *Xul Solar: El sol herido* (64), se ve a Xul y a un amigo en medio de una partida de ajedrez que juegan en un tablero de 13 por 13 filas con 169 casillas, que es la división que Xul describe en sus páginas mecanografiadas). También, aumenta el número de las piezas al agregar a las habituales otras de su invención como la "Bi-torre", el "Bi-alfil", la "Tri-torre", o el "Tri-alfil".

Xul diseña las piezas no puntiagudas sino planas, más parecidas a fichas redondas o cuadradas, las que pueden invertirse o superponerse. Y, en su texto, completa la descripción y el resultado de sus movimientos:

Como cada pieza se distingue por una consonante (salvo los peones iguales a números), resulta que cada distinta posición en los escaques que están marcados con vocales o combinaciones de éstas, siempre diferentes, produce palabras muy diversas, por cientos de miles, y con varias piezas juntas por muchos millones: quiere decir que el fundamento de este juego es un diccionario de una lengua filosófica a priori, que si se escribe con los signos elementales correspondientes a sus sonidos –especie de taquigrafía triple de líneas, formas y gestos, que se describe en otra ocasión– forma toda clase de dibujos (abstractos) y combinaciones musicales, también ínsitas en las distintas posiciones de la marcha del juego.

Frente a este múltiple ajedrez de Xul Solar, el ajedrez que aparece en la obra y en el pensamiento de Borges se ubicaría en las antípodas.

Borges habla del "geométrico y bizarro ajedrez" (OP 263), del "secreto rigor del ajedrez" (P 109), del "ajedrez heráldico y abstracto" (HN 115), de algo "arduo y elegante" como "un severo problema de ajedrez" (TC 133). Por sobre todo, el ejemplo más acabado de elocuente exactitud en la figuración poética del ajedrez lo hallamos en los dos sonetos que, bajo ese título, Borges incluye en *El hacedor* (OP 118-19). Aquí el tablero es el "severo/ ámbito en que se odian dos colores" o "lo negro y blanco del camino". Y para describir los movimientos de las piezas le basta con atribuirles un adjetivo: "torre homérica, ligero/ caballo, armada reina, rey postrero,/ oblicuo alfil y peones agresores". O "Tenue rey, sesgo alfil, encarnizada/ reina, torre directa y peón ladino". El prodigio de precisión en los calificativos se equipara con el lacónico verso final en el que el poeta expresa su pensamiento trascendental al comparar los movimientos de las piezas en el tablero con el destino de los seres humanos sobre la tierra: "Como el otro, este juego es infinito" (OP 118).

Años antes, en la época de la preocupación criollista, Borges había recurrido a las barajas del truco para meditar sobre los jugadores que repiten las jugadas de aquéllos que los precedieron en el tiempo. Así lo vemos en "El truco", poema incluido en *Fervor de Buenos Aires*, de 1923 (OP 29), y en la prosa del mismo título de *El idioma de los argentinos* (27-31), texto agregado después a segundas ediciones de *Evaristo Carriego* (106-10). En una Nota al poema dice: "En esta página de dudoso valor asoma por primera vez una idea que me ha inquietado siempre. Su declaración más cabal está en 'Nueva refutación del tiempo' (*Otras inquisiciones*, 1952)" (OP 62). Y concluye la prosa con la referencia al mismo tema:

> Su juego es una repetición de juegos pasados, vale decir, de ratos de vivires pasados. Generaciones ya invisibles de criollos están como enterradas vivas en él: son él, podemos afirmar sin metáfora. Se trasluce que el tiempo es una ficción, por ese pensar. Así, desde los laberintos de cartón pintado del truco, nos hemos acercado a la metafísica: única justificación y finalidad de todos los temas. (IA 30-31)

De la misma forma, y volviendo al juego de ajedrez, no resulta extraño que Borges se apoye en sus imágenes para llegar a la meditación filosófica si, como lo anota en el "Prólogo" de *El oro de los tigres*, su temprana iniciación en esas reflexiones se ubica en el momento en que su padre le reveló, "con ayuda del tablero de ajedrez... la carrera de Aquiles y la tortuga" (OP 360).

El motivo del ajedrez ejemplifica las diferencias y las semejanzas en la personalidad y en los trabajos de Xul y Borges. Como vimos, el ajedrez de Xul está en constante mutación y se multiplica al proponer una totalidad disgregada en donde entran y se mezclan los astros y los hombres, la música y los números, la plástica y la historia. En el otro extremo, el ajedrez de Borges cabe en las catorce líneas de un soneto en las que los movimientos de las piezas se determinan con la economía de dos palabras. Pero lo importante, y en lo que ambos coinciden, es en interpretar y ejercitar el juego de ajedrez en un sentido de profundo simbolismo.

Por otra parte, las coincidencias entre Xul y Borges eran muchas: la temprana adhesión al expresionismo alemán, las compartidas lecturas de Blake y Swedenborg, el interés por ideas religiosas o filosóficas a las que Borges se acerca "por su valor estético y aun por lo que encierran de singular y de maravilloso" (OI 263) al tiempo que Xul exalta en ellas el lado esotérico y visionario con el que establece una relación vital.[15] Y como vimos, y en lugar prominente, el fijar la atención en las cualidades y en las posibilidades del lenguaje.

En el trato cotidiano, Borges observa a Xul empeñado en formular nuevas escrituras y en reparar los defectos y carencias del castellano, y es así como lo presenta en sus textos. A la dedicatoria de "El idioma infinito", en 1925, sigue el comentario en "Las Kenningar" (*Sur*, 1932) en el que sostiene que "hasta que las exhortaciones gramaticales de nuestro Xul Solar no encuentren obediencia", versos como los que cita de Rudyard Kipling y de Yeats "serán inimitables e impensables en español" (HE 71-72).

En *Alejandro Xul Solar*, Mario H. Gradowczyk sugiere otro posible avatar de Xul en las páginas de Borges. Este se encuentra en el "Índice de las fuentes" para los relatos de *Historia universal de la infamia* de 1935. En la apócrifa que corresponde a "El tintorero enmascarado Hákim de Merv", Borges anota: "*Die Vernichtung der Rose*. Nach dem arabischem Urtext uebertragen von Alexander Schulz. Leipzig, 1927" (HUI 309). La mención es aquí a *La aniquilación de la rosa*, un libro supuestamente traducido del original en árabe al alemán por Alexander Schulz. La hipótesis de Gradowczyk es válida si consideramos la condición de polígloto de Xul Solar, su dominio del idioma alemán, y su interés por las leyendas y cultos orientales.

Así como en *Adán Buenosayres* el astrólogo Schultze es el único capaz de interpretar el extraño discurso del Neocriollo, en

---

15 En la biblioteca de Xul Solar se conserva un ejemplar de *A New Model of the Universe* de P.D. Ouspensky, el escritor ruso relacionado con la escuela esotérica y la teosofía, a quien Borges cita con frecuencia (Ver Nota 11 del Capítulo 4). Es muy probable que Borges haya leído a Ouspensky en la biblioteca de su amigo, de la que comentaba: "No he conocido una biblioteca más versátil y más deleitable que la suya" (AT 80).

"Tlön, Uqbar, Orbis Tertius", de 1940, Borges confiere a Xul la tarea de traducir una frase de la "conjetural *Ursprache* de Tlön": "*Surgió la luna sobre el río* se dice *hlör u fang axaxaxas mlö* o sea en su orden: hacia arriba (*upward*) detrás duradero-fluir luneció. (Xul Solar traduce con brevedad: upa tras perfluyue lunó. *Upward, behind the onstreaming it mooned.*)" (F 20-21).

Años más tarde, cuando el protagonista-narrador de "El Congreso" en *El libro de arena* (1975) revisa el esperanto, el volapük, el latín, y el idioma analítico de John Wilkins en la busca de un lenguaje "que fuera digno del Congreso del Mundo" (LA 54) no sería del todo aventurado suponer que Borges está jugando con el recuerdo de las creaciones idiomáticas de Xul Solar. Y la relación no es caprichosa si por ejemplo recordamos que cuando Xul explica que la combinación de vocales y consonantes según los movimientos de las piezas en el tablero del Pan-ajedrez resulta en millones de palabras que demuestran que "el fundamento de este juego es un diccionario de una lengua filosófica a priori", lo que viene a la memoria es el *Ensayo de una escritura real, y de un lenguaje filosófico* en el que, con variada fortuna, John Wilkins se dio a similar intento.

En su definición de la panlengua, Xul indica que el propósito que lo mueve a crear ese idioma universal es el de ofrecer un instrumento para que "los pueblos se conozcan mejor". Razones similares son las que mueven a Schleyer con el volapük, a Zamenhof con el esperanto, y a otros soñadores de ese sueño en la búsqueda de la lengua perfecta del que hablaba Umberto Eco.

Puesto a evocar a Xul, en lo cercano y entrañable Borges destaca su mejor cualidad: "Xul era el hombre más capaz de amistad que he conocido" ("Recuerdos"). Después, y ya en tren de delinear los múltiples aspectos de su carácter y de sus trabajos, escribe:

Hombre versado en todas las disciplinas, curioso de todos los arcanos, padre de escrituras, de lenguajes, de utopías, de mitologías, huésped de infiernos y de cielos, autor panajedrecista y astrólogo, perfecto en la indulgente ironía y en la generosa amistad, Xul Solar es uno de los acontecimientos más singulares de nuestra época. ("Prólogo")

EPÍLOGO

Concluimos aquí este recorrido por la imaginaria galería de los "raros" de Borges que comenzó cuando nos detuvimos a observar los trabajos de un obispo inglés del siglo XVII y llegó a su fin al acercarnos a los de uno de los amigos de todas las horas. Leímos mucho, y leímos a aquéllos que habríamos ignorado a no ser por el acicate de Borges que nos motivó a hacerlo.

El camino nunca fue directo sino marcado por recodos y bifurcaciones que imponían un rumbo zigzagueante en la diversidad de temas, autores, y épocas.

Así, fuimos de Wilkins a Mauthner, de Innes a Gibbon y a Dunbar, o de las matemáticas de Cantor a la imaginación de una curva cerrada que puede también ser un laberinto.

Como casi todos, nos perdimos en la carrera de Aquiles y la tortuga, en la flecha tal vez estática en el espacio, y en las pinturas regresivas de aquél obstinado en representar el universo.

Escuchamos el consejo de Dunne de anotar en un cuaderno el relato de nuestros sueños antes de que éstos se pierdan en el olvido, y la confidencia de Borges que decía deber a una gran lata de bizcochos su primera noción del infinito.

A veces, tratamos de interpretar idiomas filosóficos, grafías plastiútiles, o la figura del Aleph hebreo en el que el poeta veía una aristada rosa de los vientos. También, nos divertimos con el gato de Schopenhauer, los dragoncitos de Xul Solar y el humor de Macedonio.

Con pensamientos serios o risueños, la reflexión al final siempre se orientaba hacia los problemas trascendentales de la metafísica y a los del lenguaje en la tarea de expresarlos.

Sin ánimo de intentar lo imposible, logramos a pesar de todo atisbar algo de lo que estaba en la mente de Borges al tiempo de darse a sus escritos.

Y, aunque a enorme distancia del maestro Lector, siguiendo a estos "raros" pudimos transitar por algunos de sus senderos.

BIBLIOGRAFÍA

Obras de Jorge Luis Borges

El Aleph. Buenos Aires: Emecé, 1957.

"Los amigos". *Tiempo de sosiego* 5.18. Buenos Aires: Roche, 1972.

Antiguas literaturas germánicas. Con la colaboración de Delia Ingenieros. México: FCE, 1951.

Atlas. Con la colaboración de María Kodama. Buenos Aires: Sudamericana, 1984.

"Autobiographical Notes". *The New Yorker* 19 Sept. 1970: 40-99.

La biblioteca de Babel: Prólogos. Buenos Aires: Emecé, 2000.

Biblioteca personal (Prólogos). Buenos Aires: Alianza, 1988.

Borges en "Revista multicolor". Investigación y recopilación de Irma Zangara. Buenos Aires: Atlántida, 1995.

Borges oral. Buenos Aires: Emecé / Editorial de Belgrano, 1979.

La cifra. Buenos Aires: Emecé, 1981.

"Conferencia". *Xul Solar: Catálogo de las obras del Museo.* Ed. Mario H. Gradowczyk. Buenos Aires: Fundación Pan Klub, 1990. 13-18.

Los conjurados. Madrid: Alianza, 1985.

"Un cuento de Eduardo Wilde". *Clarín. Cultura y Nación* 23 de febrero 1984: 1-2.

Discusión. Buenos Aires: Emecé, 1957.

Evaristo Carriego. Buenos Aires: Emecé, 1955.

Ficciones. Buenos Aires: Emecé, 1956.

El hacedor. Buenos Aires: Emecé, 1960.

Historia de la eternidad. 5a. ed. Buenos Aires: Emecé, 1968.

Historia de la noche. Buenos Aires: Emecé, 1977.

Historia universal de la infamia. Prosa completa. 2a. ed. Vol. 1. Barcelona: Bruguera, 1980. 239-309.

El idioma de los argentinos. Ilustraciones de Xul Solar. Buenos Aires: Seix Barral / Biblioteca Breve, 1994.

El informe de Brodie. Buenos Aires: Emecé, 1970.

Inquisiciones. Buenos Aires: Seix Barral / Biblioteca Breve, 1994.

Jorge Luis Borges en "Sur", 1931-1980. Buenos Aires: Emecé, 1999.

El libro de arena. Buenos Aires: Emecé, 1975.

Macedonio Fernández. Buenos Aires: Ediciones Culturales Argentinas, 1961.

"Macedonio Fernández". *La Nación* 21 de julio 1974. Sec. 3:1.

Obra poética. 1923-1976. Buenos Aires: Emecé, 1977.

Obras completas en colaboración. Buenos Aires: Emecé, 1979.

Otras inquisiciones. Buenos Aires: Emecé, 1960.

"Prólogo". *Xul Solar: Catálogo de las obras del Museo.* Ed. Mario H. Gradowczyk. Buenos Aires: Fundación Pan Klub, 1990. 11.

Prólogos: con un "Prólogo" de Prólogos. Buenos Aires: Torres Agüero, 1975.

"Recuerdos de mi amigo Xul Solar". *Comunicaciones* 3. Buenos Aires: Fundación San Telmo, 1990. N. pág.

Selección de los mejores cuentos policiales. Segunda serie. Con la colaboración de Adolfo Bioy Casares. 4a. ed. Buenos Aires: Emecé, 1962.

Siete noches. Buenos Aires: FCE, 1980.

El tamaño de mi esperanza. Buenos Aires: Seix Barral / Biblioteca Breve, 1993.

Textos cautivos: Ensayos y reseñas en "El Hogar" (1936-1939). Ed. Enrique Sacerio-Garí y Emir Rodríguez Monegal. Barcelona: Tusquets, 1986.

Textos recobrados: 1919-1929. Ed. Sara Luisa del Carril. Buenos Aires: Emecé, 1997.

Obras consultadas

Alagia, Humberto. "Indicios". *Borges y la ciencia.* Buenos Aires, EUDEBA, 1999. 89-98.

Alifano, Roberto. *Conversaciones con Borges.* Madrid: Debate, 1986.

Anderson Imbert, Enrique. *La originalidad de Rubén Darío*. Buenos Aires: Centro Editor de América Latina, 1967.

Apollinaire, Guillaume. *Calligrammes: Poèmes de la paix et de la guerre(1913-1916)*. Paris: Gallimard, 1966.

———. *Les peintres cubistes: Méditations esthétiques*. Genève: Pierre Cailler, 1950.

Areán, Carlos. "Xul Solar, surrealista argentino". *Cuadernos hispanoamericanos* 524 (1994): 71-82.

Arens, Katherine. *Functionalism and Fin de Siècle: Fritz Mauthner's Critique of Language*. New York: Lang, 1984.

Arte de Argentina: Argentina 1920-1994. Ed. David Elliott. Oxford: Museum of Modern Art, 1994.

Athenaeus. *The Deipnosophists*. Vol. 1. London: Heinemann, 1927.

Balderston, Daniel, Gastón Gallo, y Nicolás Helft. *Borges: Una Enciclopedia*. Buenos Aires: Grupo Editorial Norma, 1999.

Barcia, Pedro Luis. "Estudio preliminar, recopilación y notas". *Escritos dispersos de Rubén Darío (Recogidos en periódicos de Buenos Aires)*. La Plata, Argentina: Facultad de Humanidades y Ciencias de la Educación. Universidad Nacional de La Plata, 1968.

Barrenechea, Ana María. *La expresión de la irrealidad en la obra de Jorge Luis Borges*. México: El Colegio de México, 1957.

———. *Textos latinoamericanos*. Caracas: Monte Avila, 1978.

Bell-Villada, Gene H. *Borges and His Fiction: A Guide to His Mind and Art*. Chapel Hill: U of North Carolina P, 1981.

Bennett, Maurice J. "The Detective Fiction of Poe and Borges". *Comparative Literature* 35. 3 (1983): 262-75.

Benstock, Shari. "At the Margin of Discourse: Footnotes in the Fictional Text". *PMLA* 98 (1983): 204-25.

Bergson, Henri. *Ensayo sobre los datos inmediatos de la conciencia*. Trad. Domingo Barnés. Madrid: Francisco Beltrán, 1919.

———. *La risa: Ensayo sobre la significación de lo cómico*. 3a. ed. Buenos Aires: Losada, 1953.

Bioy Casares, Adolfo. *La otra aventura*. Buenos Aires: Galerna, 1968.

Blaisten, Isidoro. "Borges y el humor". *La Nación* 28 de noviembre 1999. Sec. 6: 1-2.

Bonner, Anthony, ed. *Selected Works of Ramon Llull (1232-1316)*. Vol. 1. Princeton, New Jersey: Princeton UP, 1985.

Camurati, Mireya. *Bioy Casares y el alegre trabajo de la inteligencia*. Buenos Aires: Corregidor, 1990.

———. *Poesía y poética de Vicente Huidobro*. Buenos Aires: Fernando García Cambeiro, 1980.

Cantor, Georg. *Contribution to the Founding of the Theory of Transfinite Numbers*. La Salle, Illinois: The Open Court, 1952.

Carilla, Emilio. *Una etapa decisiva de Darío (Rubén Darío en la Argentina)*. Madrid: Gredos, 1967.

Carricaburo, Norma. "Las innovaciones de Xul Solar en el *Adán Buenosayres*". *Proa* 3a. Época. 37 (septiembre-octubre 1998): 83-90.

Cervera Salinas, Vicente. *La poesía de Jorge Luis Borges: Historia de una eternidad*. Murcia: U de Murcia, 1992.

Chambers, Ross. "The Storm in the Eye of the Poem: Baudelaire's 'A une passante'". *Textual Analysis: Some Readers Reading*. Ed. Mary Ann Caws. New York: MLA, 1986. 156-66.

Chesterton, G.K. "A Defence of Detective Stories". *The Art of the Mystery Story: A Collection of Critical Essays*. Ed. Howard Haycraft. New York: Simon, 1946. 3-6.

———. *Generally Speaking*. New York: Dodd, 1929.

———. *G.F. Watts*. London: Duckworth, 1904.

Cortázar, Julio. *Ultimo round*. 2 vols. México: Siglo XXI, 1969.

Costa, René de. *Humor in Borges*. Detroit: Wayne State UP, 2000.

Coulson, Graciela. "Leopoldo Marechal: la aventura metafísica". *Hispamérica* 3. 7 (1974): 29-39.

Cozarinsky, Edgardo. *Borges y el cine*. Buenos Aires: Sur, 1974.

Dapía, Silvia G. "El ensayismo de Jorge Luis Borges". *Tradición y actualidad de la literatura iberoamericana*. Ed. Pamela Bacarisse. Vol. 1. Pittsburgh, Pennsylvania: Instituto Internacional de Literatura Iberoamericana, 1995. 273-83.

Darío, Rubén. *Azul*. Santiago de Chile: Zig-Zag, 1954.

———. *Obras poéticas completas*. Madrid: Aguilar, 1941.

———. *Los raros. Cabezas*. Madrid: Aguilar, 1958.

De Quincey, Thomas. *On Murder as a Fine Art*. London: Philip Allan, 1925.

Dunbar, William. *The Poems of William Dunbar.* Ed. James Kinsley. Oxford: Oxford UP, 1979.

Dunne, J.W. *Un experimento con el tiempo.* Buenos Aires: Hyspamérica, 1986.

———. *An Experiment with Time.* New York: Macmillan, 1938.

———. *The New Immortality.* London: Faber and Faber, 1938.

———. *Nothing Dies.* London: Faber and Faber, 1940.

———. *The Serial Universe.* London: Faber and Faber, 1934.

Eastman, Max. *Enjoyment of Laughter.* New York: Simon and Schuster, 1936.

Echavarría, Arturo. *Lengua y literatura de Borges.* Barcelona: Ariel, 1983.

Eco, Umberto. *De los espejos y otros ensayos.* Barcelona: Lumen, 1988.

———. *The Search for the Perfect Language.* Trans. James Fentress. Oxford: Blackwell, 1995.

———. and Thomas A. Sebeok, eds. *The Sign of Three: Dupin, Holmes, Peirce.* Bloomington: Indiana UP, 1983.

The Encyclopaedia Britannica. 11th ed. 1911.

Fernández, Macedonio. *Papeles de Recienvenido. Poemas. Relatos, Cuentos, Miscelánea.* Buenos Aires: Centro Editor de América Latina, 1966.

———. *Teorías. Obras completas.* Vol. 3. Buenos Aires: Corregidor, 1974.

Ferrater Mora, José. *Diccionario de Filosofía.* 4a. ed. Buenos Aires: Sudamericana, 1958.

———. *Diccionario de Filosofía abreviado.* 3a. ed. Buenos Aires: Sudamericana, 1973.

Foucault, Michel. *Las palabras y las cosas: Una arqueología de las ciencias humanas.* México: Siglo XXI, 1968.

Freud, Sigmund. *El chiste y su relación con lo inconsciente.* Trad. Luis López Ballesteros y de Torres. Madrid: Alianza, 1969.

———. *Jokes and Their Relation to the Unconscious.* Trans. James Strachey. London: Penguin, 1976.

Galbreath, Robert, et al. "A Glossary of Spiritual and Related Terms". *The Spiritual in Art: Abstract Painting 1890-1985.* Ed. Edward Weisberger. New York: Abbeville, 1986. 367-91.

Galli, Aldo. "Estética compartida". *La Nación* 7 de febrero 1999. Sec. 6: 4.

Gibbon, Edward. *The History of the Decline and Fall of the Roman Empire.* 6 vols. Boston: Phillips, 1851.

González Lanuza, Eduardo. "Cuando el continente cabe en el contenido". *La Nación* 11 de julio 1982. Sec. 4: 1.

———. "Mi primera conferencia". *La Nación* 1º de julio 1979. Sec. 4: 2.

Gradowczyk, Mario H. *Alejandro Xul Solar.* Buenos Aires: Ediciones Alba; Fundación Bunge y Born, 1994.

Grafton, Anthony. *The Footnote: A Curious History.* Cambridge, MA: Harvard UP, 1997.

Harpocration. *Lexeis of the Ten Orators.* Ed. John J. Keaney. Amsterdam: Adolf M. Hakkert, 1991.

Haycraft, Howard. *Murder for Pleasure: The Life and Times of the Detective Story.* New York: Appleton, 1941.

Hayles, N. Katherine. *The Cosmic Web: Scientific Field Models and Literary Strategies in the Twentieth Century.* Ithaca and London: Cornell UP, 1984.

Hogben, Lancelot. *Dangerous Thoughts.* London: Allen, 1939.

Inglis, Brian. Introducción. *Un experimento con el tiempo* de J.W. Dunne. Buenos Aires: Hyspamérica, 1986. 11-23.

Innes, Michael. "Death as a Game". *Esquire* January 1965: 55-56.

———. *Death at the President's Lodging.* London: Victor Gollancz, 1936.

———. *Hamlet, Revenge!* New York: Collier, 1962.

———. *¡Hamlet, venganza!* Madrid: Alianza Emecé, 1974.

———. "John Appleby". *The Great Detectives.* Ed. Otto Penzler. Boston: Little, 1978. 11-15.

———. *Lament for a Maker.* London: Victor Gollancz, 1971.

———. *Muerte en la rectoría.* Madrid: Alianza Emecé, 1976.

———. *La torre y la muerte.* 2a. ed. Buenos Aires: Emecé, 1946.

Irwin, John T. *The Mystery to a Solution: Poe, Borges, and the Analytic Detective Story.* Baltimore: Johns Hopkins UP, 1994.

Jaén, Didier T. *Borges' Esoteric Library: Metaphysics to Metafiction.* Lanham, Maryland: UP of America, 1992.

James, William. *Some Problems of Philosophy: A Beginning of an Introduction to Philosophy.* New York: Longmans, 1911.

Jarauta, Francisco. "El espacio visionario de Xul Solar". *Xul Solar: El sol herido*. Ed. Alfredo Taján y Pedro Pizarro. Málaga y Sevilla: Junta de Andalucía, Consejería de Cultura, 1998. 9-14.

Kasner, Edward y James Newman. *Matemáticas e imaginación*. Buenos Aires: Hyspamérica, 1985.

———. *Mathematics and the Imagination*. New York: Simon and Schuster, 1940.

Lapidot, Ema. *Borges y la inteligencia artificial: Análisis al estilo de Pierre Menard*. Madrid: Pliegos, 1990.

Lastra, Pedro. *Relecturas hispanoamericanas*. Santiago de Chile: Universitaria, 1987.

Lem, Stanislaw. *A Perfect Vacuum*. Trans. Michael Kandel. Evanston, Illinois: Northwestern UP, 1999.

Lewes, George Henry. *Biographical History of Philosophy: From its Origin in Greece Down to the Present Day*. Vol. 1. New York: D. Appleton, 1863. 2 vols.

L'Herne. 973. *Jorge Luis Borges*. Paris, mars 1964.

Llull, Ramon. *Selected Works of Ramon Llull (1232-1316)*. Ed. Anthony Bonner. 2 vols. Princeton, New Jersey: Princeton UP, 1985.

Long, Rose-Carol Washton. "Expressionism, Abstraction, and the Search for Utopia in Germany". *The Spiritual in Art: Abstract Painting 1890-1985*. Ed. Edward Weisberger. New York: Abbeville, 1986. 201-17.

López Anaya, Jorge. "Xul Solar y la utopía espiritualista". *La Nación* 6 de septiembre 1998. Sec. 6: 6.

Louis, Annick. "Acontecimientos: Xul-Borges, el color del encuentro". *Xul Solar / Jorge Luis Borges: Língua e Imagem* (Catálogo). Centro Cultural, Banco do Brasil, 1997.

Marechal, Leopoldo. *Adán Buenosayres*. 3a. ed. Buenos Aires: Sudamericana, 1966.

Marinetti, F.T. *Les mots en liberté futuristes*. Milano: Edizioni Futuriste di "Poesia", 1919.

Martino, Daniel. *ABC de Adolfo Bioy Casares: Reflexiones y observaciones tomadas de su obra*. Buenos Aires: Emecé, 1989.

Mateos, Zulma. *La filosofía en la obra de Jorge Luis Borges*. Buenos Aires: Biblos, 1998.

Maturo, Graciela. "Leopoldo Marechal". *Latin American Writers*. Ed. Carlos A. Solé. Vol. 2. New York: Scribner's Sons, 1989. 887-96.

Mauthner, Fritz. *Beiträge zu einer Kritik der Sprache*. 3a. ed. 3 vols. Leipzig: Meiner, 1923.

——. *Wörterbuch der Philosophie*. 2a. ed. 3 vols. Leipzig: Meiner, 1923-1924.

Merrell, Floyd. *Unthinking Thinking: Jorge Luis Borges, Mathematics, and the New Physics*. West Lafayette, Indiana: Purdue UP, 1991.

Mill, John Stuart. *Sistema de lógica*. Trad. Eduardo Ovejero y Maury. Madrid: Daniel Jorro, 1917.

Molloy, Sylvia. "Borges y la distancia literaria". *Sur* 318 (1969): 26-37.

Mosse, George L. Introduction. *Degeneration*. by Max Nordau. Lincoln, Nebraska: U of Nebraska P, 1993.

Nelson, Daniel E. "Alejandro Xul Solar". *Latin American Art*. 3. 3 (1991): 28-30.

Nordau, Max. *Degeneration*. Lincoln, Nebraska: U of Nebraska P, 1993.

Nuño, Juan. *La filosofía de Borges*. México: FCE, 1986.

Ocampo, Victoria. *Diálogo con Borges*. Buenos Aires: Sur, 1969.

Olea Franco, Rafael. *El otro Borges. El primer Borges*. Buenos Aires: FCE, 1993.

Orgambide, Pedro, y Roberto Yahni, eds. *Enciclopedia de la literatura argentina*. Buenos Aires: Sudamericana, 1970.

Ouspensky, P.D. *Tertium Organum: The Third Canon of Thought. A Key to the Enigmas of the World*. New York: Knopf, 1925.

Pacheco, Marcelo. "Los años 20 decidieron el siglo". *La Nación* 7 de junio 1998. Sec. 6: 6.

Pankhurst, E. Sylvia. *Delphos: The Future of International Language*. London: Kegan Paul, [1927].

Paoli, Roberto. "Borges y la filosofía". *Homenaje a Alfredo A. Roggiano: En este aire de América*. Ed. Keith McDuffie y Rose Minc. Pittsburgh, Pennsylvania: Instituto Internacional de Literatura Iberoamericana, 1990. 355-71.

Pellegrini, Aldo. "Xul Solar". *Xul Solar: Catálogo de las obras del Museo*. Ed. Mario H. Gradowczyk. Buenos Aires: Fundación Pan Klub, 1990. 25-42.

Pellicer, Rosa. *Borges: El estilo de la eternidad*. Zaragoza, España: U de Zaragoza, 1986.

Pettoruti, Emilio. *Un pintor ante el espejo*. Buenos Aires: Solar, 1968.

Poe, Edgar Allan. "Hawthorne's *Twice-Told Tales*". *Literary Criticism of Edgar Allan Poe*. Ed. Robert L. Hough. Lincoln: U of Nebraska P, 1965. 133-41.

———. "The Philosophy of Composition". *Essays and Reviews*. New York: Literary Classics of the United States, 1984. 13-25.

Priestley, J.B. *Man and Time*. London: Aldus, 1964.

———. *Two Time Plays: Time and the Conways. I Have Been Here Before*. London: William Heinemann, 1937.

Prieto, Adolfo. *El periódico "Martín Fierro"*. Buenos Aires: Galerna, 1968

Reed, John R. *The Natural History of H. G. Wells*. Athens, Ohio: Ohio UP, 1982.

Rest, Jaime. "Borges y el 'pensamiento sistemático'". *Hispamérica* 1. 3 (1973): 3-23.

———. "Borges y el universo de los signos". *Hispamérica* 3. 7 (1974):3-24.

Rosenbaum, Jane. "Michael Innes: John Innes Mackintosh Stewart". *Critical Survey of Mystery and Detective Fiction*. Ed. Frank N. Magill. Vol. 3. Pasadena, CA: Salem Press, 1988. 922-27.

Royce, Josiah. *The World and the Individual: First Series. The Four Historical Conceptions of Being*. New York: Dover, 1959.

———. *The World and the Individual: Second Series. Nature, Man, and the Moral Order*. New York: Dover, 1959.

Rubione, Alfredo. "Xul Solar: Utopía y vanguardia". *Punto de vista* 10. 29 (1987): 37-39.

Russell, Bertrand. *The Analysis of Mind*. London: George Allen and Unwin, 1921.

———. *Introduction to Mathematical Philosophy*. London: George Allen and Unwin, 1919.

———. *Mysticism and Logic and Other Essays*. London: Longmans, 1919.

———. *Our Knowledge of the External World*. New York: W.W. Norton, 1929.

Sacerio-Garí, Enrique. "La crítica de Borges en *El Hogar*". *Revista Interamericana de Bibliografía*. 33 (1983): 171-90.

Sarlo, Beatriz. "El caso Xul Solar: Invención fantástica y nacionalidad cultural". *Arte de Argentina: Argentina 1920-1994*. Ed. David Elliott. Oxford: Museum of Modern Art, 1994. 34-39.

———. "Un clásico marginal". *Clarín. Cultura y Nación* 13 de junio 1996: 10.

———. *Jorge Luis Borges: A Writer on the Edge*. London: Verso, 1993.

Sawnor, Edna A. "Borges y Bergson". *Cuadernos Americanos* 185. 6 (1972): 247-54.

Scheper, George L. *Michael Innes*. New York: Ungar, 1986.

Schopenhauer, Arthur. *The World as Will and Representation*. Trans. E.F.J. Payne. 2 vols. New York: Dover, 1966.

Schrader, Ludwig. "Rubén Darío, crítico literario en *Los raros*". *El ensayo y la crítica literaria en Iberoamérica*. Ed. Kurt L. Levy y Keith Ellis. Toronto: U of Toronto, 1970. 95-99.

Sebreli, Juan José. *Las aventuras de la vanguardia: El arte moderno contra la modernidad*. Buenos Aires: Sudamericana, 2000.

Shakespeare, William. *Obras completas*. Trad. Luis Astrana Marín. Madrid: Aguilar, 1951.

Sierra, Ana. *El mundo como voluntad y representación: Borges y Schopenhauer*. Potomac, Maryland: Scripta Humanistica, 1997.

Sifrim, Mónica. "Entrevista. Bioy Casares habla de un amigo". *Clarín. Cultura y Nación* 19 de junio 1986: 2-3.

Sklodowska, Elzbieta. *La parodia en la nueva novela hispanoamericana (1960-1985)*. Amsterdam / Philadelphia: John Benjamins, 1991.

Slung, Michele. "Innes, Michael". *Twentieth-Century Crime and Mystery Writers*. Ed. Lesley Henderson. 3rd ed. Chicago: St. James Press, 1991.

Smith, Jr., Grover. "Time Alive: J.W. Dunne and J.B. Priestley". *The South Atlantic Quarterly* 56.2 (1957): 224-33.

The Spiritual in Art: Abstract Painting 1890-1985. Ed. Edward Weisberger. New York: Abbeville, 1986.

Swinnerton, Frank. *The Georgian Literary Scene: A Panorama*. London: Heinemann, 1935.

Thomas, David Wayne. "Godel's Theorem and Postmodern Theory". *PMLA* 110 (1995): 248-61.

Torre, Guillermo de. *Historia de las literaturas de vanguardia*. 3 vols. Madrid: Guadarrama, 1971.

Ussher, James. *The Annals of the World: Deduced from the Origin of Time, and Continued to the Beginning of the Emperor Vespasians Reign*. London: Crook and Bedell, 1658.

Vázquez, María Esther. *Borges: Imágenes, memorias, diálogos*. Caracas: Monte Avila, 1980.

——. "Borges y sus libros". *La Nación* 24 de marzo 1985. Sec. 7: 2.

——. "La sonrisa de la felicidad". *La Nación* 14 de marzo 1999. Sec. 6:8.

Videla, Gloria. *El ultraísmo: Estudios sobre movimientos poéticos de vanguardia en España*. Madrid: Gredos, 1963.

Villordo, Oscar Hermes. *Genio y figura de Adolfo Bioy Casares*. Buenos Aires: EUDEBA, 1983.

Weiler, Gershon. *Mauthner's Critique of Language*. Cambridge: Cambridge UP, 1970.

Wells, H.G. *The Shape of Things to Come*. New York: Macmillan, 1934.

Wilkins, John. *An Essay towards a Real Character, and a Philosophical Language*. 1668. Menston, England: Scolar Press, 1968.

Wright Henderson, P.A. *The Life and Times of John Wilkins*. Edinburgh: Blackwood, 1910.

Xul Solar: Catálogo de las obras del Museo. Ed. Mario H. Gradowczyk. Buenos Aires: Fundación Pan Klub, 1990.

Xul Solar: El sol herido. Ed. Alfredo Taján y Pedro Pizarro. Málaga y Sevilla: Junta de Andalucía, Consejería de Cultura, 1998.

Yates, Donald A. "La biblioteca de Borges". *Iberoromania* 3 (1975): 99-106.

Ziegfeld, Richard E. *Stanislaw Lem*. New York: Frederick Ungar, 1985.

ÍNDICE ONOMÁSTICO

Este libro se terminó de imprimir en
GAMA PRODUCCIÓN GRÁFICA S.R.L.
Zeballos 244 - Avellaneda